HET HONGERVUUR

ERIKSSON & SUNDQUIST BIJ UITGEVERIJ CARGO

Het Kraaienmeisje

Jerker Eriksson &
Håkan Axlander Sundquist

DE ZWAKTE VAN VICTORIA BERGMAN

DEEL TWEE

Het hongervuur

Vertaald door Elina van der Heijden
en Wiveca Jongeneel

2013
DE BEZIGE BIJ
AMSTERDAM

Cargo is een imprint van Uitgeverij De Bezige Bij, Amsterdam

Copyright © 2011 Jerker Eriksson & Håkan Axlander Sundquist
First published by Ordupplaget, Sweden. Published by arrangement with
Lindhardt og Ringhof A/S. All rights reserved
Copyright Nederlandse vertaling © 2013
Elina van der Heijden en Wiveca Jongeneel, via het Scandinavisch Vertaal- en
Informatiebureau Nederland
Oorspronkelijke titel *Hungerelden*
Oorspronkelijke uitgever Ordupplaget, Stockholm
Omslagontwerp Wil Immink Design
Omslagillustratie © Katya Evdokimova/Arcangel Images
Vormgeving binnenwerk Peter Verwey, Heemstede
Druk Bariet, Steenwijk
ISBN 978 90 234 7507 1
NUR 305

www.uitgeverijcargo.nl

Ter nagedachtenis aan ons die verraad pleegden

Ze zit vaak voor zich uit te staren en daarna veranderen haar mooie ogen. Ze krijgen een mysterieuze, niet te duiden glans. De iris van haar oog vult zich met droevige vlammen, een hongervuur dat brandstof zoekt voor het licht van de ziel, opdat het licht niet zal doven. Zelf wilde ze waarschijnlijk graag dat we de lepel des doods gehoorzaam oppakten, een afscheidsmaal aten en weg waren.

Uit: *Aniara* van Harry Martinson

Vrije Val

De nachtmerrie bereikt Stockholm gekleed in een kobaltblauwe jas, iets donkerder dan de avondhemel boven het eiland Djurgården en de baai Ladugårdslandviken. Ze is blond, heeft blauwe ogen en draagt een kleine tas over haar schouder. Haar te kleine schoenen zijn rood en schuren tegen haar hielen, maar dat is ze gewend en de schaafwonden maken tegenwoordig deel uit van haar persoonlijkheid. De pijn houdt haar wakker.

Ze weet dat ze zal worden verlost als ze maar kan vergeven, niet alleen zijzelf maar ook degenen die vergeven worden. Jarenlang heeft ze geprobeerd te vergeten, maar dat is haar nooit gelukt.

Ze ziet het zelf niet, maar haar wraak is een kettingreactie.

Een kwart leven geleden werd in een gereedschapsschuur op het terrein van het Sigtuna Lyceum een sneeuwbal in beweging gebracht en voordat die zijn weg naar het onvermijdelijke voortzette, werd zij in die beweging meegenomen.

Je kunt je afvragen wat de mensen die de sneeuwbal hebben gemaakt over de verdere tocht weten. Vermoedelijk niets. Waarschijnlijk zijn ze gewoon verdergegaan. Zijn ze de gebeurtenis vergeten alsof het een onschuldig spelletje was dat in die gereedschapsschuur begon en eindigde.

Zelf zit ze vast in de beweging. De tijd is voor haar niet belangrijk, die heeft geen helend effect.

Haat ontdooit niet. Die wordt juist harder, tot scherpe ijskristallen die haar hele wezen omgeven.

Het is een frisse avond en de lucht is vochtig van de verspreide regenbuien die elkaar sinds de middag hebben afgelost. Ze hoort geschreeuw van de achtbaan, staat op, veegt haar kleren schoon en kijkt om zich heen. Blijft even staan, haalt diep adem en herinnert zich weer waarom ze hier is.

Ze weet wat haar te doen staat.

Schuin onder de hoge verbouwde uitkijktoren slaat ze de commotie een eindje verderop gade. Twee suppoosten voeren een man af, naast hen rent een huilend meisje. Waarschijnlijk de dochter van de man.

Op de grond ligt een vrouw naast een kapotte fles, een paar mensen staan over haar heen gebogen. Iemand roept om een EHBO'er.

De glassplinters werpen scherpe reflecties op het natgeregende asfalt.

Ze beseft dat het moment waarop ze moet handelen bijna is aangebroken, al had ze alles anders gepland. Het toeval heeft het haar makkelijker gemaakt. Zo eenvoudig dat niemand zal begrijpen wat er is gebeurd.

Ze ziet de jongen een eindje verderop, hij is alleen en staat voor het hek van de attractie Vrije Val.

Vergiffenis schenken voor iets wat kan worden vergeven bestaat eigenlijk niet, denkt ze. Oprechte vergeving is vergiffenis schenken voor iets wat onvergeeflijk is. Maar dat is iets wat alleen een god vermag.

De jongen ziet er verward uit. Terwijl hij zich omdraait, van haar af, loopt ze langzaam naar hem toe.

Door zijn beweging heeft hij het haar bijna lachwekkend makkelijk gemaakt om hem ongemerkt van achteren te naderen en nu is ze slechts een paar meter van hem verwijderd. Hij staat nog steeds met zijn rug naar haar toe en lijkt iemand te zoeken.

Echte vergeving is onmogelijk, dwaas en onbewust, denkt ze. En omdat ze verwacht dat de schuldigen berouw zullen tonen, kan de vergeving nooit worden volbracht. De herinnering is en blijft een wond die nooit wil helen.

Ze pakt de jongen stevig bij zijn arm.

Hij schrikt en draait zich om, terwijl zij de spuit in zijn linkerbovenarm drukt.

Hij kijkt haar een paar tellen verbaasd aan en zakt vervolgens door zijn knieën. Ze vangt hem op en zet hem voorzichtig op een bank.

Niemand heeft haar manoeuvre gezien.

Alles is volstrekt normaal.

Terwijl ze ziet dat de vrouw op de grond begint te bewegen, pakt ze iets uit haar tas en schuift dat behoedzaam over het hoofd van de jongen.

Het masker is van roze plastic en stelt een varkenskop voor.

Gröna Lund

Hoofdinspecteur Jeanette Kihlberg van de recherche weet precies waar ze zich bevond toen ze hoorde dat premier Olof Palme op de Sveavägen was vermoord.

Ze was met een taxi op weg geweest naar Farsta en de man naast haar had mentholsigaretten gerookt. Een stille regen en de misselijkheid na te veel glazen bier.

Thomas Ravelli's redding op een strafschop tegen Roemenië in de kwartfinale van het WK-voetbal van 1994 had ze op een zwart-wittelevisie in een café aan het Kornhamnstorg gezien en de barkeeper had een rondje bier gegeven.

Toen de Estonia verging, had ze met griep naar *The Godfather* liggen kijken.

Het optreden van The Clash in het Hovetstadion, een kleffe lipglosskus op het klassenfeest in de derde van de middelbare school en de eerste keer dat ze de deur van het huis in Gamla Enskede opende en het hun thuis noemde, horen ook allemaal tot haar duidelijkste herinneringen.

Maar het moment waarop Johan verdwijnt, zal ze zich nooit kunnen herinneren.

Dat zal voor eeuwig een zwarte vlek blijven. Tien verdwenen minuten. Aan haar ontstolen door een zuiplap in pretpark Gröna Lund. Een dronken loodgieter uit Flen die een dagje op bezoek is in de hoofdstad.

Een stap opzij, de blik omhooggericht. Johan en Sofia gaan in de gondel naar boven en ze wordt duizelig, hoewel ze veilig op de grond staat. Het is een omgekeerde vorm van duizeligheid. Van beneden naar boven, in plaats van andersom. De toren ziet er heel fragiel uit, de stoeltjes ogen erg simpel geconstrueerd en de gevolgen van een fout lijken catastrofaal.

Dan plotseling het geluid van uiteenspattend glas.

Opgewonden geschreeuw.

Er huilt iemand en Jeanette ziet de gondel verder naar boven gaan. Een man komt op haar af gerend, ze doet een pas opzij. Johan lacht ergens om. Bijna helemaal boven.

'Ik vermoord je, klootzak!'

Jeanette krijgt een duw van achteren. Ze ziet dat de man geen controle heeft over zijn lichaam. Door de alcohol zijn zijn benen te lang geworden, zijn gewrichten te stijf en zijn verdoofde zenuwen een beetje te langzaam.

De man struikelt en valt pardoes op de grond.

Jeanette werpt een blik schuin naar boven. Johans en Sofia's benen van onderen. Slingeren.

De gondel stopt.

De man komt overeind, hij heeft schrammen in zijn gezicht van het grind en het asfalt.

Een paar kinderen huilen.

'Papa!'

Een klein meisje, niet ouder dan zes jaar, met een roze suikerspin in haar hand.

'Kunnen we niet gaan? Ik wil naar huis.'

De man antwoordt niet, maar kijkt om zich heen, zoekt zijn tegenstander, iemand op wie hij zijn frustraties kan afreageren.

Vanuit haar politiereflex handelt Jeanette zonder te aarzelen. Ze pakt de man bij zijn arm beet. 'Hé,' zegt ze voorzichtig, 'doe even kalm aan.' Ze wil hem op andere gedachten brengen. Het is niet haar bedoeling verwijtend te klinken.

De man draait zich om en Jeanette ziet dat zijn ogen troebel en bloeddoorlopen zijn. Verdrietig en teleurgesteld, beschaamd bijna.

'Papa...' zegt het kleine meisje nog een keer, maar de man reageert niet en staart alleen maar leeg voor zich uit, zonder focus.

'En wie ben jij, verdomme?' Hij maakt zich los uit Jeanettes greep. 'Donder op!'

Zijn adem ruikt scherp en zijn lippen zijn bedekt met een dun, wit laagje.

'Ik wilde alleen...'

Op dat moment hoort ze dat de gondel daar boven wordt losgemaakt en de enthousiaste kreten van vreugde vermengd met angst halen haar uit haar concentratie, leiden haar aandacht af.

Ze ziet Johan, zijn haar rechtovereind en zijn mond wijd open in een brul.

En ze ziet Sofia.

Ze hoort het kleine meisje. 'Niet doen, papa! Niet doen!'

Maar ze ziet niet dat de man naast haar zijn arm omhoogbrengt.

De fles raakt Jeanettes slaap en alles wordt zwart.

Waldemarsudde

Net als mensen die hun hele leven van alle geluk worden beroofd, maar toch altijd hoop blijven koesteren, staat Jeanette Kihlberg in de uitoefening van haar werk onverdeeld negatief tegenover alle opvattingen die ook maar een greintje pessimisme ademen.

Daarom geeft ze nooit op en daarom reageert ze zoals ze reageert wanneer politiemedewerker Schwarz overduidelijk provocerend over het trieste weer en zijn vermoeidheid klaagt en zegt dat ze geen vooruitgang boeken in de zoektocht naar Johan.

Jeanette Kihlberg wordt witheet.

'Wel godverdomme! Naar huis jij, subiet, jou kunnen we hier niet gebruiken!'

Dat heeft effect. Schwarz deinst als een beschaamde hond achteruit, terwijl Åhlund met een nietszeggend gezicht naast hem staat. Door de woede begint de hoofdwond onder het verband krachtig te kloppen.

Jeanette komt enigszins tot bedaren, slaakt een zucht en maakt een afwerend gebaar naar Schwarz. 'Hoor je me? Je bent tot nader order van je taken ontheven.'

'Kom...' Åhlund pakt Schwarz bij zijn arm en ze lopen weg.

Na een paar passen draait hij zich om naar Jeanette en probeert positief te kijken. 'We gaan naar de anderen bij Beckholmen, misschien kunnen we daar meer doen.'

'Jij, niet jullie. Schwarz gaat naar huis. Begrepen?'

Åhlund knikt zwijgend ten antwoord en even later is Jeanette alleen.

Met holle ogen en stijf van de kou staat ze aan de achterkant van het Vasa-museum op Jens Hurtig te wachten, die meteen toen hij van Johans verdwijning had gehoord zijn vakantie had afgebroken om te komen helpen zoeken.

Als ze even later de niet-herkenbare politieauto langzaam over de weg in het Galärpark ziet naderen, weet ze dat het Hurtig is, samen met een getuige. Iemand die beweert de vorige avond laat een jonge jongen te hebben gezien die in zijn eentje bij het water stond. Op grond van wat Hurtig over de politieradio heeft verteld, begrijpt ze dat ze niet te veel van de getuigenverklaring moet verwachten. Toch zegt ze tegen zichzelf dat er hoop, ijdel of niet, moet zijn.

Ze probeert haar gedachten op een rijtje te zetten en de gebeurtenissen van de afgelopen uren te reconstrueren.

Johan en Sofia waren verdwenen, ze waren plotseling zomaar weg. Na een halfuur had ze volgens het boekje gehandeld; ze had Johan via het luidsprekersysteem van het pretpark laten omroepen en gespannen bij de informatiebalie gestaan. Als ze maar iets hoorde dat met Johan te maken kon hebben, rende ze weg, maar elke keer had ze onverrichter zake naar de balie terug moeten sjokken. Vlak voordat haar lichaam door de laatste stuiptrekkingen van de hoop was verscheurd, waren er een paar suppoosten gekomen met wie ze de doelloze zoektocht op het terrein van het pretpark had voortgezet. Daar hadden ze Sofia gevonden, liggend op het grind op een van de wandelpaden, omringd door een mensenmenigte waar Jeanette zich met haar ellebogen doorheen had gewerkt tot ze Sofia in de ogen kon kijken. Het gezicht dat vlak daarvoor nog synoniem was geweest met de verlossing, had nu de bezorgdheid en de onzekerheid onderstreept. Sofia was helemaal overstuur geweest. Jeanette betwijfelde of Sofia überhaupt in staat was geweest haar te herkennen, laat staan dat ze had kunnen vertellen waar Johan was. Jeanette was niet bij haar gebleven, ze moest verder zoeken.

Er was nog een halfuur verstreken voordat ze contact had opgenomen met haar collega's van de politie. Maar noch zij, noch de meer dan twintig agenten die in het water bij het pretpark hadden gedregd en Djurgården hadden uitgekamd, hadden Johan gevonden. Ook de surveillancewagens niet die zijn signalement hadden gekregen en in het centrum hadden rondgereden.

Er was ook een opsporingsbericht op de plaatselijke radio uitgegaan. Zonder resultaat, tot vijfenveertig minuten geleden.

Jeanette weet dat ze correct heeft gehandeld, maar ze heeft zich als een robot gedragen. Een door gevoelens lamgeslagen robot. Een contradictio in terminis. Hard, koud en rationeel aan de buitenkant, maar gestuurd door chaotische impulsen. Alle woede, irritatie, vrees, angst, verwarring en berusting die ze gedurende de nacht heeft gevoeld, vloeien samen tot een diffuse massa.

Het enige bestendige gevoel is ontoereikendheid.

En niet alleen tegenover Johan.

Jeanette denkt aan Sofia.

Hoe gaat het met haar?

Jeanette heeft een paar keer vergeefs contact gezocht. Als Sofia iets over Johan wist, zou ze háár toch wel hebben gebeld? Of weet ze iets waarvoor ze kracht moet verzamelen voordat ze het kan vertellen?

Daar moet je nu niet aan denken, zegt ze tegen zichzelf en ze wuift de gedachten die niet gedacht mogen worden weg. Concentreer je.

De auto stopt en Hurtig stapt uit.

'Jezus,' zegt hij. 'Dat ziet er niet goed uit.' Hij knikt naar haar hoofd, dat in het verband zit.

Ze weet dat het er erger uitziet dan het in feite is. De wond van de klap met de fles is ter plekke gehecht en het verband zit, net als haar jack en shirt, onder het bloed. 'Het valt wel mee,' zegt ze. 'Je had je reis naar Kvikkjokk niet voor mij hoeven afbreken.'

Hij haalt zijn schouders op. 'Stel je niet aan. Wat had ik daar trouwens moeten doen? Sneeuwpoppen maken?'

Voor het eerst in ruim twaalf uur glimlacht Jeanette. 'Hoe ver was je gekomen?'

'Tot Långsele. Ik ben gewoon het perron af gestapt en heb de bus naar het zuiden genomen.'

Een snelle omhelzing. Er hoeft niet meer gezegd te worden, omdat ze beiden weten dat ze intens dankbaar is dat hij is gekomen.

Ze opent het portier aan de passagierskant en helpt de oude vrouw uit de auto. Hurtig heeft haar een foto van Johan laten zien en Jeanette heeft begrepen dat haar getuigenverklaring zwak is. Ze heeft niet eens kunnen zeggen welke kleur Johans kleren hadden.

'Heeft u hem daar gezien?' Jeanette wijst naar het steenachtige strand bij de steiger waar het lichtschip Finngrund ligt vastgemeerd.

De oude vrouw knikt, terwijl ze huivert in de kou. 'Hij lag op de stenen te slapen en ik heb hem wakker geschud. Zo gedraag je je toch niet, zei ik tegen hem. Dronken, zo jong en dan al...'

'Ja, ja.' Jeanette is ongeduldig. 'Zei hij iets?'

'Nee, hij mompelde alleen wat. Als hij al iets zei, heb ik het niet verstaan.'

Hurtig haalt de foto van Johan tevoorschijn en laat hem nog een keer aan de vrouw zien. 'U weet niet zeker of dit de jongen is die u zag?'

'Tja, zoals ik al zei heeft hij dezelfde kleur haar, maar het gezicht... Het is moeilijk te zeggen. Hij was immers dronken.'

Jeanette zucht en loopt voor de anderen uit naar het weggetje langs het stenige strand. Dronken, denkt ze. Johan? Wat een onzin.

Ze kijkt naar het eiland Skeppsholmen aan de andere kant van het water, gehuld in een grauwe nevel.

Hoe kan het toch zo verdomde koud zijn?

Ze loopt naar het water en stapt op de stenen. 'Lag hij hier? Weet u dat zeker?'

'Ja,' antwoordt de vrouw beslist. 'Ongeveer hier.'

Ongeveer, denkt Jeanette gelaten, terwijl ze kijkt hoe de oude vrouw haar bril aan de mouw van haar jas droogpoetst.

Ze realiseert zich dat ze wanhopig wordt. Het enige wat ze hebben is een oude vrouw met slechte ogen die, hoe graag Jeanette ook zou willen dat het anders was, gewoon een slechte getuige is.

Ze hurkt neer en kijkt of ze iets ziet wat bevestigt dat Johan hier is geweest. Een kledingstuk, zijn kleine tas, zijn huissleutels. Wat dan ook.

Maar ze ziet alleen kale stenen, gladgespoeld door golven en regenwater.

Hurtig draait zich om naar de vrouw. 'En toen liep hij weg? Richting het museum Junibacken?'

'Nee...' De vrouw pakt een zakdoek uit haar jaszak en snuit luid haar neus. 'Hij waggelde weg. Hij was zo zat dat hij nauwelijks op zijn benen kon staan...'

Jeanette raakt geïrriteerd. 'Maar hij ging die kant op? Naar Junibacken?'

De oude dame knikt en snottert weer in de zakdoek.

Op dat moment passeert er een ambulance op de Djurgårdsvägen, naar het geluid te oordelen op weg naar het eiland.

'Weer een vals alarm?' zegt Hurtig met een grimmige blik naar Jeanette, die moedeloos haar hoofd schudt.

Het is de derde keer dat ze de sirenes hoort en de eerste twee keren had het niet met Johan te maken gehad.

'Ik bel Mikkelsen,' zegt Jeanette.

'De rijksrecherche?' vraagt Hurtig verbaasd.

'Ja. Volgens mij is hij hier het meest geschikt voor.' Ze komt overeind en gaat met een paar snelle passen over de stenen terug naar het weggetje.

'Misdrijven tegen kinderen, bedoel je?' Hurtig lijkt meteen spijt te hebben van zijn woorden. 'Nou ja, ik bedoel, we weten nog niet wat er aan de hand is.'

'Misschien niet, maar het zou verkeerd zijn om niet vanuit die hypothese te werken. Mikkelsen heeft de zoekacties op Beckholmen, Gröna Lund en Waldemarsudde gecoördineerd.'

Hurtig knikt en kijkt haar meelevend aan.

Niet doen, denkt ze en ze kijkt weg. Geen medelijden. Dan stort ik helemaal in.

'Ik bel hem.'

Als Jeanette haar mobieltje pakt, ziet ze dat de batterij leeg is. Op hetzelfde moment horen ze tien meter verderop de politieradio in Hurtigs auto knetteren.

Ze voelt zich vanbinnen zwaar worden als het tot haar doordringt.

Alsof het bloed in haar lichaam naar beneden zakt en haar de aarde in wil trekken.

Ze hebben Johan gevonden.

Het Karolinska-ziekenhuis

Aanvankelijk dacht het ambulancepersoneel dat de jongen dood was.

Hij werd bij de oude oliemolen op Waldemarsudde gevonden en zijn ademhaling en zijn hartslag waren nauwelijks waarneembaar.

Hij was sterk onderkoeld en bovendien zagen ze dat hij diverse keren had overgegeven in de ongewoon koude nazomernacht.

Ze waren bang voor aspiratie-geïnduceerde longschade en vreesden dat het bijtende zuur van de maag in de longen terecht was gekomen.

Het was even na tienen toen Jeanette Kihlberg in de ambulance stapte die haar zoon naar de intensive care van het Karolinska-ziekenhuis in Solna zou brengen.

De kamer is verduisterd, maar het schijnsel van de zwakke middagzon dringt door de jaloezieën naar binnen en de oranje lichtstrepen liggen als een patroon op Johans blote bovenlichaam. Het pulserende, kunstmatige licht van de lampen van de hart-longmachine speelt boven het bed en Jeanette Kihlberg heeft het gevoel dat ze zich in een droom bevindt.

Ze streelt Johans hand en werpt een blik op het meetinstrument naast het bed.

Zijn lichaamstemperatuur begint de normale waarde te naderen, iets onder de zesendertig graden.

Ze weet dat hij een grote hoeveelheid alcohol in zijn lichaam had. Bijna drie promille toen hij in het ziekenhuis werd opgenomen.

Ze heeft geen oog dichtgedaan, haar lichaam voelt verdoofd en ze weet niet of het hart dat in haar borstkas klopt met het pulserende gevoel in haar voorhoofd te maken heeft. Gedachten die ze niet herkent weergalmen in haar hoofd; ze zijn gefrustreerd, boos, bang, verward en gelaten tegelijk.

Ze is altijd een rationeel persoon geweest. Tot nu.

Ze kijkt naar Johan in het bed. Dit is de eerste keer dat hij in een ziekenhuis ligt. Nee, de tweede keer. De eerste keer was twaalf jaar geleden, toen hij werd geboren. Toen was ze volkomen kalm geweest. Ze was zo goed voorbereid geweest dat ze zelfs de keizersnee al had zien aankomen voordat de artsen daartoe hadden besloten.

Voor deze situatie waren geen voorbereidingen getroffen.

Ze drukt zijn hand wat harder. Die is nog steeds koud, maar hij ziet er ontspannen uit en zijn ademhaling is rustig. Het is stil in de kamer. Alleen het elektrische geruis van de machines is te horen.

'Johan...' fluistert ze, zich ervan bewust dat ook mensen die niet bij bewustzijn zijn kunnen horen. 'Ze denken dat alles goed komt.'

Ze onderbreekt haar poging om Johan hoop te geven.

Ze denken? Het is eerder zo dat ze het niet weten.

Toen ze hier was aangekomen, was het één grote chaos geweest. Ze hadden Johan met zijn hoofd naar beneden op een ziekenhuisbed gelegd, terwijl zijn luchtwegen werden schoongezogen.

Aspiratie. Het longweefsel kon beschadigd zijn als gevolg van het bijtende maagzuur.

In het ergste geval.

Haar verwarde vragen, de zakelijke maar inhoudsloze verklaringen van de artsen.

Haar woede en frustratie leidden steeds tot dezelfde vraag: waarom weten jullie verdomme niets?

Ze konden vertellen over ecg-bewaking, zuurstof en infuusslangen, en uitleggen hoe een sonde in de slokdarm de lichaamstemperatuur controleert en hoe een hart-longmachine de centrale opwarming van het lichaam regelt.

Ze konden vertellen over kritieke onderkoeling, over de invloed die een relatief lang verblijf in koud water gevolgd door een nacht met regen en sterke wind op het lichaam heeft.

Ze konden uitleggen dat alcohol de bloedvaten verwijdt en de temperatuurdaling bespoedigt, en dat er gevaar voor hersenbeschadigingen ontstaat doordat het bloedsuikergehalte daalt.

Vertellen en uitleggen.

Ze vertelden dat ze dachten dat het gevaar eventueel was geweken en ze legden uit dat bloedgassen en röntgenfoto's van de longen er op het eerste gezicht positief uitzagen.

Wat betekent dat?

Bloedgassen? Op het eerste gezicht? Dat het gevaar eventueel is geweken?

Ze denken. Maar ze weten niets.

Als Johan kan horen, dan heeft hij alles gehoord wat haar in deze kamer is verteld. Ze kan niet tegen hem liegen. Ze legt haar hand op zijn wang. Dat is geen leugen.

Haar gedachten worden onderbroken als Hurtig de kamer binnenkomt.

'Hoe gaat het met hem?'

'Hij leeft en hij zal herstellen. Het is goed, Jens. Ga maar naar huis.'

Bandhagen

Wereldwijd slaat de bliksem honderd maal per seconde in, wat neerkomt op ongeveer acht miljoen keer per dag. Het zwaarste onweer van het jaar trekt over Stockholm en om tweeëntwintig minuten over tien slaat de bliksem op twee plaatsen tegelijk in. In Bandhagen ten zuiden van de stad en in de buurt van het Karolinska-ziekenhuis in Solna.

Politiemedewerker Jens Hurtig staat op het parkeerterrein van het ziekenhuis en wil net naar huis rijden als zijn telefoon gaat. Voordat hij opneemt, opent hij het portier van zijn auto, stapt in en gaat op de bestuurdersplaats zitten. Hij ziet dat het Dennis Billing is en neemt aan dat de politiechef belt om te horen wat er is gebeurd.

Hij doet de headset in zijn oor en neemt op. 'Met Hurtig.'

'Ik hoorde dat jullie Jeanettes zoon hebben gevonden. Hoe gaat het met hem?' Billing klinkt bezorgd.

'Ze houden hem in coma en Jeanette is bij hem.' Hurtig steekt de sleutel in het contactslot en start de motor. 'Het lijkt godzijdank niet levensbedreigend.'

'Dat is mooi. Dan is ze over een paar dagen vast weer terug, mag ik aannemen.' De politiechef maakt een smakgeluid. 'En hoe is het met jou?'

'Hoe bedoel je?'

'Ben je moe, of kun je nog naar Bandhagen gaan?'

'Waar gaat het over?'

'Ik bedoel, nu Kihlberg niet beschikbaar is, kun jij laten zien wat je waard bent. Dat kan gunstig zijn voor je cv, als je begrijpt wat ik bedoel.'

'Ik begrijp het helemaal.' Jens Hurtig rijdt de snelweg naar Solna op. 'Wat moet ik doen?'

'Er is een dode vrouw gevonden; ze is misschien verkracht.'

'Oké, ik ga er meteen heen.'

'Zo mag ik het horen. Je bent een goede vent, Jens. Dan zien we elkaar morgen.'

'Dat is prima.'

'En, Jens...' Politiechef Dennis Billing slikt. 'Zeg tegen Janne Kihlberg dat ik er geen enkel bezwaar tegen heb als ze voorlopig thuisblijft om voor haar zoon te zorgen. Eerlijk gezegd vind ik dat ze meer aandacht aan haar gezin zou moeten besteden. Ik heb geruchten gehoord dat Åke bij haar weg is.'

'Wat bedoel je?' Hurtig begint de insinuaties van de politiechef behoorlijk zat te worden. 'Wil je dat ik tegen haar zeg dat ze thuis moet blijven omdat jij vindt dat vrouwen niet moeten werken maar voor hun man en kinderen moeten zorgen?'

'Verdomme, Jens, zo moet je niet praten. Ik dacht dat we elkaar begrepen en...'

'We mogen dan wel allebei man zijn,' onderbreekt Hurtig hem, 'maar dat wil nog niet zeggen dat we dezelfde opvattingen hebben.'

'Nee, je hebt gelijk.' De politiechef slaakt een zucht. 'Ik dacht wellicht...'

'Ja, ik weet het ook niet. We spreken elkaar.' Hurtig verbreekt de verbinding voordat Dennis Billing nog iets bots of volstrekt belachelijks kan zeggen.

Bij de afslag naar Solna kijkt hij uit over de rijen zeilboten in de jachthaven Pampas Marina.

Een boot, denkt hij. Ik ga een boot kopen.

De regen valt met bakken neer op het sportveld van de middelbare school in het stadsdeel Bandhagen en politiemedewerker Jens Hurtig zet zijn capuchon op en slaat het portier van zijn auto dicht. Hij kijkt om zich heen en herkent de plek.

Hij is hier diverse keren als toeschouwer geweest als Jeanette Kihlberg in het gemengde voetbalelftal van het korps speelde. Hij herinnert zich dat het hem had verbaasd hoe goed ze was geweest – ja, zelfs beter dan de meeste mannelijke spelers, en in haar rol als aanvallende middenvelder was ze de creatiefste van allemaal geweest. Zij had de voorzetten gegeven en de ruimtes gezien die niemand anders zag.

Op een wonderlijke manier had hij gezien hoe haar eigenschappen als chef op het veld werden weerspiegeld. Ze dwong respect af zonder dominant te zijn.

Toen haar teamgenoten een keer verontwaardigd hadden geklaagd over een beslissing van de scheidsrechter, was zij tussenbeide gekomen en had de gemoederen tot bedaren gebracht. Zelfs de scheidsrechter had naar haar geluisterd.

Hij vraagt zich af hoe ze zich voelt. Hoewel hij zelf geen kinderen heeft en die ook niet wenst, begrijpt hij dat ze het momenteel moeilijk heeft. Wie bekommert zich om haar nu Åke ervandoor is gegaan?

Hij weet dat de zaken met de vermoorde jongens haar hebben aangegrepen.

En nu er iets met haar eigen zoon is gebeurd, wil hij meer voor haar kunnen betekenen dan alleen een ondergeschikte collega. Een vriend.

Hij haat hiërarchieën, hoewel hij zich daar zelf zijn hele leven gehoorzaam naar heeft gevoegd. Mensen hebben niet dezelfde waarde en uiteindelijk ligt dat aan slechts één ding: geld. Je bent wat je in je loonzakje krijgt.

Hij denkt aan de naamloze jongens. Geen waarde in een Zweedse samenleving. Buiten het systeem. Maar als er een vermiste is, moet er ook iemand anders zijn die die persoon mist.

De klassenmaatschappij is niet afgeschaft, de verschillende klassen hebben alleen andere namen gekregen. Adel, geestelijken, burgers en boeren, of bovenklasse en onderklasse. Arbeiders of kapitalisten.

Mannen of vrouwen. Het maakt niet uit.

Tegenwoordig noemt de Gematigde Uniepartij zich de nieuwe arbeiderspartij, hoewel ze in de eerste plaats voor de allerdikste portemonnees opkomt. Helemaal onderaan op de bodem van de samenleving bevinden zich de mensen die niet eens een portemonnee hebben. De papierlozen.

Als Jens Hurtig zich naar de gebouwen naast de gravelvelden haast, is hij neerslachtig.

Schwarz en Åhlund staan onder het afdak bij de kleedruimten te wachten en gebaren naar Jens dat hij daarheen moet komen.

'Bah, wat een weer!' Hurtig wrijft met zijn hand over zijn voorhoofd en veegt het regenwater uit zijn ogen. De hemel wordt verlicht door een bliksemflits en hij schrikt even.

'Ben je bang voor onweer, chef?' Schwarz slaat hem op zijn arm en glimlacht.

'Wat is er gebeurd?'

Åhlund haalt zijn schouders op. 'Een dode vrouw. Waarschijnlijk ver-kracht voordat ze werd doodgeslagen. Het is op dit moment nogal moei-lijk te zien, maar de mannen zijn bezig een tent op te zetten. We moeten nog even geduld hebben.'

Hurtig knikt en trekt zijn jack strakker om zich heen. Hij ziet de grote schijnwerpers aan de lange zijden van het voetbalveld en overweegt er een conciërge heen te sturen die ze aan kan doen. Maar nee, dat is vragen om moeilijkheden. De pers heeft de melding op de politieradio natuurlijk al-lang gehoord en kan elk moment arriveren. Een schreeuwende menigte buurtbewoners is wel het laatste wat hij op dit moment wil. Ze kunnen maar beter zo onopvallend mogelijk te werk gaan.

'Wie komt er? Toch niet Rydén?'

Åhlund schudt zijn hoofd. 'Nee, Billing had het over Ivo Andrić, omdat we al vaker met hem hebben gewerkt.'

'Ik dacht dat hij met vakantie was.'

De laatste keer dat Hurtig de Bosnische forensisch arts had gesproken, had die laten doorschemeren dat hij na het onderzoek naar de dode jon-gens van een lang en welverdiend verlof wilde genieten.

Toen de politieleiding had meegedeeld dat ze de zaak als opgelost be-schouwde, had Ivo Andrić dat als een persoonlijke nederlaag opgevat.

'Nee, volgens mij niet.' Åhlund haalt een pakje kauwgum tevoorschijn. 'Ik heb wel een gerucht gehoord dat hij ontslag heeft genomen toen we het onderzoek naar de vluchtelingenjongens moesten afsluiten. Misschien hadden wij dat ook moeten doen. Willen jullie er een?' Hij houdt hun het pakje voor.

Hurtig had dezelfde gelatenheid en berusting gevoeld.

Het bevel was van bovenaf gekomen en hij had begrepen dat het onder-zoek werd beëindigd omdat de jongens illegale vluchtelingen waren. Het waren kinderen zonder identiteit, die door niemand werden gemist en die daarom niet zo belangrijk waren als blonde, blauwogige kinderen uit Mörby of Bromma. Stelletje idioten, denkt hij. Emotioneel gehandicapt.

Het was misschien niet gelukt de moordenaar te vinden, maar daarom konden de kinderen nog wel hun naam terugkrijgen. Alles kost echter geld en deze kinderen betekenden voor niemand iets.

Persona non grata.

Dat mensen evenveel waard zouden zijn, is een waarheid die enige bijstelling behoeft.

Hurtig loopt naar de kleine, witte tent van de forensisch technici, stelt zich op de hoogte van de situatie en keert terug naar zijn collega's; hij spreidt net zijn armen als een krachtige bliksemflits het voetbalveld in een zee van wit licht doet baden.

Hij veert op en fronst zijn voorhoofd, een duidelijk teken dat hij zich ongemakkelijk voelt.

'Andrić is onderweg en volgens de technici zijn er geen onduidelijkheden. Ze hebben de situatie onder controle. Over een paar uur kunnen we hun eerste bevindingen verwachten.'

'Wat bedoel je met "geen onduidelijkheden"?' vraagt Schwarz.

'De vrouw is al geïdentificeerd. Haar tas met haar portemonnee lag naast haar. Op haar rijbewijs staat dat ze Elisabeth Karlsson heet. Alles wijst erop dat ze is verkracht en vervolgens vermoord. Maar daar kan Andrić meer over zeggen als hij het lichaam heeft onderzocht.' Hurtig wrijft in zijn koude handen. 'De technici doen wat ze moeten doen; twee hondenpatrouilles doorzoeken de omgeving en op het politiebureau wordt naar eventuele familie gezocht. Wat kunnen we nog meer doen?'

'Wat zeggen jullie van een kop koffie?' Schwarz loopt onaangedaan naar de auto.

Het regenwater stroomt met een gorgelend geluid uit de regenpijpen en vormt grote plassen op het gravel.

Wat een eikel is het toch, denkt Hurtig, en hij volgt zijn collega.

Bandhagen

Als Ivo Andrić het parkeerterrein bij de middelbare school van Bandhagen op rijdt, ziet hij Hurtig, Schwarz en Åhlund. Ze zitten in een politie-auto en willen net wegrijden. Wanneer Jens Hurtig zijn hand in een groet omhoogbrengt, beantwoordt Andrić het gebaar; vervolgens rijdt hij naar de school en parkeert naast het grote bakstenen gebouw.

Andrić blijft in de auto zitten en staart naar het donkere, drassige voetbalveld. In de ene hoek de kleine tent van de technici, in de andere een verlaten, treurig voetbaldoel met een kapot net. De regen valt met bakken uit de hemel en lijkt voorlopig niet te zullen afnemen, maar hij is van plan zo lang mogelijk in de auto te blijven zitten. Hij is moe en vraagt zich af wat hij hier eigenlijk doet. Hij weet dat velen hem als een van de belangrijkste deskundigen op het gebied van de forensische geneeskunde beschouwen en dat bijna niemand zoveel ervaring heeft als hij, maar toch. De ervaringen die hij in het buitenland heeft opgedaan, zouden hem toch zeker andersoortig werk moeten kunnen geven?

Het buitenland, denkt hij. Dat betekent Bosnië. Wat hij ooit zijn thuis noemde.

Nu zit hij hier met een zeurende vermoeidheid en troebele ogen. Hij denkt aan de gebeurtenissen van de afgelopen tijd, de zaken met de dode jongens.

De eerste was in de bosjes bij de metro-ingang aan het Thorildsplan gevonden en hij was vrijwel gemummificeerd geweest.

Daarna de Wit-Russische jongen op het eiland Svartsjölandet, gevolgd door het gebalsemde lijk naast de jeu-de-boulesbaan bij Danvikstull. Wat ze alle drie gemeen hadden, was dat ze zwaar waren mishandeld.

Als laatste was er Samuel Bai, de kindsoldaat die op een zolder in het woonblok Monumentet bij Skanstull was gevonden, waar hij was opgehangen.

Gedurende een aantal warme zomerweken hadden de vier zaken al zijn wakkere tijd in beslag genomen en Ivo Andrić is er nog steeds van overtuigd dat het alle keren dezelfde dader is geweest.

Het onderzoek was geleid door Jeanette Kihlberg en op haar had hij niets aan te merken gehad. Zij had goed werk verricht, maar verder was het een onderzoek vol fouten en nalatigheden geweest. Na wekenlang hard werken was het uiteindelijk een niet-onderzoek geworden.

Een politiechef en een officier van justitie die hun werk niet hadden gedaan en gerenommeerde mensen die over hun alibi hadden gelogen. Het gebrek aan energie dat hij had gezien, in combinatie met de onwil om bestaande methodes toe te passen, had hem volkomen gedesillusioneerd. Hij had altijd al weinig vertrouwen in het rechtswezen gehad, en nu was dat helemaal weggevaagd.

Toen de officier van justitie het onderzoek had stopgezet, was de lucht volledig uit Ivo Andrić weggestroomd.

Hij trekt zijn jack dichter om zich heen en zet zijn honkbalpet op. Hij opent het portier, stapt de stortregen in en begeeft zich half hollend naar het gebied dat is afgezet.

Elisabeth Karlsson ligt op haar zij op het natte gravel naast het voetbalveld van de middelbare school in Bandhagen en haar linkerarm ligt in zo'n onnatuurlijke hoek dat je meteen kunt zien dat die is gebroken. Verder vertoont het lichaam geen zichtbare verwondingen.

Ivo Andrić constateert wat hij op de plaats delict meent te kunnen waarnemen. De vrouw heeft blootgestaan aan seksueel geweld, maar het vaststellen van de doodsoorzaak moet wachten tot het lichaam zich droog en wel in het Pathologisch Instituut in Solna bevindt. Hij geeft opdracht de dode vrouw te verplaatsen en een paar ziekenbroeders stoppen haar lichaam in een grijze plastic zak.

Ivo Andrić loopt met iets snellere passen terug naar zijn auto.

Wat hij heeft gezien, heeft hem op een idee gebracht dat hij zo snel mogelijk bevestigd wil hebben.

Vita bergen

Sofia Zetterlund heeft grote gaten in haar geheugen. Zwarte hiaten waar ze in haar dromen en tijdens haar eindeloze wandelingen langs komt. Als ze een geur ruikt of als iemand met een speciale blik naar haar kijkt, worden de gaten soms wijder. Beelden worden herschapen als ze het geluid van klompen op grind hoort, of als ze iemands rug op straat ziet. Op dat soort momenten is het net alsof een wervelstorm nietsontziend door het punt raast dat Sofia 'ik' noemt.

Ze weet dat ze iets heeft meegemaakt wat zich niet laat beschrijven.

Er was ooit een klein meisje dat Victoria heette en toen ze drie jaar was, bouwde haar vader een kamer in haar binnenste. Een verlaten kamer met uitsluitend pijn en harteloosheid. In de loop van de jaren werd het een kamer met dikke muren van verdriet, een vloer van wraaklust en uiteindelijk een stevig dak van haat.

Het werd zo'n afgesloten kamer dat Victoria er niet uit is gekomen.

En daar bevindt ze zich nu.

Ik was het niet, denkt Sofia. Het was niet mijn schuld. Het eerste wat ze voelt als ze wakker wordt, is schuld. Alle systemen in haar lichaam bereiden zich erop voor te vluchten, zich te verdedigen.

Ze gaat rechtop in bed zitten, reikt naar het doosje paroxetine en slikt met behulp van wat speeksel twee pillen door. Ze leunt achterover en wacht tot Victoria's stem verstomt. Niet helemaal, dat doet die nooit, maar zodanig dat ze zichzelf kan horen.

Dat ze Sofia's wil kan horen.

Wat is er eigenlijk gebeurd?

De herinnering aan geuren. Popcorn, grind dat nat is van de regen. Aarde.

Iemand had haar naar het ziekenhuis willen brengen, maar dat had ze geweigerd.

Daarna niets. Volkomen zwart. Ze herinnert zich niet dat ze naar haar appartement is gegaan, en al helemaal niet hoe ze van Gröna Lund is thuisgekomen.

Hoe laat is het, denkt ze.

Haar mobieltje ligt nog op het nachtkastje. Een Nokia, een oud model, het mobieltje van Victoria Bergman. Dat moet ze wegdoen.

De klok op de telefoon geeft 07.33 uur aan en ze ziet dat ze een oproep heeft gemist. Ze drukt op een knopje om het nummer op het display te laten verschijnen.

Ze herkent het nummer niet.

Tien minuten later is ze dusdanig gekalmeerd dat ze kan opstaan. Er hangt een bedompte lucht in het appartement en ze zet het raam in de woonkamer open. Het is stil in de natgeregende Borgmästargatan. Links troont de Sofiakerk majestueus in het nazomermoeë groen van Vita bergen, en van het Nytorget, een eindje verderop, komen geuren van versgebakken brood en uitlaatgassen.

Een paar geparkeerde auto's.

Een van de twaalf fietsen in het fietsenrek aan de overkant van de straat heeft een lekke band. Die had hij gisteren niet. Details die blijven hangen, of ze dat nu wil of niet.

En als iemand het haar zou vragen, kan ze in de juiste volgorde de kleur van alle fietsen opnoemen. Van rechts naar links, of omgekeerd.

Ze zou er niet eens over hoeven nadenken.

Ze weet dat ze geen fout zou maken.

Maar de paroxetine maakt haar zachter, zorgt ervoor dat haar hersenen rustiger worden en het dagelijks leven hanteerbaar is.

Ze besluit te gaan douchen en op hetzelfde moment gaat de telefoon. Deze keer is het haar werktelefoon.

Die rinkelt nog steeds als ze de douche in stapt.

Het hete water heeft een verkwikkend effect en als ze zich afdroogt, bedenkt ze dat ze binnenkort helemaal alleen zal zijn. Vrij om te doen en laten wat ze wil.

Ruim drie weken geleden zijn haar ouders omgekomen toen hun huis afbrandde. Ze hadden een saunabad genomen en volgens het voorlopige rapport was de brand veroorzaakt door een elektrisch defect in het aggregaat van de sauna.

Het huis op Värmdö waar ze is opgegroeid, ligt in puin en alle bezittingen zijn in rook opgegaan.

Behalve de verzekering van het huis, die rond de vier miljoen kronen waard is, hadden haar ouders een spaarkapitaal van 900 000 kronen en een aandelenportefeuille die bij verkoop bijna vijf miljoen zal opbrengen.

Sofia heeft de advocaat van haar ouders, Viggo Dürer, opdracht gegeven om de aandelen zo snel mogelijk om te zetten in contant geld, dat op haar privérekening moet worden gestort. Binnenkort zal ze over bijna tien miljoen kronen beschikken.

Ze zal genoeg geld hebben om zich de rest van haar leven geen zorgen over haar financiën te hoeven maken.

Ze kan haar praktijk sluiten.

Verhuizen waarheen ze maar wil. Opnieuw beginnen. Iemand anders worden.

Maar nog niet, denkt ze. Over een tijdje misschien, maar nu nog niet. Op dit moment heeft ze de routines van haar werk nodig. Momenten waarop ze nergens aan hoeft te denken en zich niet al te zeer hoeft in te spannen. Alleen maar doen wat van haar wordt verwacht geeft haar de noodzakelijke rust om Victoria op afstand te houden.

Als ze zich heeft afgedroogd, kleedt ze zich aan en gaat naar de keuken.

Ze maakt het koffiezetapparaat klaar, pakt haar laptop, zet die op de keukentafel en doet hem aan.

Met behulp van de telefoongids op internet ziet ze dat het onbekende nummer van de wijkpolitie op Värmdö is en ze krijgt een klomp in haar maag. Hebben ze iets ontdekt? En zo ja wat?

Ze staat op, schenkt een kop koffie in en besluit kalm te blijven en af te wachten. Dit is een probleem voor later.

Ze gaat weer achter de computer zitten, zoekt de map die ze VICTORIA BERGMAN heeft gedoopt en kijkt naar de vijfentwintig tekstbestanden.

Ze zijn genummerd en hebben allemaal de naam HET KRAAIENMEISJE.

Haar eigen herinneringen.

Ze weet dat ze ziek is geweest en dat het noodzakelijk is geweest een overzicht te maken van alle herinneringen. Jarenlang heeft ze gesprekken met zichzelf gevoerd; ze heeft haar monologen opgenomen en die vervolgens geanalyseerd. Door dat werk heeft ze Victoria leren kennen en uiteindelijk heeft ze zich verzoend met de gedachte dat ze voor altijd samen zullen zijn.

Maar nu ze weet waartoe Victoria in staat is, zal ze zich niet laten manipuleren.

Ze selecteert alle bestanden in de map, haalt diep adem en drukt ten slotte op DELETE.

Er verschijnt een dialoogvenster met de vraag of ze zeker weet dat ze de map wil verwijderen.

Ze denkt na.

Het besluit om de gesprekken met zichzelf te wissen bestaat al vrij lang, maar ze heeft nog nooit de moed gehad het daadwerkelijk te doen.

'Nee, ik weet het niet zeker,' zegt ze hardop tegen zichzelf en vervolgens drukt ze op NO.

Het is als een uitademing.

Nu maakt ze zich zorgen om Gao. De jongen zonder verleden die door een toeval onderdeel van haar dagelijkse leven is geworden. Maar was het werkelijk een toeval?

Ze was hem in een toestand van totale helderheid in de pendeltrein tegengekomen en had zijn kwetsbaarheid gezien. Toen de trein op station Karlberg was gestopt, hadden ze elkaars hand gepakt en zonder woorden een overeenkomst gesloten.

Sinds die tijd woont hij in de verborgen kamer achter de boekenkast.

Hun dagelijkse oefeningen hebben hem fysiek sterk en volhardend gemaakt. Gelijktijdig heeft hij een enorme mentale kracht ontwikkeld.

Terwijl ze nadenkt, maakt ze een grote pan lammetjespap klaar; ze schenkt de warme pap in een thermosfles, die ze naar zijn kamer brengt. Hij ligt naakt op het bed in de zachte, donkere kamer en ze ziet aan zijn ogen dat hij heel ver weg is.

Door zijn aanwezigheid, zijn volstrekte toewijding en gewelddadige compromisloosheid is Gao Victoria's gehoorzame gereedschap geworden.

Victoria en Gao zijn twee vreemde lichaamsdelen die in haar zijn geïmplanteerd, maar toen haar lichaam Victoria had geaccepteerd, verstootte het Gao.

Wat moet ze met hem doen, nu ze meer hinder dan nut van hem heeft?

Hoewel ze uren heeft geboend, blijft de urinestank onder de lucht van de schoonmaakmiddelen hangen.

Op de vloer liggen zijn tekeningen in een keurige stapel.

Ze zet de thermosfles op de grond naast het bed. Hij kan zelf water pakken in het kleine toilet.

Als ze de kamer verlaat, schuift ze de boekenkast weer voor de deur en maakt de haak vast. Nu redt hij zich tot de avond.

De tong

liegt en lastert en Gao Lian, uit Wuhan, moet oppassen voor wat de mensen zeggen.

Niets zal hem kunnen verrassen, want hij heeft de controle en hij is geen dier.

Hij weet dat dieren zich geen afwijkingen van het normale kunnen voorstellen. Eekhoorns verzamelen noten voor de winter en verstoppen die in een boomstam, maar als het gat dichtvriest, begrijpen ze er helemaal niets van. De noten hebben nooit bestaan, omdat het dier ze niet kan aanraken. De eekhoorn geeft het op en gaat dood.

Gao Lian begrijpt dat hij er rekening mee moet houden dat er een afwijking van het normale kan plaatsvinden.

de ogen
zien dat wat verboden is en Gao moet ze sluiten en wachten tot het verdwijnt.

Tijd is hetzelfde als wachten en daarom is het niets.

Tijd is absoluut niets. Gratis. Nul. Vacuüm.

Wat daarna zal gebeuren, is het absolute tegendeel van de tijd.

Wanneer zijn spieren zich spannen, zijn maag samentrekt en zijn ademhaling kort maar zuurstofrijk is, zal hij één worden met alles. Zijn polsslag, die eerst langzaam was, zal oorverdovend worden en alles zal gelijktijdig gebeuren.

Op dat moment is de tijd niet langer belachelijk; die is alles.

Elke seconde krijgt een eigen leven, een eigen verhaal met een begin en een eind. Een aarzeling van een fractie van een seconde zal fatale gevolgen hebben. Het verschil uitmaken tussen leven en dood.

Tijd is de beste vriend van iemand die zwak van wil en niet tot handelen in staat is.

De vrouw heeft hem pen en papier gegeven en hij kan uren in het donker zitten tekenen. Hij haalt de motieven uit zijn innerlijke geheugen-bank. Mensen die hij heeft ontmoet, dingen die hij mist en gevoelens waarvan hij het bestaan is vergeten.

Een kleine vogel in zijn nest samen met zijn jongen.

Als hij klaar is, legt hij het vel papier weg en begint opnieuw.

Hij kijkt nooit naar wat hij heeft getekend.

De vrouw die hem voedt, is waar noch vals, en voor Gao bestaat de tijd vóór haar niet langer. Niets ervoor en niets erna. De tijd is niets.

Alles bij hem is naar binnen gericht, naar de eigen mechaniek van zijn herinneringen.

Bistro Amica

Jeanette verlaat Johans kamer en gaat op weg naar de cafetaria naast de hoofdingang van het ziekenhuis. Ze is politieagent, bovendien een vrouwelijke, en dat betekent dat ze zelfs onder deze omstandigheden het werk niet terzijde kan leggen. Ze weet dat dat later tegen haar kan worden gebruikt.

Als de liftdeuren opengaan en ze zich tussen de drommen mensen op de begane grond begeeft, kijkt ze op en ziet de bewegingen, de glimlachen. Ze vult haar longen met de lucht, die hier vol leven is. Hoewel ze het niet graag toegeeft, weet ze dat ze een halfuur respijt nodig heeft – even weg van het onrustige waken aan de rand van het bed in de kamer waar de lucht stilstaat.

Hurtig heeft een dienblad met twee dampende koppen koffie en twee kaneelbolletjes in zijn handen, dat hij op de tafel tussen hen in neerzet voordat hij gaat zitten. Jeanette pakt een kopje en neemt voorzichtig een slok van de hete koffie. Die verwarmt haar maag en ze merkt dat ze zin heeft in een sigaret.

Hurtig pakt zijn kopje en kijkt haar onderzoekend aan. Ze vindt zijn kritische blik niet prettig.

'Zo. Hoe gaat het met hem?' vraagt Hurtig.

'De situatie is onder controle. Het ergste op dit moment is eigenlijk dat ik niet weet wat hem is overkomen.'

Ze herkent het gevoel van de tijd dat Johan klein was. Ze herinnert zich de keren dat hij huilend thuiskwam, ontroostbaar en niet in staat om te vertellen wat er was gebeurd. Hij had er de woorden niet voor gehad. Ze had gedacht dat die tijd voorgoed voorbij was.

Maar dat was niet zo.

Zelfs Sofia had niet kunnen vertellen wat er was gebeurd. Hoe zou Johan het dan kunnen verwoorden?

'Dat begrijp ik, maar dat is iets waar jullie het over moeten hebben als hij zich beter voelt en weer thuis is. Of niet soms?'

'Ja, natuurlijk.' Jeanette slaakt een zucht voordat ze verdergaat. 'Maar ik word gek als ik nog langer in mijn eentje in die stilte moet zitten.'

'Is Åke niet langs geweest? Of je ouders?'

Jeanette haalt haar schouders op. 'Åke heeft een expositie in Polen. Hij wilde terugkomen, maar toen Johan was gevonden...' Ze haalt nog een keer haar schouders op. 'Hij kon hier eigenlijk niet zoveel doen. En mijn ouders zijn op seniorenreis in China. Ze blijven een paar maanden weg.'

Jeanette ziet dat Hurtig iets wil zeggen, maar ze is hem voor. 'Hoe was het in Bandhagen?'

Hurtig doet een suikerklontje in zijn kopje en begint te roeren. 'Ivo is nog niet helemaal klaar, we moeten dus nog even geduld hebben.'

'En wat zegt Billing?'

'Behalve dat hij vindt dat jij thuis bij Johan moet blijven en dat het jouw schuld is dat Åke wil scheiden?' Hurtig zucht en drinkt van zijn koffie.

'Zei die klootzak dat echt?'

'Ja. Recht voor z'n raap, hij draaide er niet omheen.' Hurtig slaat zijn ogen ten hemel.

Jeanette voelt zich afgemat en incompetent. 'Verdomme,' mompelt ze en ze laat haar blik door de ruimte gaan.

Hurtig zwijgt, pakt een bolletje, breekt er een stukje af en stopt dat in zijn mond.

'Wat is er? Waar denk je aan?'

'Je hebt het niet losgelaten, hè?' zegt hij aarzelend. 'Ik zie het aan je. Je bent kwaad omdat we eraf werden gehaald.' Hij veegt een paar kruimels weg die in zijn baardstoppels zijn blijven zitten.

'Wat bedoel je?' Jeanette wordt uit haar droomtoestand gerukt.

'Hou je niet van de domme. Je weet wat ik bedoel. Lundström is echt een akelige schoft, maar hij was niet degene die...'

'Stop!' Jeanette onderbreekt haar collega.

'Maar...' Hurtig spreidt zijn handen en morst wat koffie.

Jeanette pakt automatisch een servet en veegt de druppels weg. Ze bedenkt dat ze in de toekomst misschien alleen haar eigen troep hoeft op te ruimen. Wuift de gedachte weg voordat die wortel kan schieten. Concentreert zich.

'Jens, luister...' Ze denkt even na. 'Ik ben net zo gefrustreerd als jij over wat er is gebeurd en ik vind het ook vreselijk, maar anderzijds begrijp ik best dat het financieel niet verantwoord is om...'

'Vluchtelingenkinderen. Illegale vluchtelingenkinderen... financieel niet verantwoord. Ik moet ervan kotsen.' Hurtig staat op en Jeanette ziet hoe kwaad hij is.

'Jens, ga zitten. Ik ben nog niet klaar.' Ze is verbaasd dat ze ondanks haar vermoeidheid zo resoluut klinkt.

Hurtig zucht en gaat weer zitten.

'We doen het als volgt... Ik moet voor Johan zorgen en ik weet niet hoe lang dat gaat duren. Jij hebt de zaak met die vrouw in Bandhagen en dat heeft natuurlijk voorrang.' Ze stopt even voordat ze verdergaat. 'Maar jij weet net zo goed als ik dat we tijd over zullen hebben voor andere dingen... Als je begrijpt wat ik bedoel?' Ze ziet een glinstering in Hurtigs ogen en voelt zelf iets tintelen. Een gevoel dat ze bijna was vergeten: enthousiasme.

'Je bedoelt dat we doorgaan, maar in het geheim?'

'Ja, precies. Maar het moet wel tussen ons blijven. Als het uitkomt, zijn we de klos.'

Hurtig glimlacht. 'Ik ben al met een paar dingen bezig waar ik later deze week antwoord op hoop te krijgen.'

'Dat is heel goed, Jens,' zegt Jeanette en ze beantwoordt zijn glimlach. 'Ik mag je graag, maar we moeten netjes en voorzichtig te werk gaan. Met wie heb je contact gehad?'

'Volgens Ivo Andrić had de jongen bij het Thorildsplan sporen van penicilline in zijn lichaam, naast alle drugs en verdovingsmiddelen.'

'Penicilline? Wat wil dat zeggen?'

'Dat de jongen in contact is geweest met de gezondheidszorg. Vermoedelijk met een arts die met ondergedoken vluchtelingen zonder papieren werkt. Ik ken een vrouw bij de Zweedse Kerk die me waarschijnlijk een paar namen kan geven.'

'Dat klinkt geweldig. Ik heb nog steeds contact met de UNHCR in Genève.' Jeanette merkt dat de toekomst langzaam tot haar terugkeert. Er is een hierna, niet alleen het bodemloze heden. 'En ik heb een idee.'

Hurtig wacht.

'Wat zou je ervan vinden als we een daderprofiel laten opstellen?'

Hurtig kijkt haar verbaasd aan. 'Maar hoe krijgen we een psycholoog zover dat die wil meewerken aan een onofficieel...' begint hij, maar dan valt het kwartje. 'Ah, je denkt aan Sofia Zetterlund?'

Jeanette knikt. 'Ja, maar ik heb het haar nog niet gevraagd. Ik wilde eerst weten hoe jij ertegenover staat.'

'Jemig, Jeanette,' zegt Hurtig met een brede grijns, 'je bent de beste baas die ik ooit heb gehad.'

Jeanette ziet dat hij het oprecht meent. 'Dat doet me goed. Ik voel me momenteel niet echt geweldig.'

Ze denkt aan Johan en aan de scheiding van Åke en alles wat daarmee samenhangt. Op dit moment heeft ze geen idee van haar persoonlijke toekomst. Is het eenzame waken bij Johan een voorbode van hoe de dingen er in de toekomst uit gaan zien? De definitieve eenzaamheid. Åke is bij zijn nieuwe vriendin ingetrokken, de galeriehoudster Alexandra Kowalska. Conservator, stond er op haar visitekaartje. Dat klinkt als iemand die dode dieren opzet. Schijnbaar leven creëert uit iets wat dood is.

'Zullen we een sigaretje gaan roken?' Hurtig staat op, alsof hij beseft dat Jeanettes gedachtestroom moet worden onderbroken.

'Maar jij rookt toch niet?'

'Soms moet je een uitzondering maken.' Hij haalt een pakje uit zijn zak en houdt het haar voor. 'Ik heb geen verstand van sigaretten, maar ik heb deze voor je gekocht.'

Jeanette kijkt naar het pakje en lacht. 'Menthol?'

Ze trekken hun jack aan en gaan naar buiten. De regen is afgenomen en aan de horizon is een lichte strook beter weer te zien. Hurtig steekt een sigaret aan, geeft die aan Jeanette en steekt er vervolgens zelf een op. Hij inhaleert diep, begint te hoesten en blaast de rook door zijn neus uit.

'Blijf je in het huis wonen? Kun je dat betalen?' vraagt hij.

'Ik weet het niet. Maar voor Johan moet ik het proberen. Bovendien zit Åke redelijk goed in de slappe was nu zijn schilderijen echt beginnen te verkopen.'

'Ja, ik heb de recensie in de *Dagens Nyheter* gelezen. Ze waren helemaal lyrisch.'

'Al is het wel zuur dat ik twintig jaar zijn werk heb gesubsidieerd, maar daar nu niet de vruchten van mag plukken.'

Galeriehoudster en conservator Alexandra had afgelopen zomer contact opgenomen met Åke en daarna was het heel snel gegaan. Åke was een van de sterkst stralende sterren aan de Zweedse kunsthemel geworden en had Jeanette verlaten voor de jongere en mooiere Alexandra.

Ze had nooit gedacht dat Johan en zij zo weinig voor hem betekenden dat hij hun zonder aarzelen de rug kon toekeren en zomaar zou vertrekken.

Hurtig kijkt naar haar, dooft zijn sigaret en houdt de deur voor haar open. 'Zo gewonnen, zo...'

Hij slaat zijn armen om haar heen en ze voelt dat ze dat nodig heeft, maar ze beseft ook dat uitingen van genegenheid even hol kunnen zijn als dode boomstammen. Ze is niet in staat om het dode van het levende te onderscheiden, denkt ze als ze zich schrap zet om weer bij Johan te gaan waken in de stille kamer.

Het Pathologisch Instituut

Elke daad in het verleden creëert duizenden mogelijkheden, die vervolgens verder stromen naar nieuwe conclusies.

Voor Ivo Andrić ziet de dood er altijd hetzelfde uit, hoewel het motief voor het sterfgeval in wezen altijd uniek is.

Ivo Andrić verlaat Bandhagen en rijdt terug naar Solna. Hij denkt aan wat hij zojuist heeft gezien. De doodsoorzaak ligt vaak achter de scheidslijn tussen verstand en fantasie, en dan wordt de grens alleen bepaald door het brein van een ziek mens.

Aan de hand van wat hij op de plaats delict heeft kunnen vaststellen, denkt hij nu al te weten wat er met de vrouw is gebeurd en hij voelt zich opgelucht. Het had veel erger kunnen zijn.

Eenmaal in Solna haast hij zich naar het Pathologisch Instituut, omdat hij zijn theorie snel bevestigd wil krijgen. Het enige wat nodig is, is wat beter licht.

Ivo Andrić kijkt naar het naakte lichaam van Elisabeth Karlsson, dat op een tafel van roestvrij staal ligt, en begrijpt in minder dan een minuut wat de oorzaak van haar dood is geweest. Zijn vermoeden was juist.

Over haar buik en borst loopt een roodbruin varenachtig patroon en op haar linkerpols ziet hij een diepe brandwond, groot als een muntstuk van één kroon. Het is allemaal glashelder.

Een schoolvoorbeeld.

Elisabeth Karlsson heeft onwaarschijnlijk veel pech gehad.

Vita bergen

Sofia Zetterlund doet de laptop uit en klapt het deksel dicht. Nu ze heeft besloten om de bestanden over Victoria toch niet te wissen, is het alsof ze zich lichter voelt.

Maar is het geluk dat ze voelt? Ze weet het niet.

Nog geen jaar geleden was ze gelukkig geweest. Ze had in elk geval gedacht dat ze dat was, en daar ging het toch om?

Dat alles later een illusie is gebleken, wil nog niet zeggen dat wat ze toen voelde niet echt was. Ze was echt geweest en had alles willen doen voor de Lasse met wie ze samenleefde. Maar Lasse had hun bestaan stukje voor stukje afgebroken en zij had alleen maar kunnen toekijken, niet in staat er iets aan te doen.

Alles was ingestort en bezoedeld.

Veel van haar herinneringen zijn vaag en als ze aan het afgelopen halfjaar terugdenkt, ziet ze alleen contourloze beelden. Onscherpe foto's zonder focus.

Ze staat op, loopt naar het aanrecht en vult de gootsteen met water.

Lars Pettersson, meer dan tien jaar haar levensgezel, haar beste vriend en de man met wie al haar dromen verbonden waren geweest. De verkoper Lars, die de ene week in Duitsland werkte en de andere week thuis was. De betrouwbare Lasse, die de vader van haar kind zou worden. Die haar altijd bloemen gaf.

Door het hete water trekt de huid van haar handen samen; het schrijnt en ze worden rood, maar ze dwingt zich ze in het water te houden. Ze stelt zichzelf op de proef, dwingt zich de pijn te verdragen.

Lars Pettersson was ook de man die al getrouwd was en een huis en een gezin in Saltsjöbaden had. Die om de week vertrok, niet naar Duitsland, maar naar zijn gezin, en nooit tijd had om samen met haar op vakantie te gaan.

Lars Pettersson, de vader van Mikael.

De enige reden dat ze een verhouding met Mikael is begonnen, is dat ze wraak wilde nemen op Lasse. Nu lijkt het allemaal zinloos. Leeg en armzalig. Lasse is dood en Mikael is langzaam maar zeker steeds minder interessant voor haar geworden, hoewel ze soms de verleiding voelt om aan hem te onthullen wie ze eigenlijk is.

Omdat Mikael het druk heeft gehad op zijn werk en vaak weg was, hebben ze elkaar de afgelopen maanden slechts sporadisch gezien. De keren dat hij thuis was, had zij het op haar beurt druk gehad en de weinige momenten dat ze met elkaar hebben gepraat is hij kortaf en chagrijnig geweest, wat haar het vermoeden heeft gegeven dat hij een relatie met iemand anders heeft.

Ik maak er een eind aan, denkt ze, en eindelijk haalt ze haar handen uit het afwaswater. Ze draait de kraan open en houdt ze onder ijskoud water. Eerst is het aangenaam en verzachtend, dan neemt de kou het over en opnieuw dwingt ze zich de pijn te verdragen. Die moet overwonnen worden.

Hoe meer ze erover nadenkt, hoe minder ze Mikael mist. Ik ben zijn stiefmoeder, denkt ze, en tegelijk zijn minnares. Maar het is onmogelijk om hem de waarheid te vertellen.

Ze draait de kraan dicht en laat de gootsteen leeglopen. Na een poosje krijgen haar handen hun normale kleur terug en als de pijn helemaal weg is, gaat ze weer aan de keukentafel zitten.

De telefoon ligt voor haar en ze weet dat ze Jeanette zou moeten bellen. Maar het staat haar tegen. Ze weet niet wat ze moet zeggen. Wat ze zou moeten zeggen.

De angst treft haar hard in haar middenrif en ze grijpt naar haar buik. Ze beeft, krijgt hartkloppingen en de kracht stroomt weg alsof iemand haar polsslagader heeft doorgesneden. Haar hoofd staat in brand en ze merkt dat ze de controle verliest; ze heeft geen idee wat haar lichaam wil doen.

Haar hoofd tegen de muur slaan? Door het raam naar buiten springen? Schreeuwen?

Nee, ze moet een echte stem horen. Een stem die kan bewijzen dat ze nog steeds bestaat, dat ze tastbaar is. Dat is het enige wat op dit moment de geluiden in haar hoofd tot zwijgen kan brengen, en ze reikt naar de telefoon. Hij gaat meer dan tien keer over voordat Jeanette Kihlberg opneemt.

Sofia hoort ruis op de lijn. Een achtergrondruis die door een knippend geluid wordt onderbroken.

'Hoe is het met hem?' is het enige wat Sofia kan uitbrengen.

Jeanette Kihlberg klinkt net zo kapot als de ontvangst slecht is. 'We hebben hem gevonden. Hij leeft en ligt hier naast me. Dat is op dit moment het belangrijkste.'

Jouw kind ligt naast je, denkt Sofia. En Gao is hier bij mij.

Haar lippen bewegen. 'Ik kan vandaag langskomen,' hoort ze zichzelf zeggen.

'Fijn. Kom maar over een uurtje.'

'Ik kan vandaag langskomen.' Haar eigen stem weerklinkt tussen de keukenmuren. Herhaalde ze zichzelf? 'Ik kan vandaag langskomen. Ik kan...'

Johan was een nacht zoek geweest, de nacht die Sofia thuis met Gao had doorgebracht. Ze hadden geslapen. Verder niets. Of?

'Ik kan vandaag langskomen.'

De onzekerheid verspreidt zich en ze realiseert zich ineens dat ze geen flauw idee heeft wat er is gebeurd nadat Johan en zij in de gondel van de Vrije Val hadden plaatsgenomen.

Vanuit de verte hoort ze Jeanettes stem. 'Dan zien we elkaar straks. Ik mis je.'

'Ik kan vandaag langskomen.' De telefoon is stil en als ze naar het display kijkt, ziet ze dat het gesprek drieëntwintig seconden heeft geduurd.

Ze loopt naar de hal om haar schoenen en haar jas aan te trekken. Als ze haar laarzen van het schoenenrek pakt, merkt ze dat ze vochtig zijn, alsof ze onlangs zijn gebruikt.

Ze inspecteert ze. Een vergeeld blad is aan de hak van de linkerlaars blijven plakken, de veters en vetergaten van beide laarzen zijn bezaaid met dennennaalden en grassprietjes, en de zolen zitten onder de modder.

Rustig blijven, denkt ze. Het heeft hard geregend. Hoe lang duurt het voordat leren laarzen weer droog zijn?

Ze reikt naar haar jas. Die is ook vochtig en ze kijkt er wat beter naar.

Een scheur in de ene mouw, bijna vijf centimeter lang. In de opengereten katoenen voering vindt ze een paar grindkorrels.

Er steekt iets uit de ene zak.

Wat is dat in vredesnaam?

Het is een polaroidfoto.

Als ze ziet wat erop staat, weet ze niet wat ze moet denken.

De foto laat haarzelf zien; ze is een jaar of tien en staat op een verlaten strand. Het waait stevig en haar lange, blonde haar staat bijna haaks op haar hoofd. Een rij afgebroken houten palen steekt uit het zand omhoog en op de achtergrond is een kleine rood-wit gestreepte vuurtoren te zien. De silhouetten van een paar meeuwen tekenen zich af tegen de grijze lucht.

Haar hart gaat tekeer. De foto zegt haar niets en de plek is haar volkomen vreemd.

Verleden

Slapeloos luisterde ze naar zijn voetstappen en deed net of ze een klok was. Als ze in bed op haar buik lag, was het zes uur, op haar linkerzij was het negen uur en op haar rug twaalf uur. Op haar rechterzij was het drie uur, en als ze weer op haar buik lag, was het zes uur. Op haar linkerzij negen uur en op haar rug weer middernacht. Als zij de klok kon sturen, werd hij door de tijd misleid en liet hij haar met rust.

Hij is zwaar, zijn rug is behaard, hij is bezweet en stinkt na twee uur zwoegen met de mestmachine naar ammoniak. Het gevloek uit de schuur was tot in haar kamer te horen geweest.

De botten van zijn heupen schuren tegen haar buik, terwijl ze achter zijn wippende schouders omhoogstaart.

De Deense vlag die het plafond bedekt, is een duivelskruis en de kleuren zijn bloedrood en skeletwit.

Het is het makkelijkst om te doen wat hij wil. Zijn rug strelen en in zijn oor kreunen. Dat bekort alles met zeker vijf minuten.

Als de stalen veren van het oude bed niet langer piepen en hij weg is, staat ze op en gaat naar de badkamer. De stank van mest moet weg.

Hij is een reparateur uit Holstebro en ze noemt hem het Holstebrozwijn, naar het oude fokras uit de streek, dat vooral geschikt is voor de slacht.

Ze heeft zijn naam samen met die van de anderen in haar dagboek opgeschreven en boven aan de lijst staat haar varkensboer, die ze dankbaar moet zijn omdat ze bij hem mag wonen.

Hij is eigenlijk goed opgeleid, jurist of zo, en werkt als hij niet op de boerderij is om varkens te doden in Zweden. Ze noemt hem de Moffenjongen, maar nooit zo dat hij het hoort.

De Moffenjongen is er trots op om volgens oude, beproefde methodes te werken. Het Jutlandse zwijn moet worden gebrand, niet gebroeid, om de haren te verwijderen.

Ze draait de kraan open en schrobt haar handen. Haar vingertoppen zijn gezwollen na het werk met de varkens. De varkensharen blijven onder je nagels vastzitten en veroorzaken ontstekingen, en het maakt niet uit of je beschermende handschoenen gebruikt.

Ze heeft ze gedood. Ze heeft ze door middel van een elektrische shock verdoofd en leeg laten bloeden, de troep opgeruimd, de putten in de vloer schoongemaakt en het slachtafval weggebracht. Eén keer heeft hij haar een varken met een slachtmasker dood laten schieten en het had niet veel gescheeld of ze had het wapen op hem gericht. Alleen om te zien of zijn ogen net zo leeg zouden worden als die van de dieren.

Na zich zo goed en zo kwaad als het gaat te hebben schoongeboend, droogt ze zich af en gaat terug naar haar kamer.

Ik hou het niet vol, denkt ze. Ik moet hier weg.

Terwijl ze zich aankleedt, hoort ze dat de motor van de oude auto van het Holstebrozwijn wordt gestart. Ze opent de gordijnen op een kier en kijkt door het raam naar buiten. De auto verlaat het erf en de Moffenjongen loopt naar de schuur om verder te gaan met de mestscheiding.

Ze besluit om naar Grisetåudden te lopen en misschien over de brug naar Oddesund te gaan.

De wind dringt door haar kleren heen en hoewel ze een vest en een anorak aanheeft, huivert ze al voordat ze de achterkant van het huis heeft bereikt.

Ze loopt verder naar de spoorweg en volgt de spoordijk op de landtong. Met regelmatige tussenpozen komt ze langs de resten van schuttersputten en betonnen bunkers uit de Tweede Wereldoorlog. De landtong wordt smaller; algauw heeft ze het water aan weerszijden en als de spoorweg links naar de brug afbuigt, ziet ze een paar honderd meter verderop de vuurtoren.

Ze loopt naar het strand en merkt dat ze helemaal alleen is. Als ze bij de kleine rood-witte vuurtoren is aangekomen, gaat ze in het gras liggen en kijkt omhoog naar de helderblauwe lucht. Ze herinnert zich dat ze een keer zo lag toen ze stemmen in het bos hoorde.

Het had toen net als nu gewaaid en het was Martins brabbelende stem geweest die ze had gehoord.

Waarom was hij verdwenen?

Ze weet het niet, maar ze denkt dat iemand hem heeft verdronken. Hij was bij de steiger verdwenen toen het Kraaienmeisje daar was gekomen.

Maar de herinneringen zijn vaag. Er is een zwart gat.

Ze beweegt voorzichtig een grassprietje tussen haar vingers heen en weer en ziet hoe de draaiende halm in de zonnestralen van kleur verandert. Helemaal boven aan het sprietje hangt een dauwdruppel en daaronder zit een mier helemaal stil. Ze ziet dat het beestje een achterpootje mist.

'Waar denk je aan, miertje?' fluistert ze en ze blaast zachtjes over de halm.

Ze gaat op haar zij liggen en legt het grassprietje voorzichtig op de steen naast zich. De mier begint te bewegen en kruipt de steen op. Het lijkt haar niet te deren dat ze een pootje mist.

'Wat doe jij hier?'

Er valt een schaduw over haar gezicht als ze zijn stem boven zich hoort. Een vlucht vogels vliegt boven zijn hoofd langs.

Ze komt overeind en gaat met hem mee naar de schuttersput. Het duurt tien minuten, omdat hij niet bijster veel doorzettingsvermogen heeft.

Hij vertelt haar over de oorlog, over al het lijden dat de Denen tijdens de Duitse bezetting hebben moeten doorstaan, en over de vrouwen die werden verkracht en geschonden.

'En al die geile moffenmeiden,' zucht hij. 'Hoeren waren het. Vijfduizend zwijnen neukten ze.'

Hij heeft haar verschillende keren verteld over de Deense vrouwen die vrijwillig een relatie met Duitse soldaten aangingen en ze heeft allang begrepen dat hij zelf een moffenjong is, een moffenjongen.

Als ze teruggaan, blijft ze een paar passen achter hem lopen en trekt haar vieze kleren recht. Haar trui is kapot en ze hoopt dat ze niemand zullen tegenkomen. Het doet overal zeer, omdat hij hardhandiger is geweest dan anders en de grond hier behoorlijk stenig is.

Denemarken is de hel op aarde, denkt ze.

Kronoberg

Om halftien gaat Jens Hurtigs telefoon. Hij ziet dat het Ivo Andrić van het Pathologisch Instituut in Solna is.

'Hallo, Ivo! Wat heb je vandaag voor me?' Hij merkt dat hij zich thuis voelt in de rol van chef, ook al is die maar tijdelijk.

'Het gaat over Elisabeth Karlsson. Werk jij aan die zaak?'

'Zolang Jeanette afwezig is, leid ik het onderzoek. Wat heb je ontdekt?'

Ivo Andrić ademt zwaar in de hoorn. 'Dat zal ik je vertellen. In de eerste plaats heeft ze vlak voor haar dood seksuele gemeenschap gehad.'

'Voordat ze werd vermoord, bedoel je?'

'Zo eenvoudig is het niet.' Hurtig hoort Andrić diep zuchten. 'Het ligt een beetje gecompliceerder.'

'Laat maar horen.'

Jens Hurtig weet dat hij Ivo Andrić kan vertrouwen en begrijpt dat de bedachtzame forensisch arts belangrijk nieuws heeft.

'Zoals gezegd heeft ze seks gehad. Misschien vrijwillig, misschien niet. Op dit moment weet ik niet of...'

'Maar haar kleren waren kapotgescheurd!'

'Rustig maar. Ik zal het uitleggen.'

Jens heeft spijt van zijn interruptie. Hij had inmiddels moeten weten dat Andrić nauwkeurig is, al is hij breedvoerig.

'Sorry,' zegt hij. 'Ga door.'

'Waar was ik gebleven? O ja. Ze heeft seks gehad met iemand. Misschien tegen haar zin. Er zitten rode afdrukken op haar billen, alsof ze is geslagen. Ik weet echter niet of ze is verkracht. Mensen houden er de meest vreemde ideeën op na, maar naar de schaafwonden op haar rug en dijen te oordelen is het buitenshuis gebeurd. We hebben sporen van naalden en gravel veiliggesteld. Maar nu komt het onwaarschijnlijke.' Ivo Andrić stopt even.

'Wat bedoel je? Dat ze is vermoord?'

'Nee, nee. Dit is anders, heel anders. Om niet te zeggen ongewoon. Een rariteit.'

'Een rariteit?'

'Ja, precies. Weet je iets van elektriciteit?'

'Niet echt, als ik eerlijk ben.'

Ivo schraapt zijn keel. 'Maar je weet misschien dat bliksemafleiders de bliksem de aarde in sturen en de lading in de ondergrond verspreiden?'

'De ondergrond? O...' Hurtig trommelt ongeduldig met zijn vingers op de rand van zijn bureau.

'Directe grondinslagen zijn gevaarlijker. Denk maar aan koeien in de wei, die staan met vier poten op de grond, daarom is de elektrische spanning heel gevaarlijk voor hun lichaam.'

Waar wil hij heen, denkt Hurtig, voordat hij eindelijk begrijpt wat Ivo Andrić wil vertellen.

'Gewoonlijk overleeft iemand een grondinslag als hij alleen met twee voeten contact heeft met de grond,' rondt de forensisch arts af, 'maar in dit geval stond het slachtoffer helaas op handen en voeten, of lag op de grond. Haar hart werd onmiddellijk uitgeschakeld.'

Hurtig kan zijn oren niet geloven. 'Wat? Verkracht en daarna door de bliksem getroffen?'

'Helaas wel. Een rariteit, dat zei ik al. Ze had grote pech, maar zoals ik zei, heb ik nog niet kunnen vaststellen of ze is verkracht. Maar we weten nu wel dat ze niet is vermoord.'

'Dan wachten we je verdere onderzoek af. Ik neem later weer contact met je op en jij belt me als je iets nieuws ontdekt. Oké?'

'Absoluut. Succes.' Ivo Andrić verbreekt de verbinding.

Jens Hurtig leunt achterover op zijn stoel, kijkt naar het plafond en denkt na.

Wanneer een verkrachting wordt gevolgd door een moord, kun je er meestal van uitgaan dat het slachtoffer de dader kent en om die reden is gedood.

Hurtig toetst Åhlunds snelkeuzenummer in.

'Wie heeft met Elisabeth Karlssons man gepraat?' vraagt hij.

Åhlund schraapt zijn keel. 'Dat was Schwarz. Is er nieuws?'

'In zekere zin. Ik vertel het je later, maar ik wil dat we de echtgenoot opnieuw naar het bureau laten komen, en deze keer wil ik met hem praten.'

'Oké. Ik regel het.'

Het Karolinska-ziekenhuis

'Wat een noodweer,' zegt Sofia Zetterlund als ze de ziekenhuiskamer binnenkomt. Er rust een onzekere glimlach op haar lippen en Jeanette Kihlberg knikt afwachtend. Natuurlijk is ze blij om Sofia weer te zien, maar er is iets met haar gezicht, iets nieuws wat ze nog niet kan duiden.

De regen klettert tegen de ramen en af en toe wordt de kamer verlicht door een bliksemschicht. Ze staan tegenover elkaar.

Sofia kijkt bezorgd naar Johan en Jeanette loopt naar haar toe en strijkt haar over haar rug.

'Hoi, leuk je te zien,' fluistert ze, en Sofia beantwoordt het gebaar en omhelst Jeanette.

'Hoe luidt de prognose?' vraagt ze.

Jeanette glimlacht. 'Als je het weer bedoelt, dan houdt het niet over.' De luchtige toon komt als vanzelf. 'Maar wat Johan betreft ziet het er goed uit. Hij begint wakker te worden. Je kunt zijn ogen onder zijn oogleden zien bewegen.' Johans gezicht heeft eindelijk een beetje kleur gekregen en ze streelt zijn arm.

De artsen hebben uiteindelijk eenduidig positieve berichten over zijn toestand durven geven en bovendien is het prettig om gezelschap te hebben van iemand die meer is dan een collega. Iemand tegenover wie ze zich niet als chef hoeft te gedragen.

Sofia ontspant en wordt zichzelf weer.

'Je moet jezelf niet verwijten wat er is gebeurd,' zegt Jeanette. 'Het was niet jouw schuld dat hij verdween.'

Sofia kijkt haar ernstig aan. 'Nee, misschien niet. Maar ik schaam me dat ik in paniek raakte. Ik wil betrouwbaar kunnen zijn, maar dat ben ik kennelijk niet.'

Jeanette denkt aan de manier waarop Sofia had gereageerd. Ze was helemaal van de kaart geweest en had met haar gezicht naar de grond liggen huilen toen Jeanette haar had gevonden. Ze was vertwijfeld geweest.

'Ik hoop dat je het me kunt vergeven dat ik je daar achterliet,' zegt Jeanette. 'Maar Johan was nog steeds zoek en...'

'Maar natuurlijk,' onderbreekt Sofia haar. 'Ik red me altijd.' Ze kijkt Jeanette recht in de ogen. 'Vergeet dat nooit, ik red me altijd, je hoeft je nooit verantwoordelijk te voelen voor mij, wat er ook gebeurt.'

Jeanette wordt bijna bang van de ernst in Sofia's stem en blik.

'Als ik blèrende topmanagers aankan, dan kan ik mezelf ook wel aan.'

Jeanette is opgelucht als ze ziet dat Sofia glimlacht.

'Ik kan kennelijk niet eens een dronkaard aan,' lacht Jeanette en ze wijst naar het verband op haar voorhoofd.

'En hoe luidt jouw prognose?' vraagt Sofia. Nu lachen ook haar ogen.

'Een fles tegen mijn hoofd. Vier hechtingen, die er over een paar weken uit mogen.'

De kamer wordt opnieuw verlicht door een flits van het onweer buiten. De ramen trillen en Jeanette wordt verblind door het felle licht.

Witte muren, een wit plafond en een witte vloer. Witte lakens. Johans bleke gezicht. Haar ogen kloppen.

'Maar wat was er eigenlijk met jou gebeurd?' Jeanette durft Sofia amper aan te kijken als ze de vraag stelt. De rode lampjes van de hart-longmachine knipperen. De schaduw van Johans lichaam in het bed voor haar en Sofia's zwarte silhouet voor het raam. Ze wrijft in haar ogen, zodat de scherpte en de kleuren terugkomen. Nu ziet ze Sofia's gelaatstrekken weer.

'Dat zal ik je vertellen,' antwoordt Sofia met een zucht en ze kijkt naar het plafond alsof ze naar woorden zoekt. 'Ik bleek beduidend banger te zijn om dood te gaan dan ik ooit voor mogelijk had gehouden. Zo eenvoudig is het.'

'Was je dat voor die tijd dan nooit geweest?' Jeanette kijkt Sofia vragend aan en voelt onmiddellijk haar eigen angst voor het definitieve in haar borst omtuimelen.

'Jawel, maar niet op die manier. Niet even sterk. Het lijkt alsof de gedachte aan de dood pas duidelijk wordt als je kinderen hebt en toen ik daar boven was, samen met Johan, toen...' Sofia valt stil en legt een hand op Johans been. 'Het leven kreeg plotseling een nieuwe betekenis en ik was er niet op voorbereid dat het zo kon voelen.' Ze kijkt Jeanette aan en glimlacht. 'Je zou misschien kunnen zeggen dat ik in shock raakte toen ik opeens de zin van het leven zag.'

Jeanette realiseert zich voor het eerst dat Sofia niet alleen een psycholoog is met wie je makkelijk kunt praten.

Ze draagt ook iets anders met zich mee, een gemis of een verlangen, misschien een verdriet.

Ook zij heeft ervaringen die moeten worden verwerkt, gaten die moeten worden gedicht.

Ze schaamt zich dat ze dat niet eerder heeft ingezien. Dat Sofia een mens is die niet alleen voortdurend kan geven.

'Als je altijd sterk bent, leef je niet,' weet ze na een lang, zwijgend moment in Sofia's armen uit te brengen, en ze voelt dat Sofia haar nog eens stevig tegen zich aan drukt, alsof ze wil aangeven dat ze begrijpt dat de woorden troostend bedoeld zijn.

Plotseling begint Johan te kermen en een fractie van een seconde kijken ze elkaar verbaasd aan voordat het tot hen doordringt wat ze zojuist hebben gehoord. De steen in Jeanettes binnenste valt geluidloos naar beneden; dan buigt ze zich over Johan heen.

'Lieverd,' mompelt ze, terwijl haar handen over zijn borst wrijven. 'Welkom terug, mannetje. Mama is hier en blijft op je wachten.'

Ze laat een arts komen, die uitlegt dat dit een natuurlijk onderdeel van het ontwaken is, maar dat het nog vele uren zal duren voordat Johan aanspreekbaar is.

'Langzaam keert het leven naar ons allen terug,' zegt Sofia als de arts hen weer alleen heeft gelaten.

'Ja, misschien wel,' zegt Jeanette, en op hetzelfde moment besluit ze Sofia te vertellen wat ze weet. 'Weet je trouwens wie er op de afdeling hiernaast in coma ligt?' vraagt ze.

'Geen flauw idee. Iemand die ik ken?'

'Karl Lundström,' zegt Jeanette. 'Ik ben eerder vandaag langs zijn kamer gekomen. Eigenlijk is het best raar,' gaat ze verder. 'Twee gangen verderop ligt Karl Lundström tussen net zulke lakens als Johan en het personeel verzorgt hen beiden met evenveel aandacht. Het leven is kennelijk even waardevol, ongeacht wie je bent.'

Sofia glimlacht. 'Je bedoelt dat je een schoft kunt zijn en het toch verdient te leven?'

'Ja, iets in die richting.' Jeanette realiseert zich meteen wat voor cynisch mensbeeld ze net heeft geschetst. Alsof ze geen vertrouwen heeft in het rechtssysteem.

'We leven in een mannenwereld,' antwoordt Sofia. 'Daarin is Johan niet meer waard dan een pedofiel. Daarin is niemand meer waard dan een pedofiel of een verkrachter. Je kunt alleen maar minder waard zijn.'

Jeanette lacht. 'Hoe bedoel je?'

'Als je slachtoffer bent, ben je minder waard dan de pedofiel. Men beschermt liever de vermoedelijke daders dan de vermoedelijke slachtoffers. De wereld van de mannen.'

Jeanette knikt, maar weet niet of ze het begrijpt. Ze kijkt naar Johan in zijn bed. Slachtoffer? Ze heeft de gedachte niet echt durven denken. Slachtoffer waarvan? Ze denkt aan Karl Lundström. Nee, dat voelt niet goed. Ze denkt hem weg.

'Wat heb jij eigenlijk voor ervaringen met mannen?' waagt ze te vragen.

'Ik neem aan dat ik ze haat,' antwoordt Sofia. Haar blik is leeg. 'Als collectief bedoel ik,' gaat ze verder en ze richt haar blik weer op Jeanette. 'En jij?'

Jeanette is er niet op voorbereid dat de vraag wordt teruggekaatst. Ze kijkt naar Johan, ze denkt aan Åke, aan haar chefs en haar collega's. Natuurlijk, er zitten klootzakken bij, maar dat geldt niet voor allemaal. Waar Sofia uitdrukking aan geeft, komt uit een andere wereld dan die waar zij in leeft. Dat voel je.

Sofia's duisternis, waar bestaat die uit?

'Wat geld betreft is alles mannelijk,' zegt Sofia voordat Jeanette een antwoord heeft kunnen formuleren. 'Kijk maar in je portemonnee als je in het buitenland bent. Grote kans op een koning.'

'En Jenny Lind dan? Of Selma Lagerlöf?' probeert Jeanette.

'Goedkope, ritselende Zweedse bankbiljetten. Buitenlandse toeristen denken dat Selma Lagerlöf een man is. Ze willen weten wanneer hij heeft geregeerd. Of hij een Bernadotte is.'

'Dat is toch zeker een grapje?' Jeanette lacht omdat ze het allemaal heel onwaarschijnlijk vindt klinken.

'Nee, dat is het niet. Maar ik vind het leuk om te provoceren.'

Het is moeilijk om te duiden wat Sofia's ogen uitstralen.

Haat of ironie, dwaasheid of weten. Is er eigenlijk wel een verschil, denkt Jeanette.

Sofia onderbreekt Jeanettes gedachten. 'Ik heb zin in een sigaret. Ga je mee?'

Sofia verveelt haar in elk geval nooit. Zoals Åke.

'Nee... Ga jij maar. Ik blijf bij Johan zitten.'

Sofia trekt haar jas aan en vertrekt.

Verleden

De lijsterbes werd geplant op de dag van haar geboorte. Ze heeft ooit gepro-
beerd hem in brand te steken, maar de boom wilde geen vlam vatten.

De coupé is warm en ruikt naar de mensen die hier voor haar hebben gezeten. Victoria doet het raam open en probeert te luchten, maar het is net
of de geuren zich in het pluche hebben gehecht.

De hoofdpijn die haar al plaagt sinds ze op de badkamervloer van een
hotelkamer in Kopenhagen met een strop om haar hals wakker werd,
begint te verdwijnen. Maar haar mond is nog steeds gevoelig en ze voelt
pijnscheuten in de kapotgeslagen voortand. Ze gaat met haar tong over
haar tanden. Er is een stukje afgebroken en ze weet dat ze het moet laten
maken zodra ze weer thuis is.

De trein schokt en verlaat langzaam het station, terwijl het begint te
motregenen.

Ik kan doen wat ik wil, denkt ze. Alles achter me laten en nooit meer
naar hem teruggaan. Zal hij dat toestaan? Ze weet het niet. Hij heeft haar
nodig en zij heeft hem nodig.

In elk geval op dit moment.

Een week geleden hebben zij, Hannah en Jessica de boot van Corfu
naar Brindisi genomen en vandaar de trein naar Rome en Parijs. De hele
reis grijze regen door de ramen. Juli leek wel november. Twee zinloze dagen in Parijs. Hannah en Jessica, haar klasgenootjes van het Sigtuna Lyceum, hadden heimwee gehad en ze waren koud en nat geweest toen ze
van het Gare du Nord vertrokken.

Victoria gaat in een hoekje zitten en trekt haar jas over haar hoofd. Na
een maand interrailen door Europa rest nu alleen nog het laatste stuk.

Hannah en Jessica zijn de hele reis net lappenpoppen geweest. Slappe,
dode dingen samengevoegd door naden die iemand anders heeft genaaid.

Stoffen omhulsels opgevuld met luchtige watten. Ze had genoeg van hen gekregen en toen de trein op het station in Lille was gestopt, had ze besloten uit te stappen. Ze had een lift gekregen van een Deense vrachtwagenchauffeur, die haar helemaal naar Denemarken had meegenomen, en in Kopenhagen had ze haar laatste reischeques ingewisseld en haar intrek genomen in een hotel.

De stem had haar verteld wat ze moest doen. Maar de stem had het mis gehad.

Ze was niet doodgegaan.

De trein nadert de aanlegplaats voor de veerboten in Helsingør en ze vraagt zich af of haar leven anders had kunnen zijn. Vermoedelijk niet. Maar dat is nu niet van belang. Ze hoort bij de haat, net zoals de donder bij de bliksem. En de gebalde vuist bij de klap.

Haar vader heeft zijn mes in haar jeugd gestoken en het lemmet vibreert nog steeds na de steek.

Victoria heeft niets meer in zich wat glimlacht.

De reis naar Zweden en Stockholm duurt de hele nacht en ze slaapt aan één stuk door. De conducteur wekt haar vlak voordat ze aankomen en ze is draaierig en opgelaten. Ze heeft gedroomd, maar weet niet meer wat, en het enige wat over is van de droom is een onbehaaglijk gevoel in haar lijf.

Het is vroeg in de ochtend en het is kil buiten. Ze stapt uit de trein, doet haar rugzak om en loopt naar de grote, gewelfde wachtruimte. Zoals verwacht is daar niemand die haar komt ophalen en ze neemt de roltrap naar de metro.

Vanaf Slussen neemt ze de bus naar Värmdö en Grisslinge. Die doet er een halfuur over en ze gebruikt de tijd om een paar onschuldige anekdotes van haar reis te verzinnen. Ze weet dat hij alles wil horen en geen genoegen zal nemen met een globale beschrijving, maar naar details zal vragen.

Victoria stapt uit de bus en loopt langzaam door de straat waar ze ooit zoveel dingen een naam heeft gegeven.

Ze ziet de Klimboom en de Trapsteen. De kleine heuvel die ze de Berg heeft genoemd en de beek die ooit de Rivier heeft geheten.

Terwijl ze haar zeventienjarige tienerstappen zet, is een ander deel van haar slechts twee jaar.

De witte Volvo staat op de oprit en ze ziet hen in de tuin.

Hij staat met zijn rug naar haar toe en is ergens mee bezig, terwijl mama in een van de bloemperken onkruid zit te wieden. Victoria doet haar rugzak af en zet die op het terras.

Nu pas hoort hij haar en hij draait zich om.

Ze glimlacht naar hem en zwaait, maar hij kijkt haar uitdrukkingsloos aan, draait zich om en gaat gewoon weer verder met zijn bezigheid.

Mama kijkt op van het bloemperk en knikt voorzichtig naar Victoria. Ze knikt terug, pakt haar rugzak en gaat naar binnen.

In de kelder pakt ze haar vuile kleren uit de rugzak en legt die in de wasmand. Ze kleedt zich uit en stapt onder de douche.

Een plotselinge luchtstroom doet het douchegordijn fladderen en ze begrijpt dat hij aan de andere kant staat.

'Heb je het leuk gehad?' vraagt hij. Zijn schaduw valt over het douchegordijn en ze voelt dat haar maag zich samentrekt. Ze wil niet antwoorden, maar ondanks al zijn vernederingen kan ze niet reageren met het soort stilte dat hem misschien dingen laat zeggen die hij eigenlijk niet kwijt wil.

'Ja, hoor. Het is leuk geweest.' Ze probeert vrolijk en ontspannen te klinken en te negeren dat hij slechts een paar decimeter bij haar naakte lichaam vandaan staat.

'En je had genoeg geld voor de hele vakantie?'

'Ja. Ik heb zelfs nog wat over. Ik had immers het geld van mijn beurs, dus...'

'Het is goed, Victoria. Je bent...' Hij zwijgt en ze hoort hem snotteren. Huilt hij?

'Ik heb je gemist. Het is hier heel leeg geweest zonder jou. Ja, we hebben je natuurlijk allebei gemist.'

'Maar nu ben ik weer thuis.' Ze probeert opgewekt te klinken, maar voelt de klomp in haar maag groter worden, omdat ze weet wat hij wil.

'Het is goed, Victoria. Douche nu maar verder en kleed je dan aan. Mama en ik willen met je praten. Mama heeft theewater opgezet.' Hij snuit zijn neus in zijn zakdoek en snottert.

Ja, hij huilt, denkt ze.

'Ik ben zo klaar.'

Ze wacht tot hij weg is; dan draait ze de kraan dicht, stapt de douche uit en droogt zich af. Ze weet dat hij elk moment terug kan komen en daarom kleedt ze zich zo snel ze maar kan aan. Neemt niet eens de tijd om een schone onderbroek te zoeken en trekt de oude aan, die ze al sinds haar vertrek uit Denemarken heeft gedragen.

Ze zitten zwijgend aan de keukentafel op haar te wachten. Het enige geluid komt van de radio op de vensterbank. Op de tafel staan de theepot en het bord met amandelkoekjes. Mama schenkt thee in; die ruikt sterk naar munt en honing.

'Welkom thuis, Victoria.' Mama houdt het bord met koekjes naar voren zonder haar in de ogen te kijken.

Victoria probeert haar blik te vangen. Steeds opnieuw.

Ze herkent me niet, denkt Victoria.

Het bord met de koekjes is het enige wat aanwezig is.

'Je hebt vast vaak zin gehad in echte...' Mama raakt van haar à propos, zet het bord neer en veegt een paar onzichtbare kruimels van de tafel. 'Na al dat vreemde...'

'Ze lijken me heel lekker.' Victoria laat haar blik door de keuken glijden en kijkt dan naar hem.

'Jullie wilden me iets vertellen.' Ze doopt het met suiker bedekte koekje in haar thee; een groot stuk laat los en valt in het kopje. Gefascineerd kijkt ze toe hoe het oplost en hoe de kruimels naar de bodem zakken, alsof het geheel nooit heeft bestaan.

'Toen jij op vakantie was, hebben mama en ik gepraat en we hebben besloten om tijdelijk ergens anders te gaan wonen.'

Hij buigt zich over de tafel naar voren en mama knikt instemmend, alsof ze zijn woorden wil versterken.

'Ergens anders? Waar dan?'

'Ik ben gevraagd om een project in Sierra Leone te leiden. In eerste instantie gaan we voor een halfjaar; daarna kunnen we nog zes maanden blijven als we dat willen.'

Hij vlecht zijn vingers in elkaar en ze ziet dat zijn handen oud en gerimpeld zijn.

Zo hard en zo ijverig. Brandend.

Ze huivert bij de gedachte dat hij haar zal aanraken.

'Maar ik zou in Uppsala gaan studeren...' De tranen dringen aan, maar ze wil zich niet zwak tonen. Dat kan hem de gelegenheid geven haar te troosten. Ze kijkt in haar kopje, roert met het lepeltje en maakt een papje van de kruimels.

'Dat is heel ver weg in Afrika en ik...'

Ze zal helemaal aan hem zijn overgeleverd. Niemand kennen en nergens heen kunnen vluchten, mocht dat nodig zijn.

'We hebben het zo geregeld dat je wat cursussen op afstand kunt volgen. En je krijgt een paar keer per week extra les.'

Hij kijkt haar aan met zijn waterige grijsblauwe ogen. Hij heeft het besluit al genomen en zij heeft niets in te brengen.

'Wat voor cursussen?' Ze voelt pijnscheuten in haar tand en wrijft met haar hand over haar kin.

Ze hebben haar niet eens gevraagd wat er met haar tand is gebeurd.

'Om te beginnen een basiscursus psychologie. We denken dat dat wel iets voor jou is.'

Hij slaat zijn handen in elkaar en wacht op haar antwoord.

Mama staat op en neemt haar kopje mee naar het aanrecht. Zonder iets te zeggen spoelt ze het om, droogt het zorgvuldig af en zet het vervolgens in de kast.

Victoria zegt niets. Ze weet dat het geen zin heeft om te protesteren.

Het is beter om de woede vanbinnen op te slaan en hem daar te laten groeien. Op een dag zal ze de dijken laten doorbreken en het vuur over de wereld laten spoelen, en die dag zal ze meedogenloos en ongenadig zijn.

Ze glimlacht naar hem. 'Het komt wel goed. Het gaat tenslotte maar om een paar maanden. Misschien is het zelfs wel leuk om iets nieuws te zien.'

Hij knikt en gaat van tafel om aan te geven dat het gesprek is afgelopen.

'Nu kan iedereen verdergaan met zijn eigen bezigheden,' zegt hij. 'Victoria moet misschien even rusten. Zelf ga ik nog even aan de slag in de tuin. Om zes uur is de sauna warm en kunnen we het gesprek voortzetten. Schikt dat?' Hij kijkt eerst Victoria en vervolgens zijn vrouw sommerend aan.

Ze knikken allebei.

Die avond kan ze moeilijk in slaap komen en ligt ze te woelen in bed.

Ze heeft pijn omdat hij zo hardhandig is geweest. Haar huid schrijnt van het kokendhete water en haar onderlichaam doet zeer. Maar ze weet dat het in de loop van de nacht over zal gaan. Als hij tenminste genoeg heeft gehad en kan slapen.

Ze drukt haar neus in het hondje van echt konijnenbont.

In haar innerlijke notitieboek schrijft ze de krenkingen op en ze verheugt zich op de dag dat hij en alle anderen haar op hun knieën om genade zullen smeken.

Het Karolinska-ziekenhuis

Het is niet moeilijk om een mens te doden. De problemen zijn eerder mentaal en dan zijn de voorwaarden heel verschillend. De meeste mensen moeten allerlei barrières overwinnen. Empathie, geweten en bezinning vormen gewoonlijk een belemmering om dodelijk geweld te gebruiken.

Maar voor sommige mensen is het niet lastiger dan het openmaken van een pak melk.

Het is bezoekuur en het is een drukte van belang. Buiten valt de regen met bakken uit de hemel en de storm geselt de ramen. Af en toe wordt de zwarte hemel verlicht door een flits en vrijwel meteen daarna volgt de knal.

Het onweer is vlakbij.

Aan de muur bij de liften hangt een plattegrond en omdat ze niemand de weg wil vragen, gaat ze daarheen om te controleren of ze niet verkeerd is gelopen.

De vloer is glimmend gepoetst en in de gang ruikt het naar schoonmaakmiddelen. In haar ene hand houdt ze krampachtig een bos gele tulpen vast en elke keer dat ze iemand tegenkomt, kijkt ze omlaag om oogcontact te vermijden.

Haar jas is alledaags, evenals haar lange broek en witte schoenen met zachte rubberzolen. Niemand schenkt enige aandacht aan haar en mocht iemand zich haar tegen alle verwachting in later toch herinneren, dan zullen er geen details van haar uiterlijk zijn blijven hangen.

Ze valt niet op en is het gewend genegeerd te worden. Tegenwoordig raakt dat haar niet, maar ooit had de nonchalance pijn gedaan.

Lang geleden was ze eenzaam, maar dat is ze niet meer.

In elk geval niet zoals vroeger.

Als ze de intensive care heeft bereikt, blijft ze even staan, kijkt om zich heen en gaat op een bank voor de ingang zitten. Ze luistert en neemt waar.

Het onweer wordt heviger en beneden op de parkeerplaats gaan een paar autoalarmen af. Voorzichtig opent ze haar tas om te controleren of ze niets heeft vergeten, maar alles zit erin.

Ze staat op, loopt resoluut naar de ingang, duwt de deur open en stapt naar binnen. Dankzij de rubberzolen beweegt ze bijna geluidloos. In de verte hoort ze een paar stemmen. Het geluid van een tv, het gezoem van de airco en het onregelmatige getik van de tl-buizen.

Ze kijkt om zich heen. De gang is leeg.

Zijn kamer is de tweede deur links. Snel gaat ze naar binnen, doet de deur achter zich dicht en blijft even staan luisteren, maar ze hoort niets verontrustends.

Het is stil en hij ligt, zoals ze had verwacht, alleen in de kamer.

Voor het raam staat een kleine lamp en het zwakke gele licht geeft de kamer een koortsig schijnsel, waardoor de ruimte nog kleiner lijkt dan die al is.

Aan het voeteneind van het bed hangt de dagrapportage. Ze pakt het papier op en leest.

Karl Lundström.

Naast het bed staan verschillende apparaten en twee infuusrekken, die via een slang aan zijn hals zijn bevestigd, vlak naast zijn sleutelbeen. Er steken twee dunne doorzichtige sondes uit zijn neus en er zit ook een slang in zijn mond. Die is groen en iets grover dan de slangen in zijn neus.

Hij is slechts een homp vlees, denkt ze.

Er komt een slaapverwekkend, ritmisch gepiep van een van de levensverlengende apparaten. Ze weet dat ze die niet zomaar uit kan zetten. Het alarm zal afgaan en het personeel zal binnen een minuut ter plaatse zijn.

Hetzelfde geldt als ze hem wil verstikken.

Ze kijkt naar hem. Zijn ogen bewegen onrustig onder de gesloten oogleden. Misschien is hij zich bewust van haar aanwezigheid.

Misschien begrijpt hij zelfs waarom ze hier is, zonder ook maar iets te kunnen doen.

Ze zet haar tas bij het voeteneind van het bed, maakt hem open en pakt er voordat ze naar het infuusrek loopt een spuitje uit.

Er klinkt gerammel op de gang; ze stopt en luistert, klaar om de spuit te verstoppen mocht er iemand binnenkomen, maar na een halve minuut is het weer stil.

Alleen de regen buiten en het geluid van de respirator.

Ze leest wat er op de verpakkingen van de infusievloeistoffen staat.

Morphine en *Nutrition*.

Ze pakt de spuit, prikt die in de bovenkant van de plastic zak met de voedingsoplossing en drukt de inhoud eruit. Als ze de naald eruit heeft gehaald, schudt ze de zak voorzichtig heen en weer, zodat de morfine zich met de glucoseoplossing vermengt.

Als ze de spuit weer in haar tas heeft gestopt, loopt ze naar het nacht-kastje, pakt een vaas en vult die op het toilet met water.

Vervolgens verwijdert ze het papier om de tulpen en zet de bloemen in de vaas.

Voordat ze de kamer verlaat, pakt ze haar polaroidcamera.

De flits van de camera wordt gesynchroniseerd met het licht van al-weer een bliksemschicht achter het raam; de foto schuift uit het toestel en wordt langzaam zichtbaar.

Ze kijkt naar de polaroid.

Door de bliksem zijn de muren van de kamer en de lakens op het bed totaal overbelicht, terwijl het lichaam van Karl Lundström en de vaas met de gele bloemen een perfecte belichting hebben gekregen.

Karl Lundström. De man die zich jarenlang aan zijn dochter heeft ver-grepen. Die geen spijt had.

Die zich ophing in een zielige poging om een eind te maken aan zijn waardeloze leven.

Die zelfs niet in staat was te doen wat de eerste de beste voor elkaar krijgt.

Een pak melk openmaken.

Maar zij zal hem helpen zijn plan te voltooien. Zij zal het afsluiten en er een punt achter zetten.

Als ze voorzichtig de deur opent, hoort ze zijn ademhaling langzamer worden.

Straks zal die helemaal ophouden en een paar kubieke meter frisse lucht vrijmaken die de levenden kunnen inademen.

Gamla Enskede

Ze zitten zwijgend in de auto. Het enige wat ze horen is het geluid van de ruitenwissers en het zwakke gekraak van de politieradio. Jens Hurtig rijdt en Jeanette zit samen met Johan achterin. Ze ziet dat er water lekt bij het zijraampje, ter hoogte van de achteruitkijkspiegel.

Hurtig rijdt de Enskedevägen op en werpt een blik op Johan.

'Het gaat goed met je, zie ik.' Hij glimlacht in de achteruitkijkspiegel.

Johan knikt zonder iets te zeggen, wendt zijn hoofd af en kijkt naar buiten.

Wat is er toch met hem gebeurd, denkt Jeanette, en weer wil ze haar mond openen om hem te vragen hoe hij zich voelt. Maar deze keer houdt ze zich in. Ze wil hem niet onder druk zetten. Haar gezeur zal hem niet doen praten en ze weet inmiddels dat de eerste stap van hem moet komen. Het moet maar zo lang duren als het duurt. Misschien weet hij helemaal niet wat er is gebeurd, maar ze voelt gewoon dat er iets is wat hij niet vertelt.

Er hangt een beklemmende stilte in de auto als Hurtig de oprit van hun huis op rijdt.

'Mikkelsen heeft vanochtend gebeld,' zegt hij en hij zet de motor uit. 'Lundström is vannacht overleden. Dat wilde ik je even vertellen voordat je het in de boulevardbladen leest.'

Ze voelt dat ze ineenzakt. Door het verwoede gekletter van de regen op de voorruit denkt ze even dat de auto nog steeds in beweging is, hoewel ze weet dat ze voor de garage geparkeerd staan. Haar enige spoor in de jacht op de moordenaar van de jongens is dood.

Een krachtige windstoot spoelt het regenwater van de voorruit en de druk in de auto stijgt. Jeanette gaapt om haar oren weer open te krijgen. Het gaat minder hard regenen en de illusie dat de auto rolt verdwijnt. Haar hartslag daalt in hetzelfde tempo als het regenwater dat zich langs de zijkanten van de voorruit een weg zoekt.

'Blijf je nog even wachten? Ik ben zo terug,' zegt ze en ze opent het portier. 'Kom, Johan. We gaan naar binnen.'

Johan loopt voor haar uit door de tuin, het trapje op en de hal in. Zonder iets te zeggen trekt hij zijn schoenen uit, hangt zijn natte jack op en gaat naar zijn kamer.

Ze blijft even staan en kijkt hem na.

Als ze terugloopt naar de garage, is de regen overgegaan in een rustige motregen. Hurtig staat naast de auto te roken.

'Is dat een nieuwe gewoonte van je geworden?'

Hij grijnst en geeft haar de sigaret.

'Karl Lundström is vannacht dus overleden,' zegt ze.

'Ja, het lijkt erop dat zijn nieren het uiteindelijk hebben opgegeven.'

Twee gangen verderop. Dezelfde nacht dat Johan was bijgekomen. 'Niets vreemds dus?'

'Nee, vermoedelijk niet. Misschien komt het door alle medicijnen die ze hem hebben toegediend. Mikkelsen heeft beloofd dat we morgen een verslag krijgen, en... nou, ik wilde gewoon dat je het zou weten.'

'Verder niets?' vraagt ze.

'Nee, niets bijzonders. Maar hij heeft vlak voor zijn dood nog bezoek gehad. De verpleegkundige die hem heeft gevonden zei dat hij in de loop van de avond een bos bloemen had gekregen. Gele tulpen. Van zijn vrouw of van zijn advocaat. Dat waren de enige geregistreerde bezoekers die avond.'

'Annette Lundström? Is zij niet opgenomen?'

'Nee, ze is niet klinisch opgenomen. Ze is eerder geïsoleerd. Volgens Mikkelsen heeft Annette Lundström de villa in Danderyd de afgelopen weken amper verlaten, behalve om bij haar man langs te gaan. Ze zijn vanochtend bij haar geweest om te vertellen wat er was gebeurd en... tja, het schijnt er behoorlijk bedompt te hebben geroken.'

Iemand heeft Karl Lundström gele bloemen gegeven, denkt Jeanette. Geel is meestal een symbool voor verraad.

'Hoe voel je je?' vraagt hij. 'Zeker fijn om weer thuis te zijn?'

'Hartstikke fijn,' antwoordt ze en ze valt stil. Denkt weer aan Johan.

'Ben ik een slechte moeder?' vraagt ze.

Hurtig lacht onzeker. 'Nee, natuurlijk niet. Johan is bijna een tiener. Hij is weggelopen, kwam iemand tegen die hem drank gaf. Hij werd dronken, alles ging mis en hij schaamt zich.'

Vrolijk me maar op, denkt Jeanette. Maar het klopt gewoon niet.

'Is dit ironisch bedoeld?'

Ze ziet meteen dat het dat niet is.

'Nee, Johan schaamt zich. Dat is aan hem te zien.'

Ze leunt tegen de motorkap. Misschien heeft hij gelijk, denkt ze. Hurtig trommelt met zijn vingers op het dak van de auto.

'Hoe ging het met de vrouw in Bandhagen?' vraagt ze, en ze merkt hoe eenvoudig het is om weer in haar professionele rol terug te vallen. Hoe prettig het is om zich op iets anders te concentreren dan bezorgdheid.

'Schwarz heeft haar man verhoord, maar ik ga ook nog een keer met hem praten.'

'Daar zou ik graag bij willen zijn.'

'Dat is best, maar je bent niet op de hoogte van alle feiten.'

'Dan moet je me maar mailen wat je hebt, zodat ik het vanavond kan doorlezen.'

Als ze afscheid hebben genomen, loopt ze weer naar binnen. Ze gaat naar de keuken, waar ze een glas water inschenkt, dat ze meeneemt naar Johans kamer.

Hij slaapt al en ze zet het glas op het nachtkastje en streelt zijn wang.

Dan gaat ze naar de kelder, waar ze snel een wasmachine vult met Johans vuile kleren. Zijn trainingsshirt en voetbalkousen. En de overhemden die Åke niet heeft meegenomen.

Ze schudt het laatste beetje wasmiddel uit het pak, doet de klep dicht en gaat voor de draaiende trommel zitten. Sporen van een eerder leven draaien voor haar ogen rond.

Ze denkt aan Johan. De hele rit naar huis stil. Geen woord. Geen blik. Hij heeft besloten dat zij is gediskwalificeerd. Hij heeft haar bewust laten vallen.

Dat doet pijn.

Vita bergen

Sofia Zetterlund heeft opgeruimd, rekeningen betaald en getracht de praktische zaken te regelen.

Rond lunchtijd belt ze Mikael.

'Je leeft dus nog?' Ze hoort aan zijn stem dat hij chagrijnig is.

'We moeten praten...'

'Dat komt nu niet goed uit. Ik heb zo een lunchafspraak. Waarom bel je me niet 's avonds? Je weet toch hoe mijn dagen eruitzien.'

'Je bent 's avonds ook behoorlijk bezet. Ik heb een paar keer een boodschap ingesproken...'

'Luister, Sofia.' Hij zucht. 'Waar zijn we eigenlijk mee bezig? Zou het niet beter zijn overal mee te kappen?'

Ze weet niet wat ze moet zeggen en slikt een paar keer. 'Wat bedoel je?'

'Het lijkt erop dat we geen tijd hebben om elkaar te zien. Waarom zouden we dan nog doorgaan?'

Als ze doorheeft wat hij bedoelt, is ze enorm opgelucht. Hij is haar een paar tellen voor geweest. Hij wil hun relatie beëindigen. Simpel. Zonder veel omhaal van woorden.

Ze moet even lachen. 'Mikael, dat is precies de reden dat ik steeds heb geprobeerd je te bereiken. Heb je vijf minuten, zodat we even kunnen praten?'

Na het gesprek gaat Sofia op de bank zitten.

Wassen, denkt ze. Opruimen en rekeningen betalen. De planten water geven. Een relatie beëindigen. Praktische handelingen van vergelijkbare omvang.

Ze denkt niet dat ze hem zal missen.

De polaroidfoto die ze in haar jaszak heeft gevonden ligt op tafel.

Wat moet ik hiermee, denkt ze.

Ze begrijpt er niets van. Zij staat op de foto, maar toch ook weer niet.

Enerzijds kan ze niet op haar herinneringsbeelden vertrouwen – Victoria Bergmans jeugd vertoont nog steeds veel leemten – anderzijds kent ze zichzelf goed genoeg om te weten dat de details op de foto een herinnering bij haar zouden moeten opwekken.

Ze draagt een rood gewatteerd jack met witte accenten, witte rubberlaarzen en een rode lange broek. Zo zou zij zich nooit kleden. Het lijkt alsof iemand anders haar zo heeft uitgedost.

Ook de vuurtoren op de achtergrond is rood en wit, waardoor de foto een gearrangeerde indruk maakt.

Van de natuur is niet veel te zien, alleen het strand met de afgebroken houten palen. Het landschap lijkt schraal: lage heuvels met hoog, vergeeld gras.

Het zou Gotland kunnen zijn, misschien de zuidkust van Engeland of Denemarken. Skåne? Noord-Duitsland?

Plaatsen waar ze is geweest, maar niet toen ze zo klein was.

Het lijkt nazomer te zijn, mogelijk herfst, gezien de kleren die ze aanheeft. Het lijkt ook te waaien en het ziet er koud uit.

Het meisje dat zijzelf is, heeft een glimlach op haar lippen, maar haar ogen lachen niet. Als ze beter naar de foto kijkt, lijken ze zelfs wanhopig.

Hoe is de foto in mijn jaszak terechtgekomen? Heeft die daar altijd al gezeten? Heb ik hem misschien van Värmdö meegenomen, voordat het huis afbrandde?

Nee, toen had ik die jas niet aan.

Victoria, denkt ze. Vertel me wat ik me niet kan herinneren.

Geen reactie.

Er komt geen gevoel tot haar.

Kronoberg

Moord komt relatief weinig voor, maar vanwege de ernst van het misdrijf kan het op goede gronden een symbolisch delict worden genoemd; daarom is het in de strafrechtelijke politiek belangrijk dat moorden grondig worden onderzocht en het percentage opgeloste zaken hoog is.

In Zweden worden jaarlijks ongeveer tweehonderd moorden gepleegd en in bijna alle gevallen is de dader een bekende van het slachtoffer.

Leif Karlsson ziet er om diverse begrijpelijke redenen verdrietig uit als Jeanette en Hurtig de verhoorkamer binnenkomen en tegenover hem plaatsnemen.

De graad van verdenking tegen Karlsson is de laagst mogelijke en luidt 'kan verdacht worden'. Jeanette weet dat dat in de praktijk op vrijwel iedereen van toepassing kan zijn.

Ze draait de dop van een fles tafelwater, reikt naar de recorder en bladert in de map met aantekeningen die ze de vorige avond heeft gemaakt toen Johan sliep.

Ze kijken elkaar zonder iets te zeggen aan.

Leif Karlsson is veertig jaar en iets kleiner dan gemiddeld. Hij heeft een donker jack en een slecht zittende, versleten spijkerbroek aan.

Jeanette neemt aan dat zijn zittende beroep als leraar Frans en Engels aan een middelbare school in combinatie met een te grote liefde voor vette sausen en lekkere wijn de oorzaak is van zijn beginnende dikke buik. Op het eerste gezicht maakt hij een volstrekt onschuldige indruk.

Leif Karlsson ziet eruit als iemand die een lastige vlieg liever door het raam laat wegvliegen dan dat hij het insect met een krant zou pletten.

Zijn blik is vast en uitdagend, maar komt niet agressief over. Jeanette weet uit ervaring dat mensen die zich bedreigd voelen of op het punt staan ontmaskerd te worden vaak een agressieve houding aannemen. Als je niet over andere mogelijkheden beschikt, is de aanval vaak de beste verdediging.

Maar Leif Karlsson lijkt niets te verbergen te hebben en begint als eerste te praten.

'Heb ik een advocaat nodig?' vraagt hij.

Jeanette kijkt naar Hurtig, die zijn schouders ophaalt.

'Waarom denkt u dat dat nodig zou zijn?' vraagt Jeanette, terwijl ze zich omdraait naar Karlsson.

'Ik neem aan dat ik hier ben vanwege Elisabeth, maar ik begrijp niet goed waarom. Een van uw collega's, ik geloof dat hij Schwarz heette, heeft me al verhoord en ik weet niet...'

Hij spreidt zijn armen in een vragend gebaar en Jeanette ziet dat zijn ogen glimmen. 'Ik ben nog nooit bij iets crimineels betrokken geweest en ja, ik weet niet goed hoe ik moet antwoorden.'

'Er zijn nieuwe feiten naar boven gekomen, waarvan mijn collega Schwarz niet op de hoogte was.'

Hurtig schrikt licht op en Jeanette doet net of ze in haar papieren leest.

Ze knikt bij zichzelf en wacht Karlssons reactie af, maar de man zegt niets en blijft rustig zitten. Jeanette merkt dat Hurtig ongeduldig wordt.

Ze kijkt op. 'Hoe was jullie relatie?' begint ze.

'Hoe bedoelt u?' Karlsson staart haar aan. 'Staat dat daar niet in?' gaat hij verder, en hij wijst naar de stapel papieren.

'Natuurlijk staat het hierin, maar ik zou het graag van uzelf horen.' Jeanette stopt even en herformuleert de vraag: 'Hoe was jullie liefdesleven?'

De man schudt zijn hoofd, slaat zijn ogen ten hemel en glimlacht gelaten. 'U wilt weten of we met elkaar naar bed gingen?'

'Precies. Deden jullie dat? Gingen jullie met elkaar naar bed?'

'Ja, dat deden we.'

'Vaak?'

'Maar, wat heeft dat te maken met...' Hij zucht diep en gaat verder. 'Ja, we gingen zo vaak met elkaar naar bed als normaal is als je vijftien jaar bij elkaar bent.'

Vaak is een relatief begrip, denkt Jeanette.

Åke en zij hadden in hun laatste jaar samen misschien één keer per maand seks gehad.

Soms zelfs minder vaak.

Jeanette weet nog hoe het was geweest toen Åke en zij elkaar net kenden. In het begin hadden ze elk wakker moment in bed doorgebracht en ze hadden zich amper de tijd gegund om te eten. Maar dat was toen.

Daarna kwamen Johan, haar carrière en alle eisen van het dagelijkse leven, en op de een of andere manier hadden ze geen tijd meer gehad. Jeanette voelt een steek van verdriet als ze bedenkt hoe eenvoudig een hartstochtelijke relatie over kan gaan in een sleur.

Ze buigt zich naar voren en zoekt Karlssons blik. Als ze die uiteindelijk heeft gevangen, kijkt ze hem strak aan en haalt diep adem.

'Of ik vertel u wat er volgens mij is gebeurd, of u vertelt het zelf; dan kunnen we dit afsluiten.'

'Wat bedoelt u?' vraagt Karlsson, en Jeanette ziet dat het hem moeite kost niet met zijn blik rond te dwalen. Er verschijnen zweetpareltjes op zijn bovenlip.

'Als ik zeg: de afdeling voor verkrachte vrouwen in het Söder-ziekenhuis begin mei, gaat er dan een belletje rinkelen?'

Jeanette ziet dat Karlsson weerstand probeert te bieden en weet dat ze het bij het juiste eind heeft.

'Of de vrouwenopvang in de Blekingegatan. Maar dat was in maart, is het niet?'

Karlsson staart haar met een lege blik aan.

'Een melding van overlast in april en dan weer de Blekingegatan. Nog twee bezoeken aan het Söder-ziekenhuis.' Ze wacht even voordat ze verdergaat. 'Wilt u dat ik...'

Leif Karlsson begint te snotteren en verbergt zijn gezicht in zijn handen. 'Hou alstublieft op!' zegt hij.

Hurtig draait zich met een niet-begrijpend gezicht naar Jeanette om en schudt tegelijk zijn hoofd.

Jeanette schuift haar stoel naar achteren, staat op en pakt haar papieren. 'Ik geloof dat we nu wel klaar zijn.' Ze kijkt naar Hurtig. 'Laat Schwarz komen, dan kan hij afmaken wat hij is begonnen. Dat ziet er beter uit.'

De Kungsgatan

Na jarenlange graafwerkzaamheden in de Brunkebergsåsen werd in november 1911 de Kungsgatan ingewijd. Tijdens het werk in de esker waren de overblijfselen van het Vikingdorp gevonden dat ooit op de plaats van het huidige Hötorget had gelegen.

De straat, die oorspronkelijk de Helsingegathun heette, werd in het begin van de achttiende eeuw omgedoopt tot de Luttnersgatan; het was een armetierig straatje met schuurtjes en oude houten huizen.

De schrijver Ivar Lo-Johansson heeft erover geschreven, over de bohemiens in het stadsdeel Klara en over de prostituees die daar woonden en werkten.

Toen het centrum van de hoofdstad zich in de jaren zestig van de twintigste eeuw in zuidelijke richting naar de Hamngatan verplaatste, raakte de straat in verval, maar na de renovatie in de jaren tachtig heeft ze weer iets van haar oude allure teruggekregen.

Officier van justitie Kenneth von Kwist stapt bij het station aan het Hötorget uit de metro; hij heeft zoals gebruikelijk moeite om zich te oriënteren. Er zijn veel te veel trappen naar boven en zijn richtinggevoel functioneert onder de grond niet.

Een paar minuten later staat hij voor het Concertgebouw.

Het regent en hij klapt zijn paraplu open en loopt langzaam in westelijke richting door de Kungsgatan.

Hij heeft geen haast.

Sterker nog: hij wil eigenlijk helemaal niet naar zijn kantoor bij het Openbaar Ministerie.

De reden is dat hij zich zorgen maakt. Hoe hij het probleem ook wendt of keert, hij ziet geen oplossing. Wat hij ook doet, hij zal zelf met de zwartepiet blijven zitten.

Hij steekt de Drottninggatan, de Målargatan en de Klara Norra Kyrkogata over.

Wat zou er gebeuren als hij helemaal niets doet en de documenten gewoon achter in de onderste la van zijn bureau verstopt?

De kans bestaat natuurlijk dat ze er nooit iets over te horen zal krijgen, en na verloop van tijd komen er nieuwe zaken en zullen de oude in vergetelheid raken.

Maar hij betwijfelt of Jeanette Kihlberg het erbij zal laten zitten.

Haar betrokkenheid bij de dode jongens is veel te groot geweest en ze is veel te koppig. Veel te toegewijd aan haar werk.

Hij heeft vergeefs geprobeerd ongunstige feiten over haar te vinden.

Geen enkele melding van een ambtsovertreding.

Ze is een politieagent van de derde generatie. Haar vader en grootvader hebben allebei in Västerort gewerkt en ook zij hebben nooit een slechte aantekening gekregen.

Hij passeert het Oscar-theater en het Casino Kosmopol, dat is gehuisvest in de oude ruimtes van restaurant Bal Palais.

Het is een puinhoop en op dit moment is hij de enige die het probleem kan oplossen.

Of heeft hij iets over het hoofd gezien?

Een gemiste invalshoek?

Momenteel heeft Jeanette Kihlberg haar handen vol aan haar zoon, maar als de jongen is opgeknapt, gaat zij weer aan het werk en vroeg of laat zal ze ook kennisnemen van de nieuwe feiten.

Dat kan hij niet verhinderen.

Of toch wel?

Kronoberg

Na het verhoor met Leif Karlsson gaat Jeanette terug naar haar kamer en wacht daar op Hurtig. Ze is tevreden, ze heeft weer greep op de onderzoeksgroep, en wat belangrijker is: ze had gelijk. Haar innerlijk kompas heeft haar de weg gewezen.

Het verbaast haar dat Leif Karlsson helemaal geen commentaar op de gebeurtenis heeft gegeven. Zijn vrouw is na jarenlange mishandeling door toeval overleden. Door een blikseminslag. Als dat niet was gebeurd, zou de mishandeling zijn doorgegaan en was hij misschien nooit tegen de lamp gelopen. Vanochtend had ze een paar korte telefoontjes gepleegd. Eerst met het Söder-ziekenhuis en daarna met de vrouwenopvang aan de Blekingegatan. Moeilijker was het niet geweest.

Dat iemand als Schwarz dit over het hoofd ziet kan ze begrijpen, maar dat ook Hurtig heeft nagelaten Elisabeth Karlssons achtergrond te controleren vindt ze toch wel verontrustend.

Ze troost zichzelf met de gedachte dat iedereen recht heeft op een slechte dag. Ze heeft zelf veel van die dagen gehad. Ja, was het onderzoek naar de dode jongens niet één lange reeks slechte dagen geweest?

Er wordt op de deur geklopt en politiechef Dennis Billing stapt haar kamer binnen.

Het valt Jeanette op dat hij een kleurtje heeft van de zon.

'Zo? Je bent dus terug?' vraagt hij hijgend, terwijl hij de bezoekersstoel naar zich toe trekt en zijn lange, zware lichaam erop laat zakken. 'Hoe is het met je?'

Jeanette neemt aan dat de laatste vraag meer is dan een beleefd informeren naar haar welzijn.

'Alles is onder controle. Op dit moment wacht ik tot Hurtig me komt vertellen hoe het verhoor van Schwarz met Leif Karlsson is afgelopen.'

'Is dat de man van die vrouw in Bandhagen?' Billing kijkt weifelend. 'Denk jij dat hij er iets mee te maken heeft?'

'Ik weet dat hij er iets mee te maken heeft. Precies op dit moment vertelt hij Schwarz hoe hij haar in de bosjes naast het voetbalveld waar wij haar hebben gevonden heeft verkracht. Waarschijnlijk wilde ze een eind maken aan hun relatie, ze had misschien iemand anders ontmoet. Hij volgt haar, slaat haar neer, verkracht haar. En dan wordt ze getroffen door de bliksem.'

'Wat een verhaal.' Billing schudt zijn hoofd, staat op en maakt aanstalten om te vertrekken. 'Wat ga jij nu doen?' Hij opent de deur naar de gang en ziet Hurtig, die net naar binnen wil stappen.

'Goed gedaan, Jens.' Politiechef Dennis Billing draait Jeanette zijn rug toe en slaat een verbaasde Hurtig op de schouder. 'Snel en netjes. Precies zoals ik het graag zie.'

'Heb je iets nieuws voor ons?'

Jeanette leunt achterover en kijkt naar Billings brede rug. Een grote zweetvlek vlak boven zijn broeksband. Een duidelijk teken dat hij veel te veel zit, denkt ze.

'Nee, niet echt. Het is momenteel rustig. Misschien kunnen jullie verdergaan met jullie vakantie.'

Jeanette en Hurtig schudden tegelijk hun hoofd, maar Hurtig neemt het woord. 'Geen sprake van. De rest van mijn vrije dagen neem ik van de winter op.'

'Ik ook,' zegt Jeanette. 'Het was veel te vermoeiend om vrij te hebben.'

Billing draait zich om en kijkt haar aan. 'Goed. Ga maar een paar dagen patiencen tot er iets gebeurt. Papieren sorteren. Windows opnieuw installeren. Doe het maar even rustig aan. Tot kijk.' Zonder op een antwoord te wachten dringt hij langs Hurtig heen en vertrekt.

Met een grijns op zijn gezicht doet Hurtig de deur achter hem dicht en schuift de stoel naar het bureau.

'Heeft hij bekend?' Jeanette strekt zich uit, recht haar rug en vouwt haar armen achter haar hoofd.

'*Case closed.*' Hurtig gaat zitten en vervolgt: 'Hij zal worden aangeklaagd voor meerdere gevallen van verkrachting van zijn vrouw, voor mishandeling van deze zelfde vrouw en, als hij in de rechtszaal bij zijn verhaal blijft, voor vrijheidsberoving.' Hurtig zwijgt en lijkt na te denken. 'Volgens mij vond hij het fijn dat hij kon praten.'

Jeanette heeft er moeite mee om medeleven op te brengen voor zo'n man.

Dat je je afgewezen voelt is geen excuus, denkt ze, en ze ziet Åke en ... Alexandra voor zich. Dat hoort bij het leven.

'Mooi, dan is dat afgehandeld en hebben we tijd voor de vermoorde jongens.'

Ze trekt een bureaula open en Hurtig grinnikt als ze er een roze map uit haalt.

Ze glimlacht. 'Ik heb geleerd hoe je iets belangrijks oninteressant laat lijken. Het zou nooit bij iemand opkomen een dergelijke map te openen.' Ze bladert in de documenten.

'Er zijn een paar mensen naar wie we nader moeten kijken,' zegt ze. 'Annette en Linnea Lundström. Ulrika Wendin. Kenneth von Kwist.'

'Ulrika Wendin?' zegt Hurtig met een vragende blik.

'Ja, volgens mij heeft ze niet alles verteld.'

Jeanette heeft Ulrika Wendin twee keer gesproken en beide keren ging het om de aangifte van de jonge vrouw tegen Karl Lundström.

De destijds veertienjarige Ulrika had Lundström via internet leren kennen en had samen met een vriendin met hem afgesproken in een restaurant.

De vriendin was niet gebleven en Ulrika was meegegaan naar een hotel, waar nog een paar mannen op hen hadden zitten wachten.

Ze hadden Ulrika gedrogeerd en daarna was ze verkracht.

Het meisje dacht dat alles was gefilmd.

De officier van justitie had het vooronderzoek stopgezet omdat Lundströms vrouw Annette haar man een alibi had gegeven voor het desbetreffende tijdstip. De officier van justitie heette Kenneth von Kwist.

Jeanette gaat verder. 'Misschien kan Ulrika Wendin ons meer vertellen over zowel Von Kwist als Karl Lundström. We moeten op onze intuïtie afgaan.'

'En Von Kwist?' Hurtig spreidt zijn armen.

Tijdens het onderzoek naar de vermoorde jongens was officier van justitie Kenneth von Kwist één groot remblok geweest en alleen al het horen van zijn naam maakt Jeanette boos.

'De constellatie Von Kwist en de familie Lundström heeft iets verdachts. Ik weet nog niet wat het is, maar...' Jeanette haalt diep adem voordat ze verdergaat: 'En dan is er nog een naam waar we achteraan moeten.'

'Welke?'

'Victoria Bergman.'

Hurtig kijkt verbouwereerd. 'Victoria Bergman?'

'Ja. Een paar dagen voordat Johan verdween, kreeg ik bezoek van ene Göran Andersson van de politie op Värmdö. Door al het gedoe met Johan heb ik nog geen tijd gehad om iets te doen met zijn informatie, maar hij vertelde dat Victoria Bergman niet bestaat.'

'Niet bestaat? Maar we hebben met haar gepraat.'

'Dat is waar, maar ik heb het nummer nog een keer gecheckt en het bestaat niet langer. Ze leeft, maar onder een andere naam. Twintig jaar geleden is er iets gebeurd en toen is zij uit alle registers verdwenen. Er is iets voorgevallen waardoor Victoria Bergman ondergronds is gegaan.'

'Haar vader? Bengt Bergman. Hij heeft zich aan haar vergrepen.'

'Ja, waarschijnlijk heeft het met hem te maken. En iets zegt me dat het Bergman-spoor niet helemaal dood is.'

'Het Bergman-spoor? Maar wat is de koppeling met onze zaken?'

'Ik ga weer op mijn intuïtie af. Je mag me een fatalist noemen, maar of het nu het lot is of niet, ik blijf me maar afvragen waarom deze twee namen bijna op hetzelfde moment voor onze neus opduiken. Is dat het lot? Is het toeval? Het maakt niet uit. Er is gewoon een verband tussen onze zaken en de families Bergman en Lundström. Weet je trouwens dat ze alle jaren dezelfde advocaat hadden? Viggo Dürer. Dat kan geen toeval zijn.'

Jens Hurtig lacht, maar Jeanette ziet dat hij de ernst van haar woorden begrijpt.

'Bengt Bergman en Karl Lundström hebben niet alleen hun eigen dochter misbruikt, ze hebben zich ook aan andere kinderen vergrepen. Kun je je de aangifte tegen Bengt Bergman van de broer en zus uit Eritrea herinneren? Een meisje van twaalf en een jongen van tien. Birgitta Bergman verschafte haar echtgenoot zoals gewoonlijk een alibi. Met Annette Lundström is het net zo. Zij is altijd voor haar man opgekomen, hoewel hij heeft toegegeven dat hij betrokken is geweest bij sekshandel met kinderen uit de derde wereld.'

'Ik begrijp het. Er zijn draden die ergens heen leiden. Het enige verschil lijkt dat Karl Lundström een bekentenis heeft afgelegd, terwijl Bengt Bergman altijd is blijven ontkennen.'

'Ja. Het is een enorme wirwar van draden, maar ik denk dat ze een gemeenschappelijk knooppunt hebben. Het heeft allemaal met elkaar en met onze zaken te maken. Het riekt naar een echte doofpotaffaire. We hebben het over succesvolle mensen; Bergman was verbonden aan het Bureau voor Internationale Ontwikkelingssamenwerking Sida en Lundström werkte bij bouwconcern Skanska. Veel geld. Schande in de familie. En we hebben het over halfbakken rechtszaken, die misschien zelfs met opzet incompetent zijn gevoerd.'

Hurtig knikt.

'En in de omgeving van deze families komen mensen voor die niet bestaan,' vervolgt Jeanette. 'Victoria Bergman bestaat niet. En een kind zonder naam dat je op internet koopt, castreert en in de bosjes verstopt, zo'n kind bestaat ook niet.'

'Hou je soms van samenzweringstheorieën?'

Als Hurtigs opmerking ironisch is, dan ontgaat dat Jeanette volledig.

'Nee, ik ben eerder een holist, als dat woord bestaat.'

'Holist?'

'Ik denk dat het geheel groter is dan de som van de onderdelen. Als we de context niet begrijpen, zullen we nooit de details kunnen begrijpen. Ben je het met me eens?'

Hurtig denkt even na. 'Ulrika Wendin. Annette en Linnea Lundström. Viggo Dürer. Victoria Bergman. Met wie beginnen we?'

'Ik stel voor met Ulrika Wendin. Ik bel haar meteen.'

Misbruik van kinderen, denkt ze. Van begin tot eind gaat alles daarom. Twee kinderen zonder identiteit, de Wit-Russische jongen Jurij Krylov en Samuel Bai, voormalig kindsoldaat uit Sierra Leone. En drie vrouwen die in hun jeugd seksueel zijn misbruikt. Victoria Bergman, Ulrika Wendin en Linnea Lundström.

Eetcafé Zinken

De laatste keer dat Jeanette Kihlberg het kleine eetcafé bij sportterrein Zinkensdamn had bezocht, was na een bandywedstrijd geweest. Åke en zij waren bij de ingang begroet door een lange ober die schouderophalend had gezegd dat ze dicht waren vanwege een vechtpartij.

Een aangeschoten barbezoeker was met zijn glas in zijn hand in slaap gevallen en pardoes op de grond gekukeld. Toen hij was bijgekomen, had hij aangenomen dat iemand hem een klap had gegeven. Zonder zich te bedenken was hij de eerste de beste gast in de bar te lijf gegaan en na een vuistgevecht van een halve minuut was de vloer rood gekleurd geweest en gedecoreerd met glasscherven.

Nu is het restaurant gewoon open en de verveelde ober geeft haar een tafeltje bij het raam.

Ze moet vijfenveertig minuten wachten voordat Ulrika Wendin komt en Jeanette ziet meteen dat het meisje flink is afgevallen. Ze heeft dezelfde trui aan als de vorige keer en die lijkt nu een paar maten te groot.

Ulrika gaat op de stoel tegenover Jeanette zitten. 'Dat stomme openbaar vervoer ook,' zegt ze, terwijl ze haar tas neergooit. 'Ik heb een halfuur zitten soebatten met een enorm verwaande controleur die zei dat mijn kaartje ongeldig was. Twaalfhonderd kronen omdat een gestoorde buschauffeur niet de goede tijd op het stempel had ingesteld.'

'Wat wil je hebben?' Jeanette vouwt de krant die voor haar ligt dicht. 'Ik neem iets te eten, wil jij ook? Ik betaal.'

De glimlach op het vermagerde gezicht van het meisje lijkt geforceerd, haar blik schiet voortdurend heen en weer en haar lichaamstaal straalt rusteloosheid uit. 'Ik neem hetzelfde als jij.'

Hoewel Ulrika haar best doet om stoer over te komen, ziet Jeanette dat het niet goed met haar gaat.

'En, juut, hoe is het met jou?'

Jeanette wenkt de ober en vraagt om de menukaart. 'Vriendelijk dat je het vraagt. Redelijk, gezien de omstandigheden. Ik lig in scheiding en alles is nogal chaotisch. Maar verder is het goed.'

Ulrika bekijkt het menu met een afwezige blik. 'Ik neem patat met bearnaisesaus.'

Ze bestellen en Jeanette leunt achterover op de bank.

'Zullen we even gaan roken terwijl we op het eten wachten?' Ulrika staat op voordat Jeanette kan antwoorden. De rusteloosheid van het meisje ligt als een vlies over haar hele verschijning.

'Dat is goed.'

Ze gaan naar buiten. Ulrika gaat op de metalen raamdorpel van het restaurant zitten en Jeanette houdt haar haar pakje sigaretten voor.

'Ulrika, ik weet dat het misschien moeilijk is, maar ik zou graag met je willen praten over Karl Lundström. De vorige keer zei je dat je alles wilde vertellen. Heb je dat ook echt gedaan?'

Ulrika Wendin steekt haar sigaret aan en kijkt door de rook heen nonchalant naar Jeanette. 'Wat maakt dat nu nog uit? Hij is toch dood?'

'Dat wil niet zeggen dat wij niet verder kunnen gaan. Heb je überhaupt wel eens met iemand over het gebeurde kunnen praten?'

Het meisje neemt een diepe haal en zucht. 'Nee, het vooronderzoek werd immers gestaakt. Niemand geloofde me. Zelfs mijn moeder niet. De officier van justitie bazelde over een sociaal vangnet voor mensen zoals ik, maar hij bedoelde alleen dat ik psychologische hulp nodig had voor mijn aanstootgevende gedrag. In zijn ogen was ik niet meer dan een veertienjarig hoertje. En die vreselijke advocaat...'

'Wat is er met hem?'

'Ik heb zijn samenvatting gelezen. Document van de verdediging, heette dat volgens Von Kwist.'

Jeanette knikt. Soms wordt een advocaat al tijdens het vooronderzoek ingeschakeld, al is dat niet gebruikelijk. 'Ja, de verklaring van de verdediging. Ga door.'

'Hij schreef dat ik absoluut niet geloofwaardig was, dat ik alleen maar problemen had... op school en met de drank. Hoewel hij me nooit had ontmoet, beschreef hij me als een stuk vullis. Als iemand die absoluut niets waard was. Ik was zo gekwetst dat ik besloot zijn naam nooit te vergeten.'

Jeanette denkt aan Viggo Dürer en Kenneth von Kwist.

Geseponeerde zaken.

Waren er nog meer? Ze beseft dat ze dat moeten controleren. De achtergrond van de advocaat en van de officier moet grondig worden onderzocht.

Ulrika drukt haar sigaret uit tegen de raamdorpel. 'Zullen we weer naar binnen gaan?'

Hun bestelling staat op tafel en Jeanette begint te eten, terwijl Ulrika haar bord patat geen blik waardig keurt. In plaats daarvan kijkt ze door het raam naar buiten. Denkt ergens over na en trommelt rusteloos met haar vingertoppen op de tafel.

Jeanette zegt niets. Wacht af.

'Ze kennen elkaar,' zegt Ulrika na een poosje.

Jeanette legt haar bestek neer en kijkt het meisje aanmoedigend aan. 'Wat bedoel je? Wie?'

Ulrika Wendin aarzelt aanvankelijk, maar pakt dan haar mobieltje. Een van de nieuwste modellen, in feite een palmtop.

Hoe heeft ze zo'n ding kunnen betalen?

Ulrika veegt een paar keer over het display en geeft de telefoon vervolgens aan Jeanette.

'Ik heb het op Flashback gevonden. Lees zelf maar.'

'Flashback?'

'Ja, lees nou maar. Dan zie je het vanzelf.'

Het display toont een internetsite met een reeks reacties.

Een ervan is een lijst Zweedse personen die kennelijk een stichting financieren die zich Sihtunum i Diasporan noemt.

De lijst bevat een twintigtal namen en als Jeanette ze allemaal heeft doorgenomen, begrijpt ze wat Ulrika bedoelt.

Behalve de twee namen waar Ulrika op zinspeelt herkent Jeanette er nog een.

Vita bergen

Sofia Zetterlund zit op de bank in de woonkamer in het donker voor zich uit te staren. Toen ze thuiskwam, heeft ze niet de moeite genomen lampen aan te doen. Het is bijna pikdonker, op het licht van de straatlantaarns na.

Sofia voelt dat ze niet langer weerstand kan bieden. Ze weet ook dat het niet rationeel is om te proberen het tegen te houden.

Ze zullen moeten samenwerken, Victoria en zij. Anders wordt het alleen maar erger.

Sofia weet dat ze ziek is. En ze weet wat er moet worden gedaan.

Victoria en zij vormen een gecompliceerd product van een gemeenschappelijk verleden, maar zijn in een wanhopige poging om het harde dagelijkse leven aan te kunnen in twee persoonlijkheden gesplitst.

Ze hebben allebei een volstrekt eigen verdedigingsmechanisme en passen verschillende strategieën toe om te helen. Sofia heeft de ziekte weggehouden door zich vast te klampen aan routines. Het werk in de praktijk zorgt voor een regelmaat die de chaos in haar binnenste stilt.

Victoria wordt gestuurd door haat en razernij, de eenvoudige oplossingen en de zwart-witte logica waarbij in het ergste geval alles kan worden weggesneden.

Victoria haat Sofia's zwakte, haar wil om met haar omgeving te versmelten en zich aan te passen. De koppige pogingen om alle krenkingen te verdringen en apathisch de slachtofferrol te accepteren.

Sinds Victoria's terugkeer is Sofia vervuld van zelfverachting en kan ze de vanzelfsprekende weg niet meer voor zich zien. Nu is alles een moeras.

Er zijn geen vanzelfsprekendheden.

Twee totaal verschillende zinnen moeten worden bevredigd en tot één gereduceerd. Een hopeloze equatie, denkt ze.

Er wordt wel gezegd dat een mens door zijn angsten wordt gevormd, en Sofia heeft haar persoonlijkheid ontwikkeld uit de angst om Victoria te zijn. Victoria is latent in Sofia aanwezig geweest, als een tegenpool, een trampoline.

Zonder Victoria's eigenschappen houdt Sofia op te bestaan en wordt slechts een lege schil.

Inhoudsloos.

Waar komt Sofia Zetterlund vandaan, denkt ze. Ze kan het zich niet herinneren.

Ze strijkt met haar hand over haar arm.

Sofia Zetterlund, denkt ze. Ze proeft de naam en realiseert zich ineens dat zijzelf een schepping van iemand anders is. Haar arm is eigenlijk van iemand anders.

Het is allemaal begonnen met Victoria.

Ik ben een product van een ander mens, denkt Sofia. Van een ander ik. Het is een duizelingwekkende gedachte en ze krijgt moeite met ademen.

Waar kan ze het gemeenschappelijke punt vinden? Waar in Victoria ligt de behoefte die Sofia vervult? Ze moet dat punt vinden, maar dat kan alleen als ze niet langer bang is voor Victoria's gedachten. Ze moet haar onbeschroomd in de ogen durven kijken. Zich openstellen voor dat wat ze haar hele leven op afstand heeft weten te houden.

Om te beginnen moet ze het moment vinden waarop haar herinneringen haar eigen herinneringen zijn en niet die van Victoria.

Ze denkt aan de polaroidfoto. Ongeveer tien jaar oud, gekleed in lelijke rood-witte kleren op een strand. Natuurlijk herinnert ze zich dat niet. Die tijd en die sequentie horen bij Victoria.

Sofia streelt haar andere arm. De lichte littekenstrepen zijn van Victoria. Zij sneed zichzelf met scheermesjes en glasscherven in haar arm achter het huis van tante Elsa in Dala Floda.

Wanneer is Sofia ontstaan? Was zij er die jaren in Sigtuna bij? Op interrail met Hannah en Jessica? Het zijn allemaal vage herinneringen en Sofia realiseert zich dat de beelden in haar geheugen pas rond de tijd aan de universiteit logisch worden en structuur krijgen, toen ze twintig was.

Sofia Zetterlund werd ingeschreven aan de universiteit en woonde vijf jaar in een studentenflat in Uppsala; daarna verhuisde ze naar Stockholm. Na haar afstuderen deed ze praktijkervaring op in het Nacka-ziekenhuis, waarna ze een paar jaar bij Forensische Psychiatrie in Huddinge werkzaam was.

Vervolgens leerde ze Lasse kennen en opende een privépraktijk.

Wat verder nog? Sierra Leone, natuurlijk.

Haar leven voelt plotseling deprimerend kort en inhoudsloos, en ze weet dat dat door één persoon komt. Haar vader, Bengt Bergman, heeft haar haar halve leven ontnomen en haar gedwongen de andere helft als een gevangene te leiden, omringd door routines. Werk, geld, hoge ambities, flink zijn, en daarnaast onhandige pogingen tot een liefdesleven. Herinneringen op afstand houden door zo druk en bezet te zijn als maar mogelijk is.

Sofia was rond haar twintigste sterk genoeg om Victoria's leven over te nemen, het achter zich te laten en een eigen leven te beginnen.

Ze moet al veel eerder houvast hebben gekregen.

Op de universiteit bestond er slechts één persoon, Sofia Zetterlund, die Victoria op dezelfde manier vergat als het misbruik van haar vader. Ze wiste Victoria's bestaan uit en raakte tegelijk de controle over haar kwijt.

Eetcafé Zinken

Drie namen. Drie mannen.

Eerst Karl Lundström en Viggo Dürer. Twee personen van wie het lot op een wonderlijke manier met elkaar verbonden lijkt. Al is het misschien helemaal niet zo vreemd, denkt Jeanette. Ze zijn allebei lid van dezelfde stichting en hebben elkaar bij samenkomsten en etentjes gezien. Als Lundström in de problemen raakt, neemt hij contact op met de enige advocaat die hij kent. Viggo Dürer. Zo gaat dat meestal. Diensten en wederdiensten.

Ook Bengt Bergman komt voor op de lijst met namen van mensen die de voor Jeanette onbekende stichting Sihtunum i Diasporan financieren.

De vader van de verdwenen Victoria Bergman.

Jeanette voelt hoe de ruimte om haar heen krimpt.

'Hoe heb je dit gevonden?' Jeanette legt het mobieltje neer en kijkt naar de jonge vrouw die tegenover haar zit.

Ulrika Wendin glimlacht. 'Dat was niet zo moeilijk. Ik heb gegoogeld.'

Ik moet wel een heel slechte politieagent zijn, denkt Jeanette.

'Flashback? Hoe betrouwbaar is dat?' vraagt ze, en Ulrika lacht.

'Wat zal ik zeggen? Er zit veel onzin tussen, maar ook een deel waarheden. Het zijn vooral geruchten over bekende mensen die een blunder hebben begaan. Ze worden met naam en toenaam genoemd en als de boulevardbladen vervolgens hetzelfde doen, beroepen zij zich erop dat de informatie op internet staat. Soms vraag je je af of de journalisten alle onzin niet zelf verspreiden.'

Jeanette vermoedt dat het meisje gelijk heeft. 'En wat is het voor organisatie? Sihtunum i Diasporan?'

Ulrika pakt haar vork en prikt in de portie patat. 'Een stichting of zo. Maar ik heb er niet veel over kunnen vinden...'

Er moet meer zijn, denkt Jeanette. Ik zal Hurtig vragen er nader naar te kijken.

Ze kijkt naar het magere meisje. Ulrika's blik is leeg en lijkt dwars door het bord heen te kijken, terwijl haar hand met een patatje lusteloos een streepjespatroon in de bearnaisesaus trekt.

Het meisje heeft hulp nodig.

'Luister eens... Heb je er ooit over gedacht om in therapie te gaan?'

Ulrika kijkt Jeanette even snel aan en haalt haar schouders op. 'Therapie? Nee, eigenlijk niet.'

'Een vriendin van mij is psycholoog, ze werkt veel met jonge mensen. Ik weet dat je heel wat met je meetorst. Dat is aan je te zien.' Jeanette stopt even voordat ze verdergaat. 'Hoeveel weeg je eigenlijk? Vijfenveertig kilo?'

Opnieuw een nonchalant ophalen van de schouders. 'Nee, achtenveertig.' Ulrika glimlacht scheef en Jeanette raakt vervuld van warmte voor het meisje.

'Ik weet niet of dat iets voor mij is. Ik ben waarschijnlijk te dom om op zo'n manier geholpen te worden.'

Dat is niet waar, denkt Jeanette. Dat is helemaal niet waar.

Ondanks alle narigheid ziet Jeanette een kracht in de jonge vrouw. Ze zal hieruit komen, als iemand haar maar een helpende hand toesteekt.

'De psycholoog heet Sofia Zetterlund. Als je wilt, kun je volgende week al met haar praten.'

Jeanette beseft dat ze een gok neemt, maar ze kent Sofia goed genoeg om te weten dat ze op haar kan rekenen. Als Ulrika zelf maar wil.

'Zal ik je haar telefoonnummer geven?'

Ulrika aarzelt even. 'Dat is best... Maar geen hocus pocus, hè?'

Jeanette lacht. 'Nee, dat beloof ik je. Ze is heel serieus.'

Vita bergen

Sofia staat op en loopt naar de spiegel in de hal. Ze lacht naar haar eigen spiegelbeeld en ziet Victoria's tand, waar op een hotelkamer in Kopenhagen een stukje van is afgebroken. De hals waar ze de strop om had gedaan. Ze voelt hoe pezig die is, sterk.

Ze knoopt haar bloes open, laat haar hand eronder glijden. Voelt het lichaam van de rijpe vrouw, herinnert zich de aanrakingen van Lasse, van Mikael en van Jeanette.

Aarzelend zoekt de hand zich een weg over haar huid. Ze doet haar ogen dicht en voelt naar binnen. Daar is het leeg. Ze trekt de bloes uit en ziet zichzelf staan. In de spiegel volgt ze haar eigen contouren.

Het eind van het lichaam is heel definitief. Waar de huid ophoudt, begint de wereld.

Alles wat daarbinnen zit ben ik, denkt ze.

Ik.

Ze kruist haar armen voor haar borst en legt haar handen op haar schouders, als een omhelzing. Haar handen gaan omhoog en bewegen over haar wangen, beroeren vluchtig haar lippen. Ze sluit haar ogen. Ze wordt overvallen door een gevoel van misselijkheid, een zure smaak in haar mond.

Het is bekend en vreemd tegelijk.

Langzaam trekt Sofia haar lange broek en slipje uit. Bekijkt zichzelf in de halspiegel. Sofia Zetterlund. Waar kom je vandaan? Wanneer gaf Victoria jou het roer in handen?

Sofia kijkt naar haar huid en leest die als een plattegrond van het leven van Victoria en haarzelf.

Ze voelt aan haar voeten, de pijnlijke hielen; het eelt wordt nooit dik genoeg om niet opnieuw kapot te gaan.

Het zijn Sofia's hielen.

Ze beweegt haar handen over haar kuiten, stopt bij de knieën. Ze voelt de littekens en het grind van de keer dat Bengt haar van achteren nam en haar knieschijven onder zijn gewicht tegen het grindpad werden gedrukt en gewreven.

Victoria's knieën, denkt ze.

De dijen. Ze voelen zacht in haar hand. Ze doet haar ogen dicht en weet hoe ze er na afloop uitzagen. Al het blauw dat ze probeerde te verhullen. Ze voelt hoe de pezen aan de binnenkant pijn doen, net zoals toen hij haar daar had beetgepakt in plaats van bij haar benen.

Victoria's dijen.

Ze gaat verder omhoog, naar haar rug, over haar rug. Voelt oneffenheden die ze nooit eerder heeft waargenomen.

Ze doet haar ogen dicht en daar is de geur van warme aarde, de speciale geur van de rode aarde die ze alleen in Sierra Leone heeft geroken.

Sofia kan zich Sierra Leone herinneren, maar ze herinnert zich niet de littekens op haar rug, ziet het verband niet dat Victoria haar duidelijk wil maken. Soms moet je genoegen nemen met symboliek, denkt ze, en ze herinnert zich hoe ze in een met doek bedekte kuil wakker werd, ervan overtuigd dat ze levend zou worden begraven door de kindsoldaten die door razernij werden geleid. Ze voelt de zwaarte in haar lichaam, de dreigende duisternis, de geur van muffe stof. Het was haar gelukt te ontkomen.

Tegenwoordig beschouwt ze het als een bovenmenselijke prestatie, maar destijds besefte ze niet dat wat ze deed eigenlijk onmogelijk was.

Zij was de enige van het gezelschap die het had overleefd.

De enige die erin was geslaagd de kloof tussen werkelijkheid en fantasie te overbruggen.

Verleden

Toen ze naar het strand zouden fietsen, vroegen ze op welke bagagedrager ze wilde zitten. Op die van hem of op die van haar?
Ze wilde niemand kwetsen en begon te huilen.

'Dooreten, Victoria.' Hij kijkt haar over de ontbijttafel boos aan. 'Als je klaar bent, moet je een chloortablet in het zwembad leggen. Ik wil na de vergadering een duik nemen.'

Het is buiten al meer dan vijfendertig graden en hij veegt het zweet van zijn voorhoofd. Ze knikt ten antwoord en eet met lange tanden van de dampende, walgelijke havermoutpap. Elke hap zet uit in haar mond en ze heeft een hekel aan de gezoete kaneel die ze er van hem overheen moet strooien. Zijn collega's van Sida zijn onderweg en hij zal zo van tafel gaan. Dan kan ze de rest van het ontbijt weggooien.

'Hoe gaat het met je studie?'

Ze kijkt hem niet aan, maar voelt dat hij haar blik zoekt. 'Het gaat goed,' antwoordt ze toonloos. 'Momenteel behandelen we Maslow. Het gaat over behoefte en motivatie.' Ze denkt niet dat hij Maslow kent en hoopt dat zijn onwetendheid hem de mond zal snoeren.

Ze heeft gelijk. 'Motivatie,' mompelt hij. 'Ja, dat is wat jij nodig hebt.' Hij richt zijn blik weer op zijn bord.

Behoefte, denkt ze.

In de primaire behoeften moet zijn voorzien opdat de mens zich kan verwezenlijken.

Het klinkt heel vanzelfsprekend, maar ze begrijpt niet wat er bereikt moet worden.

Tegelijkertijd weet ze heel goed waarom ze het niet begrijpt. Dat komt door hem.

Terwijl ze net doet of ze van de pap eet, denkt ze aan wat ze heeft gelezen over de behoeftehiërachie die begint met de lichamelijke behoeften. Behoeften als voedsel en slaap, en hoe hij haar daar stelselmatig van berooft.

Daarna volgt de behoefte aan geborgenheid, dan de behoefte aan liefde en saamhorigheid en vervolgens de behoefte aan waardering. Van dat alles heeft hij haar beroofd en dat blijft hij doen.

Op de top van de hiërarchie staat de behoefte aan zelfverwezenlijking, een woord dat ze niet eens kan begrijpen. Ze weet niet wie ze is en wat ze wil, haar zelfverwezenlijking is onbereikbaar omdat die buiten haar ligt, buiten haar ik. Als het om haar behoeften gaat, heeft hij haar alles ontnomen.

De deur naar het terras gaat open en een klein meisje, een paar jaar jonger dan Victoria, staat in de deuropening.

'Ah, daar ben je!' roept Bengt met een glimlach op zijn lippen en hij kijkt naar het kind dat als dienstmeisje werkt. Victoria heeft haar vanaf de eerste dag dat ze haar zag gemogen.

Bengt heeft ook sympathie opgevat voor het kleine, tengere, vrolijke meisje; hij geeft haar complimentjes en maakt vleierige opmerkingen.

Tijdens de eerste avondmaaltijd heeft hij besloten dat ze om praktische redenen van de dienstwoning naar het grote huis moest verhuizen. Sinds die dag slaapt Victoria rustiger dan ze in lange tijd heeft gedaan en ook haar moeder lijkt tevreden met de regeling.

Blinde koe, denkt ze. Op een dag word je door alles ingehaald en dan zul je moeten boeten omdat je je ogen sluit.

Het meisje komt de keuken binnen. Eerst lijkt ze bang, maar ze wordt rustiger als ze Victoria en Birgitta ziet.

'Ruim jij af als we klaar zijn?' gaat hij verder tegen het meisje, maar hij wordt onderbroken door het geluid van een automotor en banden op het grind dat door het open raam naar binnen komt. 'Verdomme, daar zijn ze al.'

Hij staat op, loopt naar het meisje en woelt door haar haar. 'Heb je lekker geslapen?' Victoria ziet aan het meisje dat ze waarschijnlijk geen oog heeft dichtgedaan. Haar ogen zijn gezwollen en bloeddoorlopen en ze kijkt onzeker als hij haar aanraakt.

'Ga maar even eten.'

Hij knipoogt naar het meisje en geeft haar een bankbiljet, dat ze meteen wegstopt voordat ze naast Victoria aan tafel gaat zitten.

Als hij weggaat, zegt hij: 'Je zou mijn Victoria heel wat over eetlust kunnen leren.' Hij knikt naar Victoria's bord en verdwijnt lachend naar de hal.

Victoria weet dat het een zware avond zal worden. Als hij 's ochtends in zo'n goed humeur is, eindigt de dag meestal door en door zwart.

Hij gedraagt zich als een stomme kolonist, denkt ze. Sida en menselijke rechten? Het is niet meer dan een dekmantel om als een ware slavenhouder te kunnen optreden.

Ze kijkt naar het tengere meisje, dat nu geconcentreerd zit te ontbijten.

Wat heeft hij met haar gedaan? Ze heeft een paar zwellingen op haar hals en een wondje aan haar ene oorlel.

'Het is me wat...' zucht Birgitta. 'Ik ga de was doen. Jullie redden je wel, hè?'

Victoria antwoordt niet. Het is me wat? Jij vindt nooit iets. Je bent een stille, blinde schaduw zonder contouren.

Het meisje is klaar met eten en Victoria schuift haar eigen bord naar haar toe. Ze begint te stralen en Victoria moet wel terugglimlachen als het meisje zich op de grauwe smurrie stort die verdund is met lauwe melk.

'Wil je me helpen met het zwembad? Ik zal je laten zien hoe het moet.' Het meisje kijkt haar van boven haar bord aan en knikt tussen de happen door.

Als ze klaar is, gaan ze naar de tuin en Victoria laat zien waar de chloortabletten liggen.

De Zweedse hulporganisatie Sida beschikt over verschillende huizen aan de rand van Freetown en Victoria, en haar ouders wonen in een van de grootste, maar het ligt ook het meest afgelegen. Het witte, drie verdiepingen tellende huis wordt omringd door een hoge muur en de oprit wordt bewaakt door een paar gewapende mannen in camouflagekleding.

Binnen de muur bevindt zich een grote tuin met hoge palmen en dichte rododendronstruiken.

Voor de grote geplaveide veranda ligt een niervormig zwembad.

Een paadje leidt naar de zuidwestelijke hoek, waar een paar kleine gebouwen staan die dienstdoen als woningen voor het personeel, dat bestaat uit een kok, een huishoudster en een tuinman.

Victoria kan de stemmen van de mannen vanuit het huis horen. Ze komen hier bijeen omdat het momenteel onveilig is in Freetown.

'Scheur de rand van de verpakking af,' spoort Victoria het meisje aan. 'Daarna leg je het tablet voorzichtig in het water.'

Ze ziet een aarzeling in de ogen van het meisje en bedenkt dat het zwembad verboden terrein is voor de bedienden.

'Ik zeg dat het mag,' verklaart Victoria. 'Het is ook mijn zwembad. Ik kan er ook over beslissen en ik geef je toestemming.'

Het meisje glimlacht triomfantelijk, zoals alleen mensen doen die een kort moment onder de aanzienlijken mogen verkeren, en steekt met overdreven gebaren haar hand in het water. Beweegt die even heen en weer, laat dan het tablet los en volgt het met haar ogen terwijl het langzaam naar de bodem zinkt. Ze haalt haar natte hand uit het bad en kijkt ernaar.

'Was het lekker in het water?' vraagt Victoria en ze krijgt een voorzichtig knikje als antwoord.

'Zullen we gaan zwemmen voordat hij komt?' gaat ze verder.

Het meisje aarzelt, schudt na een tijdje haar hoofd en mompelt dat het niet mag. Victoria heeft nog steeds moeite met haar accent: Engels vermengd met de een of andere stammentaal.

'Het mag van mij,' zegt ze. Ze werpt een blik naar het huis en kleedt zich uit. 'Trek je maar niets van hen aan, we horen het wel als ze bijna klaar zijn.'

Ze duikt het zwembad in en zwemt twee baantjes onder water.

Hier voelt ze zich veilig. Ze raakt met haar buik bijna de bodem aan; ze blaast de lucht in haar longen uit en laat haar lichaam naar beneden zakken.

Ze beeldt zich in dat ze zich in een duikerklok bevindt, een omgekeerd glas van gietijzer dat in het water is neergelaten en op de bodem is geplaatst met een veilige luchtbel om in te ademen, waar alleen plaats is voor haar ademhaling.

Ze blijft even vlak boven de bodem zweven en geniet van de druk op haar trommelvliezen.

Het water tussen haar en de wereld daar boven vormt een compacte bescherming.

Als de zuurstof opraakt, zwemt ze verder en als ze bijna bij de rand van het zwembad is, ziet ze dat het meisje haar benen in het water heeft laten zakken. Victoria komt naast haar naar boven en wordt verblind door de zon. Het meisje zit op het zwembadtrapje en glimlacht in het tegenlicht.

'*Like fish*,' zegt ze en ze wijst naar Victoria, die teruglacht.

'Kom er ook in. We zeggen gewoon dat ik je heb gedwongen.' Ze zet haar benen schrap tegen de rand en werpt zich naar achteren. 'Kom nu maar!'

Het meisje laat zich een tree verder zakken, maar maakt geen aanstalten om het water in te springen.

'*Cannot swim*,' zegt ze en ze lijkt zich te schamen.

Victoria keert om en zwemt terug naar het trapje. 'Kun je niet zwemmen? Dan moet ik je dat leren.'

Het meisje is al snel overgehaald, maar ze weigert om net als Victoria alleen in haar slipje en bh te zwemmen.

'Je moet in elk geval je sandalen uittrekken en verder kun je dit wel aandoen.' Ze werpt haar het dunne hemdje toe dat ze zelf net aanhad.

Terwijl het meisje haar jurk uitdoet en snel het hemd aantrekt, ziet Victoria dat ze grote blauwe plekken op haar buik en onderrug heeft. Ze wordt overvallen door een eigenaardig gevoel.

Het eerste wat ze voelt is woede over wat hij heeft gedaan, vervolgens opluchting omdat zíj niet is geslagen.

Dan komt langzaam de schaamte, samen met een ander gevoel dat ze nooit eerder heeft ervaren. Ze voelt schaamte omdat ze haar vaders dochter is, maar tegelijk ontkiemt er iets wat haar de lust beneemt om het meisje te leren zwemmen.

Ze kijkt naar de magere gestalte, die lachend in het veel te grote hemd bij de rand van het zwembad staat. Haar eigen hemd met een kleurendruk van het embleem van het Sigtuna Lyceum.

Ze wordt plotseling misselijk als ze naar het meisje kijkt dat haar kleren aanheeft en op het punt staat aan de ondiepe kant van het zwembad het water in te stappen. Victoria probeert te begrijpen wat hij in haar ziet. Ze is mooi en onbedorven, ze is jonger en spreekt hem vermoedelijk niet tegen, zoals Victoria sinds kort doet.

Dacht je soms dat je mijn plaats kunt innemen, denkt ze.

Het meisje beweegt zich nu zelfverzekerder; het water komt al snel tot haar borst en het grote hemd drijft op het water. Ze lacht gegeneerd en probeert zich vergeefs te bedekken door het hemd over haar lichaam te trekken.

'Kom hierheen.' Victoria probeert vriendelijk te klinken, maar ze hoort dat haar stem nu behoorlijk bevelend is.

Een herinnering duikt op in haar hoofd. Een jongetje van wie ze hield, maar die haar afviel en vervolgens verdronk. Wat zou het makkelijk zijn, denkt ze.

'Laat je maar voorovervallen, dan hou ik je onder water vast.'

Victoria gaat naast het meisje staan, dat eerst aarzelt. 'Toe maar, niet laf zijn. Ik vang je op.'

Voorzichtig glijdt het meisje het water in.

Ze voelt licht als een klein kind in Victoria's armen.

Het meisje beweegt haar armen en benen zoals haar gezegd wordt, maar als Victoria haar zelf laat drijven, stopt ze meteen met zwemmen en begint te spartelen. Dit ergert Victoria enorm, maar ze houdt vol en leidt het meisje langzaam maar zeker naar het diepere gedeelte.

Hier kan ze de bodem niet raken, denkt Victoria, die zich trappelend boven water houdt.

Dan laat ze het meisje los.

Kronoberg

'Sihtunum i Diasporan? Wat betekent dat?' Jens Hurtig kijkt Jeanette Kihlberg vragend aan.

'Dat is runen-Zweeds voor Sigtuna en klassiek Grieks voor een leven in ballingschap. Het betekent dus Sigtuna buiten Sigtuna en is een stichting die bestaat uit mensen die ooit in Sigtuna hebben gewoond. Wat ze gemeen lijken te hebben is dat de leden een koppeling hebben of hadden met het daar gehuisveste internaat.'

'Het internaat? Waar Jan Guillou op heeft gezeten?'

'Nee, niet dat internaat. Dit is de oude school van de koning. Het Sigtuna Lyceum is het grootste en meest vooraanstaande internaat van Zweden. Olof Palme heeft erop gezeten, Povel Ramel en Peter en Marcus Wallenberg, als die namen je wat zeggen?' Jeanette grijnst vanachter haar bureau en Hurtig lacht terug.

Hij doet de deur dicht en gaat tegenover haar zitten. 'Bedoel je dat de koning deze stichting steunt?'

'Nee, de leden van de stichting zijn niet zó bekend, maar ik weet zeker dat je minstens drie namen zult herkennen.'

Hurtig fluit als Jeanette hem de uitdraai met donateurs geeft.

'Dürer, Lundström en Bergman schijnen sinds halverwege de jaren zeventig grote bedragen aan de stichting te schenken,' gaat Jeanette verder. 'Maar de stichting komt niet voor in het overzicht van het provinciaal bestuur, en dat is vreemd, omdat ze actief is in Zweden.'

'Hoe weet je dat allemaal?'

'Vooral dankzij Ulrika Wendin. Weet je wat Flashback is?'

Hurtig knikt. 'De geruchtenmachine?'

'Zoiets zei Ulrika ook. Als je wilt weten of je buren pedofiel zijn of welke beroemdheden zwaar geschapen zijn, kun je dat daar vinden...' Ze stopt omdat Hurtig begint te lachen. 'Wat is er zo grappig?'

'Liam Neeson,' zegt hij, 'heeft een grote. Brad Pitt een kleintje. Dat heb ik al opgezocht.'

'Jemig, wat ben jij kinderachtig zeg.' Toch glimlacht ze naar hem. Ze had zomaar een voorbeeld uit de lucht gegrepen. 'Goed, dan weet je dat je op de site geruchten en speculaties kunt vinden, maar ook veel ware dingen. De gebruikers van Flashback publiceren niet-openbare gegevens van criminelen die nog niet zijn veroordeeld. Zelfs processen-verbaal van verhoor, die daar echt niet zouden mogen verschijnen. Eén gebruiker was heel erg geïnteresseerd in Karl Lundström, en in de periode dat zijn zaak werd onderzocht is er een serie *posts* gepubliceerd. Onder andere de lijst met donateurs van de stichting en een beschrijving van haar werkzaamheden. De Flashback-gebruiker windt zich, gezien het feit dat Lundström pedofiel was, op over de activiteiten van de stichting.'

'Interessant. Wat zijn de werkzaamheden?'

Jeanette pakt een vel papier en leest hardop. 'Het doel van de stichting is het tegengaan van armoede en het bevorderen van de levensomstandigheden van kinderen overal ter wereld.'

'Een pedofiel die kinderen helpt, dus?'

'Twee pedofielen, op z'n minst. De lijst bevat twintig namen, en van twee daarvan weten we zeker dat het pedofielen zijn. Bergman en Lundström. Dat is tien procent. De andere namen ken ik niet, behalve Dürer, de advocaat van de families Bergman en Lundström. Misschien zitten er meer interessante namen bij. Begrijp je wat ik bedoel?'

'Ik snap het. Nog meer?'

'Niets wat we niet al weten.' Jeanette buigt zich over het bureau naar voren en laat haar stem dalen. 'Hurtig, jij kent de site en hebt meer verstand van computers dan ik. Denk je dat het mogelijk is deze gebruiker te identificeren? Kun jij dat?'

Hurtig glimlacht, maar geeft geen antwoord op de vraag. 'Ik ben dan wel een man, maar dat wil nog niet zeggen dat ik meer verstand heb van computers dan jij.'

Ze neemt aan dat hij in de loop van de jaren haar belangstelling voor sekserollen heeft opgemerkt en haar nu een koekje van eigen deeg wil geven.

'Nee, niet omdat je een man bent,' zegt ze. 'Maar omdat je jonger bent; je speelt verdomme nog steeds games.'

Hurtig kijkt verlegen. 'Games? Nou...'

'Geen gelul. Als we in de stad zijn, blijf je altijd voor de etalages van de gameshops staan en je hebt harde plekken op je vingertoppen, soms zelfs blaasjes. En toen we een keer zaten te lunchen, zei je dat de pizzabakker op jouw karakter in GTA lijkt. Je bent een fanatieke gamer, Hurtig. Punt uit.'

Nu lacht hij weer, bijna ontspannen. 'We hebben het wel over mijn privéleven. Maar games spelen is niet hetzelfde als verstand hebben van computers...'

'Je bent er dagelijks mee bezig,' onderbreekt Jeanette hem.

Hurtig kijkt haar verbaasd aan. 'Hoe weet je dat?'

Jeanette haalt haar schouders op. 'Een gefundeerde gok. Ik heb jou en Schwarz over computers horen praten. Je vond onder meer dat ons registratiesysteem van overuren op iets uit het stenen tijdperk van de techniek lijkt.'

'Oké, maar...' Hij lijkt te aarzelen. 'De gebruiker opsporen? Maar dat is toch hacken?'

'Niemand hoeft erachter te komen. Als we een IP-adres hebben, hebben we wellicht een naam. Misschien brengt het ons verder, misschien ook niet. We hoeven het niet groter te maken dan het is. We gaan niemand treiteren, we spioneren niet, registreren geen opvattingen. Ik wil alleen een naam hebben.'

'Je bent onconventioneel.'

En ik overtreed de wet, denkt Jeanette. Maar het doel heiligt soms de middelen.

'Oké, ik zal het proberen,' gaat Hurtig verder. 'Als het niet lukt, ken ik misschien wel iemand die ons kan helpen.'

'Prima. Dan is er de lijst met donateurs. Controleer die namen ook maar meteen als je toch bezig bent, dan ga ik aan de slag met Victoria Bergman.'

Als Hurtig is vertrokken, toetst ze in de politieregisters de naam Victoria Bergman in, maar zoals verwacht levert dit niets op.

Ze hebben weliswaar de vingerafdrukken en het signalement van twee vrouwen die ook Victoria Bergman heten, maar hun leeftijd komt niet overeen met die van de Victoria die op het internaat in Sigtuna heeft gezeten.

98

De volgende stap is het bevolkingsregister; Jeanette logt in bij de belastingdienst, waar alle nu levende Zweedse burgers geregistreerd staan.

Tweeëndertig personen zijn Victoria Bergman gedoopt.

De meesten met de meer gebruikelijke spelling Viktoria, maar dat wil niet zeggen dat ze kunnen worden uitgesloten. Spelling kan in de loop van de tijd veranderen en Jeanette moet aan een klasgenootje van de middelbare school denken dat met een enkele pennenstreek de beide s'en in haar naam verving door een z, waardoor het alledaagse Susanne veranderde in het meer exotische Zuzanne. Een paar jaar later was Zuzanne overleden aan een overdosis heroïne.

Ze breidt de zoekopdracht uit en de belastingaangiften van alle betrokkenen verschijnen op het scherm.

Behalve van één.

Nummer tweeëntwintig op de lijst is een Victoria Bergman die in Värmdö staat ingeschreven.

De dochter van de verkrachter Bengt Bergman.

Jeanette zoekt de belastingaangifte van het jaar ervoor op, maar ziet daar precies hetzelfde. Victoria Bergman uit Värmdö doet kennelijk geen aangifte van haar inkomsten en eventuele aftrekposten.

Jeanette zoekt tien jaar terug in de tijd, maar niets.

Geen enkele aangifte.

Alleen een naam, een burgerservicenummer en het adres in Värmdö.

Jeanettes belangstelling neemt toe en ze raadpleegt alle registers waar ze toegang toe heeft, maar alle speurwerk bevestigt alleen wat Göran Andersson van de politie op Värmdö haar heeft verteld.

Victoria Bergman woont al sinds haar kinderjaren op hetzelfde adres, ze heeft nooit een kroon verdiend en ook nooit iets uitgegeven, ze heeft geen betalingsachterstanden, geen schulden bij een deurwaarder en is in bijna twintig jaar geen enkele keer in het ziekenhuis geweest.

Jeanette besluit om de belastingdienst later op de dag te bellen om te horen of er misschien iets niet klopt.

Dan herinnert ze zich dat Hurtig en zij het erover hebben gehad een daderprofiel te laten opstellen, en ze moet aan Sofia denken.

Misschien is het tijd om daarmee aan de slag te gaan.

Wat aanvankelijk niet meer was dan een inval, is bij nader inzien misschien helemaal geen slecht idee. Voor zover ze weet heeft Sofia genoeg ervaring om een voorlopig daderprofiel te kunnen opstellen.

Anderzijds kan het verwoestend zijn om je vast te leggen op een beschrijving en volledig af te gaan op een psychologische verklaring.

Dat een onderzoek schade ondervond van een slecht opgesteld daderprofiel kwam bijna even vaak voor als dat een competente beschrijving van een eventuele dader iets opleverde. Jeanette moet aan Niklas Lindgren denken, de zogenaamde Hagaman. Was het niet zo dat het onderzoek was bemoeilijkt doordat het daderprofiel van geen kanten had geklopt? Ja, zo was het.

Verschillende bekwame forensisch psychiaters in Zweden hadden verklaard dat de dader een zonderling moest zijn, iemand zonder echte vrienden en liefdevolle relaties.

Toen de man later op verdenking van acht ernstige overvallen, verkrachtingen en pogingen tot moord werd gepakt, bleek hij een ogenschijnlijk goedaardige vader van twee kinderen te zijn, die al sinds zijn tienerjaren dezelfde vrouw en dezelfde baan had.

Daarom moet ze waakzaam zijn en zich niet door Sofia Zetterlund laten sturen.

Het is buigen of barsten, en ze heeft per slot van rekening niets te verliezen. Bovendien moet ze met Sofia over Ulrika Wendin praten. Ze pakt de telefoon, toetst het nummer van de praktijk aan het Mariatorget in en gaat voor het raam staan.

Het Kronobergspark ligt er verlaten bij, afgezien van een jonge man die nogal verveeld zijn hond uitlaat terwijl hij met zijn mobieltje bezig is. Jeanette slaat het tafereel met lome belangstelling gade en ziet hoe de hond voortdurend met de riem aan een afvalbak blijft haken, blijft staan en sommerend naar zijn afwezige baasje kijkt.

Ann-Britt neemt op, maar ze verbindt Jeanette meteen door.

'Met Sofia Zetterlund.'

Jeanette is blij als ze Sofia's stem hoort. Ze houdt van de zachte, donkere klank.

'Hallo?'

'Hoi, ik ben het maar,' lacht Jeanette. 'Wat weet jij over het opstellen van een daderprofiel?'

'Hè?' antwoordt Sofia lachend, en Jeanette vindt haar kalm en ontspannen klinken. 'Ben jij het, Jeanette?'

'Ja, wie anders?'

'Ik had het kunnen weten. Recht op de man af, zoals altijd.' Sofia valt stil en Jeanette hoort dat ze achteroverleunt. De bureaustoel kraakt. 'Je vraagt wat ik over daderprofilering weet?' gaat ze verder. 'In puur praktische zin niet zoveel, maar ik neem aan dat je de meest plausibele demografische, sociale en gedragsmatige eigenschappen bestudeert die op de dader van toepassing kunnen zijn. Daarna zou ík in elk geval gaan zoeken in de groep waar je de dader met de grootste waarschijnlijkheid kunt vinden en met een beetje geluk...'

'Midden in de roos!' onderbreekt Jeanette haar. Ze is blij dat Sofia zonder te aarzelen begint te speculeren. 'Feit is dat we het tegenwoordig een zaakanalyse noemen,' vervolgt ze. 'Dat klinkt droger, maar het schept ook minder verwachtingen.' Ze denkt even na voordat ze verdergaat. 'Het doel van het werk is, precies zoals je zei, het aantal mogelijke verdachten te verkleinen in de hoop dat het onderzoek op een speciaal persoon kan worden gericht.'

'Neem jij nooit rust?' barst Sofia uit.

Johan is nog maar een paar dagen geleden uit het ziekenhuis ontslagen en Jeanette heeft zich alweer helemaal op haar werk gestort. Bedoelt Sofia dát? Dat ze ongevoelig en rationeel is? Maar wat had ze anders moeten doen?

'Je weet best dat ik dat wel doe,' antwoordt ze dan. Ze weet niet goed of ze zich gegriefd of verwarmd moet voelen. 'Maar ik heb hier echt je hulp bij nodig. Om verschillende redenen is er niemand anders aan wie ik het kan vragen.' Ze realiseert zich dat ze eerlijk moet zijn. Als Sofia het niet wil doen, heeft Jeanette niemand anders tot wie ze zich kan wenden.

'Oké,' antwoordt Sofia na enige aarzeling. 'Ik neem aan dat het hele idee gebaseerd is op de theorie dat wat wij mensen in het leven doen overeenkomstig onze persoonlijkheid wordt uitgevoerd. Zo zal het bureau van een dwangmatig persoon meestal netjes en opgeruimd zijn en je zult hem niet gauw in een ongestreken overhemd zien rondlopen.'

'Precies,' antwoordt Jeanette. 'En door te reconstrueren hoe een misdrijf is uitgevoerd, kunnen conclusies over de dader worden getrokken.

Het is gebleken dat afwijkende personen misdrijven plegen op een manier die overeenkomt met hun persoonlijkheid.'

'Ik neem aan dat jullie daarnaast ook gebruikmaken van statistieken.'

Sofia's beweeglijke intellect en snelle analytische vermogen fascineren Jeanette.

'Natuurlijk.'

'En nu wil je mijn hulp?'

'Het gaat om een vermoedelijke seriemoordenaar en we hebben een paar namen waar we misschien iets mee kunnen. Bepaalde signalementen en nog wat meer.' Jeanette last een kunstmatige pauze in om het belang van haar volgende woorden te benadrukken. 'Degene die de zaakanalyse gaat doen, moet niet naar eventuele verdachten kijken. Dat verstoort het totaalbeeld en wordt een filter dat het zicht bemoeilijkt.'

Sofia zwijgt en Jeanette hoort haar ademhaling heftiger worden, maar ze zegt niets.

'Kun je vanavond bij me komen? Dan praten we daar verder,' vraagt Jeanette om te voorkomen dat Sofia afhaakt, als ze nu opeens is gaan aarzelen. 'Ik heb trouwens nog een verzoek.'

'O, wat dan?'

'Daar hebben we het vanavond over, als je tenminste kunt.'

'Natuurlijk. Ik kom,' antwoordt Sofia op een toon waaruit plotseling alle enthousiasme is verdwenen.

Ze verbreken de verbinding en Jeanette bedenkt voor de zoveelste keer dat ze eigenlijk niets over Sofia weet.

Haar plotselinge stemmingswisselingen.

Door de telefoon lijkt ze nog moeilijker grijpbaar.

Genegenheid opvatten voor iemand duurt soms maar een paar minuten; iemand leren kennen kan jaren duren.

Hoewel Jeanette Sofia graag beter wil leren kennen, lijkt dat bijna onmogelijk.

Net als naar de hemel staren en langzaam de sterrenbeelden leren herkennen, hun namen en geschiedenis leren.

Pas daarna zal ze zich veilig kunnen voelen.

Ze kan het echter niet laten. Ze wil in elk geval een poging wagen.

Ze besluit Åkes moeder te bellen om te vragen of Johan dit weekend bij zijn grootouders kan logeren. Hij heeft het altijd naar zijn zin bij hen en de afwisseling zal hem misschien goeddoen. Iemand die voor hem zorgt en hem alle aandacht geeft. Allemaal dingen die zij hem op dit moment niet kan bieden.

Åkes moeder is blij dat ze iets voor Jeanette kan doen en ze spreken af dat ze Johan in de loop van de avond komt halen.

Dan nu het telefoontje over Victoria Bergman.

De belastingdienst maakt geen onderscheid tussen wie er belt en hoofdinspecteur Jeanette Kihlberg moet gewoon netjes wachten tot ze aan de beurt is.

Een metaalachtige computerstem laat haar vriendelijk maar onwrikbaar weten dat de gesprekken door zevenendertig medewerkers worden behandeld en dat zij nummer negenentwintig in de rij is. De wachttijd wordt geschat op veertien minuten.

Jeanette schakelt de speakerfunctie van de telefoon in en maakt van de gelegenheid gebruik om de planten water te geven en de prullenbak te legen, terwijl de monotone stem aftelt.

U heeft nummer tweeëntwintig. De wachttijd is elf minuten.

Ooit moet iemand alle mogelijke en onmogelijke getallen hebben ingesproken, denkt ze, net op het moment dat er op de deur wordt geklopt en Hurtig binnenkomt.

Als hij de stem uit de speaker hoort, trekt hij een gezicht dat hij niet wil storen, maar Jeanette gebaart dat hij kan blijven.

'Ik ga zo meteen naar huis en wilde alleen even kijken hoe het hier gaat,' fluistert hij, terwijl hij langzaam terugloopt naar de gang.

'Wacht nog even,' zegt ze en ze gaat weer zitten. 'Sofia Zetterlund komt vanavond bij me. Ze heeft beloofd ons te helpen een daderprofiel op te stellen.'

'Heb je daar toestemming voor gekregen?'

'Nee, het gebeurt op mijn initiatief en moet tussen ons blijven.'

'Ik weet niet waar je het over hebt.' Hurtig lacht even en gaat verder. 'Ik mag jouw manier van denken wel, Jeanette. Ik hoop dat het iets oplevert.'

'We zullen zien. Het is voor haar de eerste keer dat ze zoiets doet, maar ik vertrouw haar en ik denk dat ze nieuwe invalshoeken kan aandragen.'

Ze horen een piep in de telefoon, gevolgd door gekraak. 'Met de belastingdienst, wat kan ik voor u doen?'

Hurtig zwaait, loopt achterwaarts de kamer uit en doet zachtjes de deur achter zich dicht.

Jeanette vertelt wie ze is en de medewerker zegt dat het hem spijt dat ze zo lang heeft moeten wachten, maar vraagt meteen waarom ze niet het rechtstreekse nummer heeft gebeld. Jeanette antwoordt dat ze niet wist dat dat bestond, maar dat het achteraf niet zo erg is en ze de wachttijd heeft gebruikt voor reflectie en overleg.

De medewerker lacht kort en vraagt dan waarmee hij haar kan helpen, en als Jeanette zegt dat ze alles wil weten wat ze over Victoria Bergman hebben, geboren in 1970 en ingeschreven in Värmdö, wordt ze verzocht even geduld te hebben.

Een paar minuten later komt de medewerker terug; hij klinkt onthutst. 'Ik neem aan dat u Victoria Bergman, 700607, bedoelt?'

'Misschien. Ik hoop het.'

'In dat geval is er een klein probleem.'

'O, wat dan?'

'Het enige wat ik kan vinden is een verwijzing naar de rechtbank in Nacka. Verder is er helemaal niets.'

'Maar wat staat er, letterlijk?'

De medewerker schraapt zijn keel. 'Ik zal het voorlezen. "Bij beslissing van de rechtbank in Nacka heeft de persoon in kwestie een beschermde identiteit. Alle vragen betreffende betrokkene dienen te worden doorverwezen naar eerder genoemde overheid."'

'Is dat alles?'

'Ja.' De medewerker zucht laconiek.

Jeanette bedankt hem, verbreekt de verbinding, belt de telefooncentrale van de politie en vraagt of ze haar willen doorverbinden met de rechtbank in Nacka. Het liefst via een direct nummer.

De griffier is niet even welwillend als de medewerker van de belastingdienst, maar hij belooft alles wat ze over Victoria Bergman hebben zo snel mogelijk op te sturen.

Stomme bureaucraat, denkt Jeanette terwijl ze de griffier een fijne avond wenst en de verbinding verbreekt.

Om tien over vier krijgt ze een mail van de rechtbank.

Jeanette Kihlberg opent de bijlage. Tot haar teleurstelling ziet ze dat de informatie van de rechtbank in Nacka slechts twee regels in beslag neemt:

VICTORIA BERGMAN, 1970-XX-XX-XXXX

HOOGST VERTROUWELIJK.

Gamla Enskede

Daderprofielen worden vooral bruikbaar geacht als het om seriemoorden gaat. Het idee is om vanuit kennis over het slachtoffer en de plaats delict alles te analyseren wat bijzondere eigenschappen van de dader kan onthullen.

Hoe is de moordenaar te werk gegaan? Hoe zijn de slachtoffers voor en na de dood behandeld? Zijn er tekenen van seksueel of ritueel gedrag? Kende de dader het slachtoffer?

Op basis van technisch bewijsmateriaal wordt een systematische analyse gemaakt en met behulp van psychologische en forensisch-psychiatrische kennis wordt een beeld van de moordenaar gevormd, dat tijdens het rechercheren van nut kan zijn.

De Zweedse Rijksrecherche heeft ten tijde van het onderzoek naar de op beestachtige wijze vermoorde Catrine da Costa een speciale daderprofileringsgroep opgericht.

Jeanette hoort de auto komen; die rijdt de oprit van de garage op en parkeert achter haar Audi.

Het portier wordt dichtgeslagen, dan voetstappen op het grindpad en het knarsende geluid van de bel in de hal.

Ze krijgt vlinders in haar buik en voelt zich nerveus.

Voordat ze de deur voor Sofia opent, werpt ze een blik in de spiegel en fatsoeneert snel haar haar.

Ik had me misschien moeten opmaken, denkt ze. Maar omdat ze dat anders ook nooit doet, zou het alleen maar vreemd en onnatuurlijk voelen. Het is zelfs zo dat ze maar amper weet hoe je make-up moet gebruiken. Wat lippenstift en mascara gaat nog wel, maar verder?

Ze doet open en Sofia Zetterlund stapt de hal binnen en doet de deur achter zich dicht.

'Fijn dat je er bent.' Jeanette omhelst Sofia vluchtig, maar is bang om haar te lang vast te houden. Ze wil niet te expliciet overkomen.

Te expliciet voor wat, denkt ze, terwijl ze Sofia loslaat.

'Heb je zin in een glaasje wijn?'

'Ja, lekker.' Sofia kijkt haar met een glimlachje aan. 'Ik heb je gemist.'

Jeanette glimlacht terug en vraagt zich af waar alle nervositeit vandaan komt. Ze kijkt naar Sofia, die een uitgeputte indruk maakt, en voelt een steek van bezorgdheid omdat ze tot nog toe altijd een onberispelijke Sofia heeft gezien.

Jeanette loopt naar de keuken en Sofia volgt haar.

'Waar is Johan?' vraagt Sofia.

'Hij is dit weekend bij zijn grootouders,' antwoordt Jeanette. 'Åkes moeder heeft hem net opgehaald en hij zei me nauwelijks gedag toen hij wegging. Kennelijk ben ik de enige met wie hij weigert te praten.'

'Kijk het nog maar even rustig aan. Het gaat over, geloof me.'

Sofia blikt om zich heen in de keuken; het lijkt alsof ze Jeanette niet recht in de ogen wil kijken. 'Weet je al wat meer over wat er in Gröna Lund is gebeurd?'

Jeanette slaakt een zucht en opent een fles wijn. 'Hij zegt dat hij een meisje tegenkwam dat hem een biertje gaf. Daarna herinnert hij zich niets meer. Dat zegt hij in elk geval.'

Jeanette geeft Sofia een glas.

'Geloof je hem?' vraagt Sofia, terwijl ze het glas aanneemt.

'Ik weet het niet. Maar het is duidelijk dat hij zich inmiddels een stuk beter voelt en ik heb besloten om niet langer te zeuren. Dan laat hij helemaal niets los. Ik ben heel dankbaar dat hij weer thuis is.' Jeanette gebaart naar de keukentafel.

'Wat zegt Åke ervan?' Sofia gaat zitten en legt haar armen op de tafel.

'Niets,' zegt Jeanette en ze schudt haar hoofd. 'Volgens hem is het niet meer dan Johans eerste puberopstand.'

'En wat denk jij?' Sofia kijkt Jeanette recht aan als ze de vraag stelt.

'Ik weet het niet. Maar ik begrijp dat het geen zin heeft om er op dit moment in te gaan wroeten. Johan heeft stabiliteit nodig.'

Sofia lijkt even na te denken. 'Wil je dat ik een afspraak voor hem maak bij het Bureau Kinder- en Jeugdpsychiatrie?'

'Nee, alsjeblieft niet. Hij zou gaan gillen. Ik bedoel dat hij structuur nodig heeft, zoals een moeder die 's middags thuis is als hij uit school komt.'

'Johan en jij zijn het dus met elkaar eens dat het allemaal jouw schuld is?' zegt Sofia.

Jeanette maakt een afwerend gebaar. Mijn schuld, denkt ze en ze proeft de woorden. Iets verkeerd doen als het om je kind gaat smaakt bitter; dat smaakt naar een smerig aanrecht en een vuile vloer. Dat smaakt naar bedompt zweet van de uitgetelde moeder, ingetrokken sigarettenrook en vieze luiers.

Ze kijkt Sofia strak aan en hoort zichzelf vragen wat Sofia bedoelt.

Sofia legt glimlachend haar hand op die van Jeanette. 'Rustig maar,' zegt ze troostend. 'Wat er is gebeurd, kan een reactie zijn op jullie scheiding; hij geeft jou de schuld omdat jij hem het meest na staat.'

'Hij vindt dat ik hem in de steek heb gelaten, bedoel je dat?'

'Ja,' antwoordt Sofia met dezelfde zachte stem. 'Maar dat is natuurlijk irrationeel. Åke heeft hem in de steek gelaten. Misschien beschouwt Johan Åke en jou als een eenheid. Jullie zijn de ouders die hem in de steek hebben gelaten. Åkes verraad wordt jullie verraad als ouders...' Ze stopt even en gaat dan verder. 'Sorry, het klinkt alsof ik een grapje zit te maken.'

'Het geeft niet. Maar hoe ga je daarmee om? Hoe vergeef je verraad?' Jeanette neemt een grote slok uit haar glas en schuift het vervolgens gelaten weg.

De mildheid in Sofia's gezicht verdwijnt en haar stem wordt harder. 'Verraad vergeef je niet. Je leert ermee leven.'

Ze zwijgen en Jeanette kijkt Sofia diep in de ogen.

Jeanette begrijpt, zij het met tegenzin, wat Sofia bedoelt. Het leven zit vol verraad en als je niet leert daarmee om te gaan, ben je nauwelijks levensvatbaar.

Jeanette leunt achterover en terwijl ze diep uitademt, laat ze de opgestapelde spanning en bezorgdheid om Johan die ze de hele dag heeft gevoeld gaan.

Een diepe ademhaling en haar hersenen beginnen te werken.

Ze zegt: 'Kom, laten we naar boven gaan.'

Sofia glimlacht naar haar.

Na afloop is het bed warm en vochtig, en Jeanette schuift het dekbed van zich af. Sofia's hand streelt haar buik met langzame, zachte bewegingen.

Ze kijkt naar haar naakte lichaam. Het ziet er beter uit wanneer ze ligt dan wanneer ze staat. Haar buik wordt platter en de plooi als gevolg van de keizersnee wordt gladgestreken.

Als ze haar ogen half dichtknijpt, ziet ze er best goed uit. Als ze beter kijkt, ziet ze levervlekken, oppervlakkige adertjes en sinaasappelhuid.

Ze heeft geen woorden om haar lichaam te beschrijven.

Het ziet er alleen maar gebruikt uit.

Dat van Sofia is zuiverder, bijna als van een tiener, en op dit moment glanst het van het zweet.

'Hé,' zegt Jeanette afwachtend. 'Ik zou het fijn vinden als je met een meisje wilt praten dat ik ken. Eigenlijk heb ik haar al beloofd dat ze een afspraak met je kan maken. Dat was misschien dom, maar...'

Ze stopt om een bevestiging van Sofia te horen en als ze haar aankijkt, krijgt ze een knikje ten antwoord.

'Dit meisje is behoorlijk beschadigd en volgens mij is ze niet in staat om haar situatie zelf op te lossen.'

'Wat heeft ze voor problemen?' Sofia draait zich om en legt haar armen onder het kussen. De contouren van haar naakte heupen leiden Jeanette af.

'Tja, eigenlijk weet ik niet zoveel meer dan dat ze een slachtoffer is van Karl Lundström.'

'Oei,' antwoordt Sofia. 'Dat is voor mij voldoende. Ik zal morgen in mijn agenda kijken, dan laat ik je daarna weten wanneer ze kan komen.'

Sofia's gezicht is raadselachtig. Haar glimlach lijkt bijna verlegen.

'Je bent geweldig,' zegt Jeanette. Het verbaast haar niet dat Sofia wil meewerken. Als het om helpen gaat, voelt ze geen enkele twijfel.

'Omdat je een daderprofiel wilt opstellen, neem ik aan dat Lundström niet langer verdacht wordt van de moorden?'

Jeanette snuift. 'Nou ja, in de eerste plaats is hij dood, maar ik denk dat hij vooral als een zondebok heeft gefungeerd. Wat weet je over seksmoordenaars?'

'Zoals gebruikelijk recht voor z'n raap.' Sofia gaat weer op haar rug liggen en denkt even na voordat ze verdergaat. 'Er zijn twee types. Georganiseerd en chaotisch. De georganiseerde types hebben meestal een normale sociale achtergrond, in elk geval oppervlakkig gezien, en lijken überhaupt onwaarschijnlijk als moordenaar. Ze plannen hun moorden en laten weinig sporen achter. Voordat ze hun slachtoffers vermoorden, boeien en folteren ze ze, en ze zoeken hun slachtoffers op plekken op die niet met henzelf in verband kunnen worden gebracht.'

'En het andere type?'

'Dat zijn de chaotische seksmoordenaars. Vaak komen ze uit problematische gezinssituaties en ze plegen hun moorden toevallig. Het komt zelfs voor dat ze hun slachtoffers kennen. Kun je je de Vampier herinneren?'

'Nee, niet zo een-twee-drie.'

'Hij doodde zijn twee stiefzusjes en na afloop dronk hij van hun bloed en ik geloof zelfs dat hij...' Sofia stopt en trekt een vies gezicht voordat ze verdergaat. 'Veel moordenaars hebben weliswaar trekken van beide types, maar de ervaring leert dat de basisindeling in grote lijnen klopt. Ik neem aan dat de verschillende types moordenaar verschillende soorten sporen op een plaats delict achterlaten?'

Jeanette wordt opnieuw getroffen door Sofia's snelheid.

'Jemig, je bent echt ongelooflijk! Heb je echt nooit eerder een daderprofiel opgesteld?'

'Nooit. Maar ik kan lezen, ben gediplomeerd psycholoog, heb met psychopaten gewerkt en bla, bla, bla.'

Ze lachen allebei en Jeanette merkt hoe graag ze Sofia mag. De abrupte wisselingen tussen ernst en gekheid.

Het vermogen om het leven zo serieus te nemen dat ze er zelfs grapjes over kan maken. Over alles.

Ze denkt aan Åkes grimmige gezicht, zijn ernstige lichaamshouding, waarvan ze nooit heeft begrepen waar die vandaan komt. Hij heeft immers nooit enige verantwoordelijkheid voor iets genomen.

Met haar blik volgt ze de contouren van Sofia's gezicht.

De smalle hals, de hoge jukbeenderen.

De lippen.

Ze kijkt naar Sofia's handen en de keurig gemanicuurde nagels die gelakt zijn in een lichte parelmoerglanzende kleur. Zo zuiver, denkt ze, en ze weet dat ze dat eerder heeft gedacht.

Nu ligt ze hier, open. Hoe het verdergaat zal de toekomst uitwijzen.

'Wat is jullie werkwijze?'

Sofia onderbreekt haar overpeinzingen en Jeanette voelt dat ze bloost.

'Het team verdiept zich in het onderzoeksmateriaal. Alles wat bekend is over de plaats delict, sectierapporten en verhoren worden gelezen, de achtergrond van het slachtoffer wordt nagegaan. Het doel is om zo'n brede basis te verkrijgen dat het misdrijf kan worden gereconstrueerd. Om zo precies mogelijk te begrijpen wat er voor, tijdens en na het delict is gebeurd.'

Sofia streelt Jeanettes voorhoofd. 'En wat hebben jullie?'

Jeanette denkt na, wil liever over iets anders praten, maar weet dat ze Sofia's hulp nodig heeft.

'Behalve Samuel nog drie vermoorde jongens. De eerste is in de bosjes bij de Pedagogische Academie gevonden en was gemummificeerd.'

'Hij heeft dus ergens binnen gelegen?'

'Ja, en de tweede lag op Svartsjölandet en kwam uit Wit-Rusland. De derde jongen is bij Danvikstull gevonden.'

'Illegale vluchtelingen? Behalve Samuel dan?'

Jeanette verbaast zich over Sofia's kilheid. Samuel is bij Sofia in therapie geweest en toch laat ze niet blijken dat het haar iets doet dat de jongen is vermoord. Ze lijkt hem niet te missen of zich schuldig te voelen omdat ze misschien meer had kunnen doen.

Jeanette duwt het gevoel van onbehagen weg en vervolgt: 'Klopt, en wat ze gemeen hebben is dat ze allemaal ernstig waren mishandeld en bovendien vol verdovingsmiddelen zaten.'

'Verder nog iets?'

'Ze hadden afdrukken op hun rug die erop wijzen dat ze waren gegeseld.'

Gamla Enskede

De avond met Jeanette Kihlberg zit vol verrassingen. Niet alleen omdat Jeanette haar in de arm neemt als forensisch psycholoog om een daderprofiel op te stellen, waardoor ze volledige toegang krijgt tot al het materiaal over de vermoorde jongens.

Ze voelt zich ook steeds meer aangetrokken tot Jeanette en ze begrijpt heel goed waarom. Er is een lichamelijke aantrekkingskracht. Het is tegenstrijdig. Ze weet dat Jeanette ook een glimp van haar duisternis heeft gezien.

Sofia zit op de bank naast iemand die ze aardig is gaan vinden. Ze voelt zich veilig als ze Jeanettes hartslag door de dunne stof van haar T-shirt voelt en kan alleen maar vaststellen dat ze geen grip krijgt op wie Jeanette Kihlberg is, noch waar ze op uit is. Jeanette verbaast haar en daagt haar uit, en lijkt haar tegelijk oprecht te respecteren. Daarin ligt de aantrekking.

Sofia haalt diep adem en de geuren vullen haar longen. Het geluid van Jeanettes ademhaling wordt vergezeld van de regen die tegen de metalen raamdorpels klettert.

Ze had impulsief ja gezegd toen Jeanette haar hulp had ingeroepen bij het onderzoek, maar nu krijgt ze spijt van haar toezegging.

Puur rationeel gezien zou Jeanettes voorstel haar doodsbenauwd moeten maken, dat weet ze. Maar tegelijk heeft ze de mogelijkheid om gebruik te maken van de situatie. Ze zal alles over het onderzoek te horen krijgen en de politie kunnen misleiden.

Jeanette doet zakelijk en rustig verslag van alle details van de moorden.

Dan is er nog het inzicht in wie ze zelf is, de persoon die ze niet zou moeten zijn.

Die ze niet wíl zijn.

'Ze hadden afdrukken op hun rug die erop wezen dat ze waren gegeseld.'

Diep in haar bewustzijn gaan deuren open. Ze herinnert zich de afdrukken op haar eigen rug.

Ze wil al haar ikken achter zich laten, tot op het bot worden uitgekleed.

Sofia beseft dat ze nooit met Victoria kan integreren als ze niet accepteert wat ze heeft gedaan. Ze moet het begrijpen, moet Victoria's handelingen als haar eigen handelingen beschouwen.

'En verder waren ze verminkt. Hun geslachtsorganen waren weggesneden.'

Sofia merkt dat ze in het eenvoudige wil wegvluchten, de deur voor Victoria weer dicht wil doen, haar diep vanbinnen wil opsluiten in de hoop dat ze langzaam zal wegkwijnen.

Nu moet ze handelen als een toneelspeelster die een manuscript leest en vervolgens het personage van binnenuit laat groeien.

En daar is iets groters voor nodig dan empathie.

Het gaat erom die andere persoon te wórden.

'Een van de jongens was ingedroogd, maar een andere was op een bijna professionele manier gebalsemd. Zijn bloed was vervangen door formaldehyde.'

Ze zwijgen een tijdje. Sofia merkt hoe zweterig haar handen zijn. Ze veegt ze af aan haar been en begint te praten.

De woorden komen vanzelf. De leugens komen automatisch.

'Ik moet de informatie die je me hebt gegeven bestuderen, maar op dit moment denk ik dat het om een man van tussen de dertig en veertig gaat. Dat hij de beschikking heeft over verdovingsmiddelen wijst erop dat hij in de zorgsector werkzaam is. Het zou een arts, verpleegkundige, dierenarts of zo kunnen zijn. Maar zoals ik al zei, moet ik dit eerst nader analyseren. Daarna kom ik erop terug.'

Jeanette kijkt haar dankbaar aan.

Het Zeeppaleis

Sofia Zetterlund zit aan haar bureau op de praktijk te lunchen. Haar agenda is vandaag behoorlijk vol omdat ze zich door Jeanette Kihlberg heeft laten overhalen met Ulrika Wendin te praten.

Terwijl ze de fastfoodverpakking in de prullenbak propt, verschijnt er een dialoogvenster op haar laptop.

Een binnenkomende mail.

Tussen alle ongelezen spam staat een onpersoonlijke groet van Mikael en helemaal bovenaan een bericht waar ze van schrikt.

Annette Lundström?

Ze opent de mail en leest.

Hallo, ik weet dat u mijn man een paar keer heeft gesproken. Ik zou graag met u over Karl en Linnea willen praten en zou het op prijs stellen als u mij zo spoedig mogelijk op onderstaand telefoonnummer wilt bellen.

Met vriendelijke groet, Annette Lundström

Interessant, denkt Sofia en ze kijkt op haar horloge. Vijf voor één. Ulrika komt er zo aan, maar ze pakt toch de telefoon en toetst het nummer in.

Een jonge, magere vrouw zit op de bank een nummer van *Geïllustreerde wetenschap* te lezen.

'Ulrika?'

Het meisje knikt naar Sofia, legt het tijdschrift op de tafel en staat op.

Sofia kijkt naar Ulrika's tengere lijf en onzekere lichaamshouding, registreert dat de jonge vrouw haar blik niet durft op te slaan als ze Sofia passeert en de behandelkamer in loopt.

Sofia doet de deur achter hen dicht.

Ulrika gaat in de bezoekersstoel zitten en slaat haar benen over elkaar, plaatst haar ellebogen op de stoelleuningen en vouwt haar handen op haar schoot. Sofia gaat net zo zitten.

Het gaat om spiegeling, dat wil zeggen het kopiëren van fysieke signalen zoals lichaamsbewegingen en gelaatsuitdrukkingen. Ulrika Wendin moet zichzelf in Sofia herkennen, ze moet voelen dat ze iemand tegenover zich heeft die aan haar kant staat. Als dat lukt, zal Ulrika Sofia gaan spiegelen, waarna Sofia met kleine, nauwelijks waarneembare veranderingen in de lichaamstaal het meisje zo kan sturen dat ze zich meer ontspant.

Op dit moment zijn de benen en armen gesloten en de ellebogen wijzen puntig de kamer in, als doornen.

Haar hele lichaam straalt onzekerheid uit.

Je kunt jezelf niet meer beschermen dan op deze manier, denkt Sofia en ze haalt haar ene been van het andere voordat ze zich naar voren buigt.

'Hallo, Ulrika,' begint ze. 'Fijn dat je er bent.'

Het eerste gesprek moet ertoe leiden dat Ulrika Wendin Sofia gaat vertrouwen. Het vertrouwen moet meteen komen. Ulrika mag het gesprek zelf in richtingen sturen die haar veilig lijken.

Sofia luistert, achteroverleunend en geïnteresseerd.

Ulrika vertelt dat ze vrijwel nooit andere mensen ziet.

Dat vindt ze best jammer, maar zodra ze in een sociale situatie belandt, wordt ze overvallen door paniek. Ze was toegelaten tot een cursus bij het volwassenenonderwijs. Op de eerste schooldag was ze er vol verwachting heen gegaan, hopend op nieuwe vrienden en nieuwe inzichten, maar bij de ingang van de school had haar lichaam halt gehouden.

Ze had niet naar binnen durven gaan.

'Ik begrijp niet dat ik hier durfde te komen,' zegt Ulrika en ze giechelt nerveus.

Sofia begrijpt dat het meisje giechelt om de ernst van wat ze zojuist heeft gezegd te verhullen. 'Weet je nog wat je dacht toen je de deur van de praktijk openduwde?'

Ulrika neemt de vraag serieus en denkt na. 'Ik doe het, geloof ik,' zegt ze verbaasd. 'Maar dat klinkt heel raar. Waarom zou ik dat denken?'

'Jij bent de enige die dat kan weten,' zegt Sofia en ze glimlacht.

Ze begrijpt dat er iemand tegenover haar zit die een besluit heeft genomen.

Iemand die niet langer slachtoffer wil zijn.

Op grond van wat Ulrika vertelt, begrijpt Sofia dat het meisje aan een reeks problemen lijdt. Nachtmerries, dwanggedachten, duizelingen, een stijf lichaam, slaapproblemen en walging als ze moet eten en drinken.

Het enige wat Ulrika zonder problemen naar binnen zegt te krijgen, is bier.

Sofia beseft dat het meisje behoefte heeft aan regelmatige steun en een hand die ze kan vasthouden.

Iemand moet haar de ogen openen en haar laten zien dat de mogelijkheid tot een ander leven aanwezig is, vlak voor haar neus.

Sofia zou het liefst twee keer per week een afspraak met haar willen maken.

Als er te veel tijd tussen de sessies zit, bestaat het gevaar dat ze terugdeinst en gaat twijfelen, wat het proces aanzienlijk zou bemoeilijken.

Maar Ulrika wil niet.

Wat Sofia ook probeert, Ulrika wil niet vaker dan één keer in de twee weken komen, zelfs niet als ze niets hoeft te betalen.

Als Ulrika vertrekt, zegt ze iets wat Sofia verontrust.

'Er is nog iets...'

Sofia kijkt op van haar aantekeningen. 'Ja?'

Ulrika lijkt heel klein. 'Ik weet niet... Soms vind ik het moeilijk om... om te weten wat er eigenlijk is gebeurd.'

Sofia vraagt haar de deur dicht te doen en weer te gaan zitten.

'Vertel eens wat meer,' zegt ze, zo mild ze maar kan.

'Ik... Soms denk ik dat ik ze ertoe heb uitgenodigd me te vernederen en te verkrachten. Ik weet natuurlijk wel dat dat niet zo is, maar soms, als ik 's ochtends wakker word, weet ik zeker dat ik dat wel heb gedaan. Ik schaam me zo vreselijk... Daarna weet ik dat het niet zo is.'

Sofia kijkt Ulrika gedecideerd aan. 'Het is goed dat je me dit vertelt. Na wat jij hebt meegemaakt, is het heel normaal om dat zo te voelen. Je neemt een deel van de schuld op je. Ik begrijp dat het er niet minder onbehaaglijk van wordt als ik je zeg dat dat heel normaal is, maar je moet me vertrouwen. En je moet me vooral vertrouwen als ik zeg dat je niets verkeerds hebt gedaan.'

Sofia wacht op een reactie van Ulrika, maar het meisje zit stil in haar stoel, knikt alleen maar lusteloos.

'Weet je zeker dat je volgende week niet wilt komen?' probeert Sofia opnieuw. 'Ik heb op woensdag en op donderdag tijd voor je.'

Ulrika staat op. Ze kijkt gegeneerd naar de grond, alsof ze haar mond voorbij heeft gepraat. 'Ja. Ik moet nu gaan.'

Sofia onderdrukt de impuls om overeind te komen en Ulrika's arm vast te pakken om te laten merken hoe belangrijk het is. Het is nog te vroeg voor dat soort gebaren. In plaats daarvan haalt ze diep adem en zegt beheerst: 'Het is goed. Bel me maar als je van gedachten verandert. Ik houd de uren op woensdag en donderdag voorlopig voor je vrij.'

'Tot kijk,' zegt Ulrika en ze doet de deur open. 'En bedankt.'

Ze verdwijnt door de deur. Sofia blijft achter haar bureau zitten en hoort het meisje de lift in gaan en daarna het gezoem als die naar beneden gaat.

Ulrika's voorzichtige bedankje is voor Sofia een bevestiging dat ze tot het meisje is doorgedrongen. Uit dat ene woord maakt ze op dat Ulrika het niet gewend is om gezien te worden als de persoon die ze eigenlijk is.

Sofia besluit om Ulrika de volgende dag te bellen om te horen of ze over de situatie heeft nagedacht en bereid is om volgende week al terug te komen. Als dat niet lukt, zal ze Jeanette vragen om in de loop van de week bij Ulrika langs te gaan. Ze mag haar greep op het meisje niet kwijtraken.

Ze wil helpen om een nieuw leven uit de as te laten verrijzen.

Sofia slaat haar armen om zich heen en voelt de oneffenheid van de littekens op haar rug.

Victoria's littekens.

Verleden

Ze pakte het haar van de jongen beet, zo hard dat ze er een grote pluk uit trok. In haar hand leken de haarwortels net kleine draden. Ze sloeg hem op zijn hoofd, in zijn gezicht en op zijn lichaam, en ze sloeg hem lang. Verward kwam ze overeind, liep van de steiger af en pakte een grote steen bij de oever van de rivier.

Ik ben het niet, zei ze, terwijl ze het lichaam van de jongen in het water liet zakken. Nu moet je zwemmen...

Het meisje begint meteen met haar armen en benen te klapwieken, maar krijgt een slok water naar binnen en zinkt.

Victoria glijdt een eindje bij haar vandaan en kijkt toe.

Twee keer komt het meisje hoestend aan de oppervlakte, om vervolgens weer te zinken als ze vergeefs probeert de kant te bereiken. Het grote hemd is zo doorweekt dat het niet blijft drijven. Het meisje raakt erin verstrikt, wat het moeilijker maakt om boven te komen.

Maar even later zwemt Victoria rustig op het meisje af, pakt haar onder haar armen vast en trekt haar omhoog. Het meisje kan zich maar amper stil houden en hoest krampachtig. Victoria begrijpt dat ze flink wat water binnen heeft gekregen en haast zich het meisje uit het zwembad te trekken.

De benen van het meisje dragen haar niet en ze valt bij de rand van het zwembad neer op het plaveisel. Ze draait zich op haar zij en moet hevig overgeven. Eerst komt het chloorwater en daarna de grijze, taaie strengen van de pap die ze als ontbijt heeft gegeten.

Victoria legt haar hand op het voorhoofd van het meisje.

'Rustig maar, er is niets aan de hand. Ik heb je eruit gekregen.'

Na een paar minuten kalmeert het meisje en Victoria wiegt haar in haar armen. 'Weet je...' zegt Victoria. 'Je gaf me zo'n harde trap dat ik bijna van mijn stokje ging.'

Het meisje huilt en na een poosje verontschuldigt ze zich snikkend.

'Het geeft niet,' zegt Victoria en ze omhelst het meisje. 'Maar ik denk dat we dit aan niemand moeten vertellen.'

Het meisje schudt haar hoofd. 'Sorry,' zegt ze nog een keer, en Victoria haat haar niet langer.

Tien minuten later staat ze het plaveisel met de tuinslang schoon te spoelen. Het meisje zit aangekleed op de zonnestoel onder de parasol op het terras. Haar korte haar is al droog en als ze naar Victoria glimlacht, is het net of ze zich schaamt. Een berouwvolle glimlach omdat ze iets doms heeft gedaan.

Beurtelings slaan en strelen, eerst beschermen en vervolgens stukmaken, denkt Victoria. Dat heb ik van hem geleerd.

Er komen geen geluiden vanuit de salon; de ramen zijn dicht en Victoria hoopt dat niemand iets heeft gehoord. De voordeur wordt dichtgetrokken en vier mannen stappen in de grote, zwarte Mercedes die op de oprit geparkeerd staat. Haar vader blijft op het bordes staan en ziet de auto door het hek verdwijnen. Daarna loopt hij met gebogen hoofd en zijn handen in zijn zakken de trap af en betreedt het pad dat naar het zwembad leidt. Victoria ziet dat hij teleurgesteld is.

Ze draait de kraan dicht en windt de slang op de plaatstalen haspel die aan de muur van het terras hangt. 'Hoe was de vergadering?' Ze hoort zelf hoe spottend ze klinkt.

Hij antwoordt niet en kleedt zich, nog steeds in stilte, uit. Het meisje kijkt weg als hij zijn onderbroek uitdoet en een zwembroek aantrekt. Victoria moet giechelen om het strakke bloemetjesrelikwie uit de jaren zeventig waar hij maar geen afstand van wil doen.

Plotseling draait hij zich om en doet twee passen in haar richting.

Ze ziet in zijn ogen wat er gaat gebeuren.

Hij heeft een keer eerder geprobeerd haar te slaan, maar toen was het hem niet gelukt. Ze had een pan gepakt en hem daarmee op zijn hoofd gemept. Sindsdien heeft hij het niet meer geprobeerd.

Tot nu.

Nee, niet in mijn gezicht, denkt Victoria, voordat alles rood wordt en ze achterwaarts tegen de muur van het terras valt.

Een tweede klap treft haar voorhoofd en de volgende haar buik. Ze ziet sterretjes en klapt dubbel.

Terwijl ze op de stenen vloer ligt, hoort ze het gerammel wanneer de haspel wordt afgerold; dan staat opeens haar rug in brand en ze slaakt een luide kreet. Hij blijft zwijgend achter haar staan en ze durft haar ogen niet te openen. De warmte verspreidt zich over haar gezicht en over haar rug.

Ze hoort zijn zware stappen op het steen als hij langs haar heen naar het zwembad loopt. Hij is altijd al te laf geweest om te duiken en gebruikt het trapje. Dan glijdt hij het water in. Ze weet dat hij gewoontegetrouw zijn tien baantjes zal trekken, niet meer en niet minder, en ze telt zwijgend zijn slagen en het doffe gekreun bij de keerpunten. Als hij klaar is, komt hij het water uit en loopt weer naar haar toe. 'Kijk me aan,' zegt hij.

Ze doet haar ogen open en draait haar hoofd om. Er vallen druppels van zijn lichaam op haar rug en dat is aangenaam in de hitte. Hij hurkt naast haar neer en tilt voorzichtig haar hoofd op.

Hij zucht en strijkt met zijn hand over haar rug. Ze voelt dat het mondstuk van de tuinslang een grote wond onder haar linkerschouderblad heeft gemaakt.

'Je ziet er vreselijk uit.' Hij komt weer overeind en strekt zijn hand naar haar uit. 'Kom mee naar binnen, dan zal ik er een pleister op doen.'

Nadat hij haar wond heeft verzorgd, zit ze met een handdoek om zich heen op de bank. Haar glimlach verbergt ze achter de stof. Slaan, strelen, beschermen en kapotmaken, herhaalt ze geluidloos, terwijl hij vertelt dat de onderhandelingen zijn vastgelopen en ze daarom binnenkort weer naar huis zullen gaan.

Het doet haar deugd dat het project in Freetown kennelijk een fiasco is geworden.

Niets heeft gewerkt.

Hij zegt dat het door de krachtige inflatie en dalende diamantexport komt.

De smokkel van harde valuta in de vorm van Amerikaanse dollars ondermijnt de inheemse economie en bankbiljetten worden als wc-papier gebruikt omdat dat goedkoper is.

Hij zegt dat er geld verdwijnt, dat er mensen verdwijnen en dat de slogans over constructief nationalisme en een New Order even hol klinken als de staatskas.

Hij vertelt dat Sida's falende irrigatiebeleid in de noordelijke gebieden van het land puur symbolische gevolgen heeft gekregen.

Dertig mensen zijn aan vergiftiging overleden en er wordt gesproken over sabotage en vervloekingen. Het project is afgebroken en de terugreis zal met bijna vier maanden worden vervroegd.

Als hij de kamer heeft verlaten, blijft ze zitten en kijkt naar zijn collectie fetisjfiguren.

Hij heeft al twintig houten sculpturen van vrouwenlichamen weten te verzamelen en die staan nu opgesteld op zijn bureau, klaar om te worden ingepakt.

Kolonist, denkt Victoria. Hier om trofeeën te verzamelen.

Er is ook een gezichtsmasker in natuurlijke grootte. Een familiemasker van het Temne-volk dat haar aan hun dienstmeisje doet denken.

Terwijl ze met haar vingers over het ruwe houtwerk gaat, stelt ze zich voor dat het gezicht leeft. Ze streelt de oogleden, de neus en de mond. Het oppervlak voelt warm aan haar vingertoppen en de houtvezels worden door haar aanraking echte huid.

Ze heeft niet langer een hekel aan het dienstmeisje, omdat ze heeft begrepen dat er geen rivaliteit tussen hen is.

Dat besef kwam toen hij haar bij het zwembad sloeg.

Zij is het belangrijkst voor hem; hun dienstmeisje is slechts een speeltje, een houten pop of een trofee.

Hij zal het masker mee naar huis nemen.

Het ergens ophangen, misschien in de woonkamer.

Iets exotisch om te showen als er mensen komen eten.

Maar voor Victoria zal het houten masker meer zijn dan een siervoorwerp. Met haar handen kan ze het een leven en een ziel geven.

Als hij het masker meeneemt naar Zweden, kan zij het meisje meenemen. Ze is rechteloos, bijna als een slaaf. Niemand zal haar missen, ze is namelijk niet alleen rechteloos, ze is ook ouderloos.

Het meisje heeft Victoria verteld dat haar moeder in het kraambed is overleden en dat haar vader is terechtgesteld toen hij schuldig was bevonden aan het stelen van een kip. Een oeroude manier om schuld aan te tonen die 'de rechtszaak met rood water' wordt genoemd.

Hij moest op een lege maag grote hoeveelheden rijst eten; vervolgens werd hij gedwongen een halve ton water te drinken waar schors van de kolaboom in zat. Bevatte het braaksel rood water, dan was dat een teken van zijn onschuld, maar hij kon niet overgeven. Door de rijst zwol hij alleen maar op en hij werd doodgeslagen met een spade.

Ze heeft hier niemand die voor haar kan zorgen, denkt Victoria. Ze zal meegaan naar Zweden en ze zal Solace heten.

Dat betekent troost en met Solace kan ze de ziekte delen.

Ze weet ook dat ze nog iets anders zal meenemen naar Zweden.

Een kiem die in haar is geplant.

Gamla Enskede

Jeanette Kihlberg ziet dat het huis donker is en begrijpt dat Johan er nog niet is. Het weekend bij zijn opa en oma lijkt niet veel te hebben geholpen. Hij is nog net zo in zichzelf gekeerd als voorheen en ze weet absoluut niet wat ze moet doen. Het is alsof ze het probleem voor zichzelf niet wil toegeven. Veel kinderen voelen zich rot, maar niet haar kleine jongen.

Als ze het donkere huis ziet, is ze eerst ongerust, maar dan herinnert ze zich dat hij die ochtend had gezegd dat hij bij een vriend een game zou ophalen die hij daar had laten liggen.

Ze parkeert op de oprit, ademt uit en bedenkt dat het eigenlijk wel goed uitkomt dat hij nog niet thuis is. Dat geeft haar wat tijd voor zichzelf, zodat ze nog eens goed kan nadenken over wat er gezegd moet worden.

Ze weet dat ze voorzichtig moet zijn met wat ze tegen Johan zegt.

Over wat er is gebeurd toen hij verdween. Over Åke en over de scheiding.

Hij is op dit moment zo fragiel dat ze vermoedt dat het allerkleinste misverstand hem helemaal kapot kan maken. Hij heeft zich waarschijnlijk nooit kunnen voorstellen dat Åke en zij uit elkaar zouden gaan. Ze zijn er immers altijd voor hem geweest.

Ze zet de motor uit en blijft nog een poosje in de auto zitten.

Is het haar schuld? Had ze, zoals Billing zei, te hard gewerkt en niet voldoende tijd aan haar gezin besteed?

Ze denkt aan Åke, die de kans om een grijs, saai leven met vrouw en kind in de voorstad te verlaten met beide handen heeft aangegrepen.

Nee, denkt ze. Het is niet mijn schuld.

Ze haalt het pakje sigaretten uit het handschoenenvakje en draait het raam open. Bij de eerste trek begint ze te hoesten. Het smaakt helemaal niet lekker en nog voordat ze de sigaret half op heeft, schiet ze hem door het raam het gras op.

Een paar regendruppels raken de voorruit en terwijl ze aan het komende gesprek met Johan denkt, gaat het steeds harder regenen.

Als ze in huis is en lampen heeft aangedaan, gaat ze naar de keuken, waar ze de erwtensoep opwarmt die ze de vorige dag heeft gegeten. De hechtingen in haar hoofd zijn aan het genezen en het jeukt enorm.

Ze schenkt een blikje bier in een glas en slaat de krant open.

Het eerste wat ze ziet is een foto van officier van justitie Kenneth von Kwist, die een ingezonden stuk heeft geschreven over de tekortschietende veiligheidssituatie in de Zweedse gevangenissen.

Stomme idioot, denkt ze, en ze vouwt de krant dicht en begint te eten.

Dan het geluid van de deur die opengaat. Johan is thuis.

Ze legt haar lepel neer en loopt naar de hal. Johan is drijfnat en als hij zijn sneakers uittrekt, ziet ze dat zijn sokken zo doorweekt zijn dat het water op de halvloer plonst.

'Maar Johan... Trek je sokken uit. Het wordt hier één grote zee.'

Niet zeuren, denkt ze. 'Ach, het geeft ook niet. Ik ruim het wel op. Heb je gegeten?' voegt ze eraan toe.

Hij knikt vermoeid, doet zijn sokken uit en glipt snel langs haar heen naar de badkamer.

Ze doet de voordeur open en wringt de sokken buiten uit, hangt ze vervolgens over de verwarming achter het schoenenrek en pakt de zwabber. Als ze klaar is, gaat ze terug naar de keuken, warmt de soep nog een keer op en gaat weer zitten eten. Haar maag schreeuwt van de honger.

Na tien minuten met de soep en de krant aan de keukentafel te hebben gezeten, vraagt ze zich af wat Johan zo lang in de badkamer doet. Geen geluid van de douche – überhaupt geen geluiden.

Ze klopt op de deur. 'Johan?'

Ze hoort hem bewegen.

'Wat doe je? Is er iets gebeurd?' vraagt ze.

Uiteindelijk zegt hij wat, maar zo zacht dat ze hem niet kan verstaan.

'Johan, waarom doe je niet open? Ik hoor niet wat je zegt.'

Een paar tellen later wordt het slot omgedraaid, maar hij doet niet open.

Ze blijft een paar stille tellen naar de deur staren. Een barrière tussen ons, denkt ze. Zoals gewoonlijk.

Als ze de deur ten slotte openduwt, zit hij ineengedoken op het wcdeksel. Ze ziet dat hij het koud heeft, pakt een handdoek en slaat die om hem heen.

'Wat zei je?' Ze gaat op de rand van het bad zitten.

Hij haalt diep adem en ze begrijpt dat hij heeft gehuild. 'Ze is vreemd,' zegt hij zachtjes.

'Vreemd? Wie bedoel je?'

'Sofia.' Johan kijkt weg.

'Sofia? Waardoor moest je aan haar denken?'

'Niets bijzonders, maar ze deed ineens zo vreemd,' gaat hij verder. 'Toen we in de Vrije Val zaten. Ze schreeuwde naar me en noemde me Martin...'

Sofia raakte in paniek, denkt Jeanette. Dat is alles. Ze trekt de handdoek omhoog, die van Johans smalle schouders is gegleden.

'Wat gebeurde er toen?'

'Het laatste wat ik me kan herinneren is dat ik zag hoe die man jou met een fles op je hoofd sloeg en dat je omviel. Ik geloof dat Sofia wegrende en ook viel... En daarna werd ik wakker in het ziekenhuis.'

Ze kijkt naar haar zoon. 'Johan, het is heel goed dat je dit vertelt.'

Ze slaat haar armen heel stevig om hem heen. Dan beginnen ze allebei tegelijk te huilen.

Edsviken

De middagzon zakt neer achter de grote, rond 1900 gebouwde villa die uit het zicht aan het water ligt. Een kleine met grind bedekte esdoornlaan leidt naar het huis en Sofia Zetterlund parkeert haar auto op de oprit, zet de motor uit en kijkt door de voorruit. De lucht is staalgrijs en de regen, die eerder nog met bakken uit de hemel viel, is afgenomen.

Hier woont dus de familie Lundström?

De grote houten villa is onlangs gerenoveerd. Een rood huis met witte hoeken, twee verdiepingen, een serre en een torenkamer op de oostelijke vleugel, waar ook een voordeur is. Een eindje verderop ziet ze tussen de bomen een boothuis. Op het terrein bevinden zich ook nog een gebouw en een zwembad, dat door een hoog hek wordt beschut. Het huis ziet er verlaten uit, alsof er nooit iemand heeft gewoond. Sofia werpt een blik op haar horloge om te controleren of ze niet te vroeg is, maar nee, ze is zelfs een paar minuten te laat.

Ze stapt uit, wandelt over het grindpad naar het huis en als ze de brede stenen trap naar de voordeur op loopt, gaat de lamp in de hal van de toren aan, de deur gaat open en een kleine, magere vrouw met een donkere deken om zich heen verschijnt in de deuropening.

'Kom binnen en doe de deur achter u dicht,' zegt Annette Lundström. 'U kunt uw jas in de kamer hier links ophangen.'

Sofia trekt de deur achter zich dicht en Annette Lundström waggelt door de hal en slaat rechts af. Overal staan stapels grote verhuisdozen. Sofia trekt haar jas uit, pakt haar handtas onder haar arm en volgt de andere vrouw de kamer in.

Annette Lundström is veertig, maar ze lijkt wel zestig. Haar kapsel is onverzorgd en ze maakt een vermoeide indruk als ze eenmaal diep weggezakt op een bank vol kleren zit.

'Ga zitten,' zegt ze zachtjes, terwijl ze naar de fauteuil aan de andere kant van de tafel gebaart. Sofia kijkt met een vragende blik naar de grote lamp die op de stoel ligt.

'Zet die maar op de grond,' zegt Annette en ze hoest. 'Let vooral niet op de rommel, ik ga verhuizen.'

Het is koud in de kamer en Sofia begrijpt dat de verwarming al uit staat.

Ze denkt aan de situatie van de familie Lundström. Aangeklaagd voor pedofilie en kinderporno, gevolgd door een zelfmoordpoging. Incest. Karl Lundström had zich in het huis van bewaring opgehangen. Toen was hij in coma geraakt en later overleden. Onzorgvuldigheid van de artsen, werd er gefluisterd.

De kinderbescherming heeft zich over de dochter ontfermd.

Sofia kijkt naar de vrouw tegenover zich. Ooit is ze waarschijnlijk knap geweest, maar dat was voordat ze door de schaduwzijde van het leven werd getroffen.

Sofia tilt de lamp van de fauteuil.

'Wilt u een kopje koffie?' Annette reikt naar de halfvolle cafetière op tafel.

'Graag. Dat zou lekker zijn.'

'U kunt een kopje uit de doos op de vloer pakken.'

Sofia buigt zich omlaag. In een doos onder de tafel ligt allerlei serviesgoed slordig ingepakt. Ze vindt een beker met een beschadigde rand en laat Annette inschenken.

De koffie is nauwelijks te drinken. Helemaal koud.

Sofia doet net of er niets aan de hand is, neemt een paar slokken en zet de beker op tafel.

'Waarom wilde u mij spreken?'

Annette hoest weer en trekt de deken strakker om zich heen.

'Zoals ik door de telefoon al zei... Ik wil over Karl en Linnea praten. En ik heb een verzoek voor u.'

'Een verzoek?'

'Ja, dat komt later... Melk?'

'Nee, dank u. Ik drink mijn koffie zwart.'

'Het zit zo...' Annettes blik wordt scherper. 'Ik weet hoe de forensische psychiatrie werkt. Zelfs de dood kan de zwijgplicht niet doorbreken. Karl is dood en het heeft geen enkele zin dat ik u vraag waar jullie het over hebben gehad. Maar één ding vraag ik me af. Hij zei iets tegen me nadat jullie met elkaar hadden gesproken. Dat u zijn... ja, zijn problemen begreep.'

Sofia huivert even. Het is bitterkoud in het huis.

'Ik heb zijn problemen nooit begrepen,' gaat Annette verder, 'en nu hij dood is, hoef ik hem niet langer te verdedigen. Maar ik begrijp het niet. In mijn beleving is het slechts één keer gebeurd. In Kristianstad, toen Linnea drie was. Dat was een vergissing en ik weet dat hij u erover heeft verteld. Dat hij die vreselijke films had, was één ding, daar kon ik misschien nog mee leven. Maar niet dat hij en Linnea... Ik bedoel, Linnea hield van hem. Hoe kon u zijn problemen begrijpen?'

Sofia voelt Victoria's aanwezigheid.

Annette Lundström irriteert haar.

Als Karl Lundström en Bengt Bergman hetzelfde soort man waren, dan zijn Annette Lundström en Birgitta Bergman hetzelfde soort vrouw. Alleen hun leeftijd verschilt.

Ik weet dat je hier bent, Victoria, denkt Sofia. Maar dit regel ik zelf.

'Ik heb het vaker gezien,' antwoordt ze uiteindelijk. 'Heel vaak. Maar u moet geen overhaaste conclusies trekken uit zijn woorden. Ik heb hem maar een paar keer gesproken en toen was hij behoorlijk uit balans. Linnea is nu belangrijker. Hoe gaat het met haar?'

Annette Lundström ziet er heel zwak uit. 'Neem me niet kwalijk,' fluistert ze. Haar wangen lillen slap als ze hoest, de wallen onder haar ogen zijn diepblauw en haar lichaam is ingezakt.

Er is één wezenlijk verschil tussen Annette Lundström en Birgitta Bergman. Victoria's moeder was dik en deze vrouw verdwijnt bijna in haar vermagering. Haar huid heeft zich in de botten gegeten en weldra zal er niets van haar over zijn.

Ze zal vanzelf doodgaan.

Maar ze heeft iets bekends over zich.

Sofia vergeet zelden een gezicht en weet ineens zeker dat ze Annette eerder heeft ontmoet.

'Hoe gaat het met Linnea?' herhaalt Sofia.

'Dat wilde ik u nou juist vragen.'

'Uw verzoek?'

Annettes blik wordt weer vast. 'Ja... Als u Karls problemen begreep, begrijpt u misschien wat er nu met Linnea gebeurt. Dat hoop ik in elk geval... Ze hebben haar van me afgepakt en ze zit nu bij het Bureau Kinderen Jeugdpsychiatrie in Danderyd. Ze wil amper met me te maken hebben en het bureau vertelt me helemaal niets. Kunt u niet vragen of u haar mag spreken? U heeft toch zeker contacten?'

Sofia denkt even na, maar weet dat het onmogelijk is als Linnea er niet zelf om vraagt.

De kinderbescherming heeft haar uit huis geplaatst en als de psychologen in Danderyd haar gezond genoeg vinden, gaat ze naar een pleeggezin.

'Ik kan daar niet zomaar heen gaan en zeggen dat ik met haar wil praten,' zegt Sofia. 'Dat kan alleen als ze daar zelf uitdrukkelijk om vraagt, en eerlijk gezegd zou ik niet weten hoe dat zou moeten gebeuren.'

'Ik kan met het bureau praten,' zegt Annette.

Sofia ziet dat het Annette ernst is.

'Er is nog iets...' gaat Annette verder. 'Ik wil u iets laten zien.' Ze staat op van de bank. 'Wacht maar even, ik ben zo terug.'

Annette loopt de kamer uit en Sofia hoort haar bij de dozen in de hal rommelen.

Een minuut of wat later komt ze terug met een kleine kartonnen doos, die ze op tafel zet.

Ze gaat weer op de bank zitten en tilt het deksel, waar de naam van haar dochter met inkt op is geschreven, eraf.

'Dit...' Annette haalt er een paar vergeelde vellen papier uit. 'Dit heb ik nooit begrepen.'

Ze schuift de cafetière opzij en legt drie tekeningen naast elkaar op de tafel.

Ze zijn alle drie gemaakt met kleurkrijt en in een kinderlijk handschrift gesigneerd met 'Linnea'.

Linnea vijf jaar, Linnea negen jaar en Linnea tien jaar.

Sofia wordt getroffen door de rijkdom aan details in de tekeningen en de voor de leeftijd ongewoon exacte weergave van de motieven. 'Ze heeft talent,' stelt ze meteen vast.

'Ik weet het. Maar dat is niet de reden dat ik u de tekeningen laat zien,' antwoordt Annette. 'Kijk er maar even rustig naar. Dan ga ik ondertussen nieuwe koffie zetten.'

Annette komt weer overeind, kreunt en sloft weg.

Sofia pakt een van de tekeningen in haar hand.

Die is ondertekend met 'Linnea 5 jaar', met een omgekeerde vijf, en stelt een blond meisje voor dat op de voorgrond naast een grote hond staat. Uit de bek van de hond hangt een enorme tong, die door Linnea van een heleboel stippen is voorzien. Smaakpapillen, denkt Sofia. Op de achtergrond staat een groot huis met daarvoor iets wat op een fonteintje lijkt. De hond zit vast aan een lange ketting en het valt Sofia op hoe nauwkeurig het meisje de schakels heeft getekend, die almaar kleiner worden, tot ze achter een boom op het erf verdwijnen.

Naast de boom heeft Linnea iets geschreven, maar Sofia kan niet lezen wat er staat.

Vanaf de tekens loopt een pijl naar de boom, waarachter een glimlachende, kromme man met een bril te zien is.

Achter een van de ramen van het huis staat een figuur naar de tuin gekeerd. Lang haar, een vrolijke mond en een lief neusje. Wat afwijkt van de verder zo zorgvuldig gedetailleerde tekening is dat Linnea de figuur geen ogen heeft gegeven.

Gezien het beeld dat Sofia van de familie Lundström heeft, is het niet moeilijk om te raden dat de figuur achter het raam Annette Lundström moet voorstellen.

Annette Lundström die niet zag. Die niet wilde zien.

Met dat uitgangspunt wordt het tafereel op het erf interessanter.

Linnea heeft geprobeerd duidelijk te maken dat er iets was wat Annette Lundström niet wilde zien. Maar wat?

Een kromme man met een bril en een hond met een grote, gespikkelde tong?

Nu ziet Sofia dat er U1660 staat.

U1660?

Verleden

We fietsen door de wereld, en spelen op straat, weg en plein.
Muziek kun je altijd maken, op de fiets is het ook fijn.

Victoria Bergman staat in de villa op Värmdö naar de fetisjfiguren aan de muur in de woonkamer te kijken.

Grisslinge is een gevangenis.

Ze weet niet waar ze met alle dode uren van de dag heen moet. De tijd stroomt als een onregelmatige vloed door haar heen.

Op sommige dagen weet ze niet meer dat ze wakker wordt. Op sommige dagen weet ze niet meer dat ze in slaap valt. Sommige dagen zijn weg.

Op andere dagen leest ze in de psychologieboeken, maakt lange wandelingen, gaat naar het water bij het zeebad of neemt de Mormors väg naar de Skärgårdsvägen, vervolgens de Riksväg 222 bijna kaarsrecht naar de Värmdöleden, waar ze bij de rotonde omkeert en terugloopt. De wandelingen helpen haar na te denken en de koude lucht op haar wangen herinnert haar eraan dat ze een grens heeft.

Ze is niet de hele wereld.

Ze gaat rechtop staan en haalt het gezichtsmasker dat op Solace uit Sierra Leone lijkt van de muur en houdt het voor haar gezicht. Het ruikt sterk naar hout, bijna als parfum.

Het masker draagt een belofte in zich van een ander leven, ergens anders, maar Victoria weet dat ze dat nooit zal ervaren. Ze is aan hem vastgeketend.

Ze ziet bijna niets door de kleine gaten in het masker. Ze hoort haar eigen ademhaling, voelt hoe de warmte van haar adem terugslaat en als een vochtig vlies op haar wangen gaat liggen. In de hal gaat ze voor de spiegel staan. Door het masker lijkt haar hoofd kleiner. Alsof ze zeventien is en het gezicht heeft van een kind van tien.

'Solace,' zegt Victoria. 'Solace Aim Nut. Nu zijn we een tweeling, jij en ik.'

Dan gaat de voordeur open. Hij is weer thuis van zijn werk.

Victoria doet meteen het masker af en rent terug naar de woonkamer. Ze weet dat ze niet aan zijn spullen mag komen.

'Wat ben je aan het doen?' Hij klinkt bars.

'Niets,' antwoordt ze en ze hangt het masker terug. Ze hoort het schoenenrek piepen en de kleerhangers tegen elkaar aan rammelen. Dan zijn voetstappen in de gang. Ze gaat op de bank zitten en pakt een tijdschrift van tafel.

Hij komt de kamer binnen. 'Praatte je met iemand?' Hij kijkt de kamer rond voordat hij plaatsneemt in de fauteuil naast de bank.

'Wat ben je aan het doen?' vraagt hij nog een keer.

Victoria slaat haar armen over elkaar en staart hem aan. Ze weet dat hij daar nerveus van wordt. Ze geniet als ze zijn paniek ziet groeien, als hij nerveus met zijn handen op de armleuningen slaat, voortdurend van houding verandert en geen woord weet uit te brengen.

Maar na een vrij lange stilte voelt ze zich onrustig worden. Ze merkt dat hij sneller gaat ademen. Zijn gezicht lijkt het op te geven. Het verliest zijn kleur en zakt in.

'Wat moeten we toch met jou, Victoria?' zegt hij gelaten, terwijl hij zijn gezicht in zijn handen verbergt. 'Als de gesprekken met de psycholoog niet gauw iets uithalen, weet ik niet wat we moeten doen,' zucht hij.

Ze antwoordt niet.

Ze ziet dat Solace hen zwijgend gadeslaat.

Ze lijken op elkaar, zij en Solace.

'Ga beneden de sauna aanzetten,' zegt hij resoluut en hij staat op. 'Mama komt zo thuis, dan gaan we eten.'

Victoria vindt dat er een redding zou moeten zijn. Een arm die uit een onverwachte hoek wordt uitgestoken en haar beetpakt, haar daarvandaan rukt. Of haar benen zouden sterk genoeg moeten zijn om haar ver weg te dragen. Maar ze is vergeten wat je moet doen als je weggaat, ze is vergeten hoe je je een doel stelt.

Na het eten hoort ze haar moeder in de keuken rommelen. Altijd maar vegen, stoffen en ruimen, en het leidt nooit ergens toe. Hoe ze ook schoonmaakt en opruimt, het ziet er altijd precies hetzelfde uit.

Victoria weet dat het allemaal een soort veilige zeepbel is, waar haar moeder in kan kruipen om niet te hoeven zien wat er om haar heen gebeurt, en als Bengt thuis is, rammelt ze extra hard met de pannen.

Victoria loopt de trap naar de kelder af en ziet dat haar moeder de kiertjes tussen de traptreden weer niet goed heeft schoongemaakt; daar liggen nog steeds naalden van de kerstboom.

Bengt had de boom in het Nackareservaat omgehakt en gezegd dat het belachelijk is om zo dicht bij een grote stad een natuurreservaat te hebben. Dat is contraproductief, remt de ontwikkeling van de infrastructuur en grondexploitatie. Het kost alleen maar geld en staat een hoogconjuncturele maatschappij in de weg.

De boom die ze afgelopen kerst in huis hadden gehad, was een protest tegen dat alles geweest.

Ze gaat naar de sauna, kleedt zich uit en wacht op hem.

Buiten is het februari en ijskoud, maar hier binnen is de temperatuur gestegen tot bijna negentig graden. Dat komt door het nieuwe effectieve sauna-aggregaat en hij heeft erover opgeschept hoe hij dat illegaal op het elektriciteitsnet heeft aangesloten. Hij kent iemand bij de elektriciteitsmaatschappij die hem heeft uitgelegd hoe hij dat moest doen en hij was trots geweest toen hij haar had verteld dat hij de communisten om de tuin had geleid die niet begrijpen dat de elektriciteitsindustrie moet worden vrijgegeven.

Net als de gezondheidszorg en het openbaar vervoer.

Zijn geniale inval heeft echter een stank met zich meegebracht.

Buiten de sauna bevindt zich een afvoerbuis van de keuken naar de kelder en de warmte van het nieuwe aggregaat versterkt de lucht van de afvoer.

De stank van uien en allerlei etensresten, bloedbrood, spek, rode bieten en zuur geworden room mengt zich met een lucht die aan benzine doet denken.

Dan komt hij naar beneden. Hij ziet er verdrietig uit. Aan de andere kant van de afvoerbuis staat haar moeder af te wassen, terwijl hij zijn handdoek afdoet.

Als ze haar ogen opent, staat ze met de handdoek om haar lichaam in de woonkamer. Ze begrijpt dat het weer is gebeurd. Ze is tijd kwijtgeraakt. Haar onderlichaam schrijnt, haar armen doen pijn en ze is dankbaar dat ze er de voorbije minuten of uren niet bij is geweest.

Solace hangt op haar plaats aan de muur in de woonkamer en Victoria loopt alleen naar haar kamer. Ze gaat op de rand van het bed zitten, gooit de handdoek op de grond en kruipt onder de dekens.

De lakens zijn koel en ze gaat op haar zij liggen en kijkt naar het raam. Door de februarikou barsten de ruiten bijna en ze hoort het glas in de harde omhelzing van de vijftien graden onder nul kermen.

Een raam met zes ruitjes. Zes ingelijste schilderijen waarin de jaargetijden elkaar sinds hun thuiskomst hebben opgevolgd. In de twee bovenste ruiten ziet ze de top van de boom, in de middelste het huis van de buren en de boomstam en de kettingen van haar oude schommel. In de onderste ruiten ziet ze een wit sneeuwdek en de rode plastic schommel, die door de wind heen en weer wordt bewogen.

In de herfst was het vergeeld gras geweest, daarna bladeren die van de boom vielen. En sinds half november een laag sneeuw die er elke dag anders heeft uitgezien.

Alleen de schommel verandert niet. Die hangt aan zijn kettingen achter de zes ruitjes die een door ijskristallen omgeven traliewerk vormen.

De Glasbruksgränd

De herfst raast over het water van het Saltsjön en wikkelt Stockholm in een deken van zware, vochtige lucht.

Vanaf de Glasbruksgatan op de Katarinaberg, aan de voet van Mosebacke, is Skeppsholmen door de regen amper te zien en het verder gelegen Kastellholmen ligt gehuld in een grijze nevel.

Het is even na zessen.

Ze stopt onder een lantaarnpaal, pakt het papiertje uit haar zak en controleert het adres nog een keer.

Ja, hier is het. Nu is het een kwestie van wachten.

Ze weet dat hij rond zes uur ophoudt met werken en een kwartier later thuiskomt.

Het kan natuurlijk zijn dat hij nog iets moet doen waardoor hij later komt, maar ze heeft geen haast. Ze wacht al zo lang dat een uurtje meer of minder niets uitmaakt.

Maar stel dat hij haar niet wil binnenlaten? Het hele plan is gebaseerd op de aanname dat hij haar zal vragen binnen te komen, en ze vervloekt zichzelf omdat ze geen alternatief heeft bedacht.

Het gaat harder regenen. Ze trekt haar kobaltblauwe jas strakker om zich heen en stampt met haar voeten om warm te blijven, terwijl haar maag in opstand komt van de zenuwen.

Wat moet ze doen als ze naar de wc moet? Ze kijkt in het rond, maar er is geen café in de buurt. Afgezien van een paar geparkeerde auto's is de straat helemaal leeg.

Als ze haar plan voor de derde keer doorneemt en de komende gebeurtenissen visualiseert, ziet ze een zwarte auto langzaam dichterbij komen. De ramen van de auto zijn getint, maar door de voorruit vangt ze een glimp op van een man alleen. De auto stopt schuin voor haar en parkeert vervolgens achteruit op een vrij plekje. Een halve minuut later gaat het portier open en hij stapt uit.

Ze herkent Per-Ola Silfverberg meteen en loopt op hem af. Hij kijkt naar haar, blijft staan en houdt een hand boven zijn ogen om beter te kunnen zien.

Haar eerdere vrees blijkt ongegrond. Hij glimlacht naar haar.

De glimlach van Per-Ola Silfverberg wekt herinneringen tot leven. Een groot huis in Kopenhagen, een boerderij op Jutland en een varkensslachterij. De stank van ammoniak en zijn vaste greep om het grote mes toen hij haar liet zien hoe je schuin omhoog moest snijden om bij het hart te komen.

'Nee maar, dat is een tijd geleden!' Hij loopt naar haar toe en omhelst haar stevig en hartelijk. 'Ben je hier toevallig of heb je met Charlotte gesproken?'

Ze vraagt zich af of het van belang is wat ze zegt en besluit dat het niets uitmaakt. Hij zal het waarheidsgehalte van haar antwoord toch niet kunnen controleren.

'Wat heet toevallig,' zegt ze en ze kijkt hem aan. 'Ik was in de buurt en herinnerde me dat Charlotte had verteld dat jullie hierheen waren verhuisd. En toen bedacht ik dat ik wel even langs kon gaan om te zien of jullie thuis waren.'

'Wat leuk!' Hij lacht, pakt haar onder haar arm en begint de straat over te steken. 'Charlotte komt jammer genoeg pas over een paar uur thuis, maar ga mee naar binnen, dan krijg je een kop koffie.'

Ze weet dat hij tegenwoordig bestuursvoorzitter van een grote investeringsmaatschappij is, een man die het even normaal vindt om te worden gehoorzaamd als dat hij het ongewoon vindt om te worden tegengesproken. Er zijn geen excuses om niet met hem mee te gaan en dat maakt alles veel makkelijker dan wanneer ze het zelf had moeten voorstellen.

'Ik hoef nergens naartoe, dus waarom niet?'

Zijn aanraking en de geur van zijn aftershave maken haar misselijk.

Ze voelt haar buik borrelen en weet dat ze meteen van het toilet gebruik zal moeten maken.

Hij toetst de portiekcode in, houdt de deur voor haar open en loopt achter haar aan de trap op.

Hij leidt haar rond door het enorme appartement en ze heeft al zeven kamers geteld als ze de woonkamer betreden. Die is smaakvol ingericht met dure maar discrete meubels met een Scandinavisch, licht design.

Twee grote ramen met uitzicht over heel Stockholm en rechts een groot balkon dat ruimte biedt aan zeker vijftien personen.

'Sorry, maar ik moet even naar het toilet,' zegt ze.

'Je hoeft je niet te verontschuldigen. Rechts in de hal.' Hij wijst. 'Koffie? Of wil je liever iets anders? Een glaasje wijn misschien?'

Ze loopt richting de hal. 'Een glaasje wijn lijkt me lekker. Maar alleen als jij ook neemt.'

'Goed, dan ga ik dat regelen.'

Ze gaat de wc in, voelt haar hart tekeergaan en in de spiegel boven de wastafel ziet ze een paar zweetdruppels op haar voorhoofd verschijnen.

Ze gaat op de wc-pot zitten en doet haar ogen dicht. De herinneringen komen boven en ze ziet Per-Ola Silfverbergs glimlachende gezicht, echter niet de vriendelijke zakenglimlach die hij haar zojuist heeft laten zien, maar de koude, lege.

Ze denkt eraan hoe ze samen met de mannen van de boerderij de ingewanden van de varkens heeft schoongemaakt voordat die tot bloedworst, varkensworst of leverworst werden gemalen. Aan zijn gevoelloze glimlach toen hij haar liet zien hoe de varkenskop hoofdkaas werd.

Als ze klaar is en haar handen wast, hoort ze ergens in het appartement een telefoon rinkelen.

Hygiëne is uiterst belangrijk bij de slacht en ze prent alles wat ze aanraakt in haar geheugen. Na afloop zal ze alle vingerafdrukken afvegen.

Per-Ola Silfverberg staat midden in de kamer en knikt hummend met de telefoon tegen zijn oor gedrukt. Ze loopt naar een van de grote olieverfschilderijen aan de muur en doet net of ze het kunstwerk aandachtig bekijkt, terwijl ze luistert naar wat hij zegt.

Als hij Charlotte aan de lijn heeft, zal alles in het honderd lopen.

Maar tot haar opluchting begrijpt ze algauw dat het een zakenrelatie is en dat het gesprek over zijn werk gaat.

Het enige wat haar zorgen baart, is dat hij heeft gezegd dat hij bezoek heeft en later terug zal bellen.

Hij stopt de telefoon in zijn zak, schenkt wijn in en geeft haar een glas.

'Nu moet je me vertellen waarom je hier bent gekomen en waar je al die jaren hebt uitgehangen.'

Ze tilt het wijnglas op, houdt haar neus boven de bolle kelk en haalt diep adem. Een chardonnay, denkt ze.

De man die ze haat, slaat haar gade terwijl ze een slokje wijn neemt en hem diep in de ogen kijkt. Ze slurpt hoorbaar en mengt de vloeistof met lucht, zodat de smaken naar voren treden.

'Ik neem aan dat er een reden is dat je ons na zo'n lange tijd komt opzoeken,' zegt de man die haar kwaad heeft gedaan.

Ze ervaart het karakter van de wijn als gecompliceerd. Een kruidige fruitsmaak van meloen, perzik, abrikoos en citrusvruchten. Ze proeft ook een vetje.

Ze slikt langzaam en genietend.

'Waar zal ik beginnen?'

Rechts schuin omhoog, denkt ze.

De Glasbruksgränd

Het alarm komt vlak voor negen uur binnen bij het politiebureau op Kungsholmen.

Een vrouw laat schreeuwend weten dat ze net is thuisgekomen en haar man dood heeft aangetroffen.

Volgens de wachtcommandant die het gesprek aannam had de vrouw, tussen de huilbuien door, het woord 'slachtpartij' gebruikt toen ze probeerde te vertellen wat ze zag.

Jens Hurtig is eigenlijk op weg naar huis als de melding binnenkomt, maar omdat hij toch geen plannen heeft voor de avond, vindt hij het een goede gelegenheid om wat compensatie-uren te verdienen.

Twee weken in een warm land is een heerlijk vooruitzicht en hij heeft al besloten om zijn vakantie op te nemen als het weer hier op z'n ergst is.

Hoewel de winter in Stockholm meestal vrij zacht is en op geen enkele manier met de sneeuwhel van zijn jeugd in Kvikkjokk kan worden vergeleken, vindt hij het een paar weken per jaar bijna ondraaglijk in de koninklijke hoofdstad.

Toen hij het klimaat in Stockholm voor zijn ouders, die nooit ten zuiden van Boden zijn geweest, had geprobeerd te beschrijven, had hij het een 'niks-met-niks-weer' genoemd.

Het is geen winter, maar ook niets anders.

Het is alleen maar onaangenaam. Koud, regenachtig, en om het nog erger te maken is er ook nog de bijtende wind van de Oostzee.

Vijf graden boven nul voelt als vijf graden onder nul.

Dat komt door de vochtigheid. Al dat vervloekte water.

De enige stad ter wereld met slechter winterweer dan Stockholm is misschien Sint-Petersburg, aan de andere kant van de Oostzee, ver in de Finse Golf, gebouwd op een moeras. Zweden bouwden daar als eersten een stad, voordat de Russen het overnamen. Die waren even masochistisch aangelegd als de Zweden.

Je moet als het ware genieten van de ellende.

Het verkeer op de Centralbrug staat zoals gebruikelijk stil en hij moet de sirene aanzetten om vooruit te komen, maar hoe graag de mensen hem ook langs willen laten, ze kunnen nergens naar de kant uitwijken.

Hij zigzagt tussen de rijen auto's door tot hij de afslag naar Stadsgården bereikt, waar hij links afslaat naar de Katarinavägen. Hier is het minder druk en hij trapt het gaspedaal tot op de bodem in.

Als hij La Mano passeert, het gedenkteken voor de Zweden die in de Spaanse Burgeroorlog zijn gesneuveld, rijdt hij harder dan 140 kilometer per uur.

Hij geniet van de snelheid en beschouwt dit ritje als een privilege dat bij zijn werk hoort.

De aanhoudende regen heeft de rijbaan glad gemaakt en bij het Tjärhovsplan krijgt hij last van aquaplaning en verliest bijna de macht over het stuur. Hij trapt de koppeling in en als hij merkt dat de banden weer houvast hebben, slaat hij rechts af naar de Tjärhovsgatan. Daar geldt eenrichtingsverkeer, net als in de Nytorgsgatan, maar daar is niets aan te doen en hij hoopt dat hij geen tegenliggers ontmoet.

Hij parkeert voor de portiek, waar al twee politiebusjes met blauwe zwaailichten staan.

Bij de ingang komt hij een voor hem onbekende collega tegen die op weg is naar buiten. De man heeft zijn pet afgedaan en houdt die krampachtig vast in zijn hand, en Hurtig ziet dat zijn gezicht krijtwit is. Wit op de grens van groen, en Hurtig doet een pas opzij zodat de man net op tijd buiten komt om over te geven. Halverwege de trap hoort Hurtig zijn jongere collega op straat snikken.

Arme donder, denkt hij. De eerste keer is nooit leuk. Nee, het is nooit leuk. Je went er nooit aan. Je raakt misschien afgestompt, maar dat maakt je geenszins tot een betere politieagent, al wordt het misschien makkelijker om je werk te doen.

Door de gewenning kan het taalgebruik op een buitenstaander spottend en gevoelloos overkomen. Maar het is ook een strategie om afstand te scheppen.

Als Jens Hurtig het appartement binnenstapt, is hij blij met de gewenning.

Tien minuten later realiseert hij zich dat hij Jeanette Kihlberg moet bellen voor assistentie, en als ze vraagt wat er aan de hand is, beschrijft hij het gebeurde als het meest gruwelijke van alle gruwelijkheden die hij in zijn hele carrière heeft meegemaakt.

Gamla Enskede

Lieve Johan, denkt ze. De wereld gaat niet ten onder omdat de volwassenen zich slecht gedragen.

Je zult zien dat alles goed komt.

'Sorry. Dit was niet de bedoeling...' Ze buigt zich naar voren en geeft hem een zoen op zijn wang. 'Je moet goed onthouden dat ik je nooit in de steek zal laten. Ik ben er voor jou en dat is Åke ook, dat beloof ik je.'

Van het laatste is ze niet helemaal overtuigd, maar diep vanbinnen denkt ze niet dat Åke Johan aan zijn lot zal overlaten. Dat kan hij gewoon niet.

Ze komt voorzichtig overeind van zijn bed en voordat ze de deur dichtdoet, draait ze zich om en kijkt nog een keer naar hem.

Hij slaapt al en ze vraagt zich nog steeds af wat ze met hem aan moet als de telefoon gaat.

Jeanette neemt op en is teleurgesteld als ze hoort dat het Hurtig is. Eventjes had ze gehoopt dat het Sofia zou zijn.

'En, wat is er nu weer aan de hand? Het moet wel heel belangrijk zijn, want anders word ik...'

Hurtig onderbreekt haar meteen. 'Ja, het is belangrijk.'

Hij zwijgt en op de achtergrond hoort Jeanette het geluid van opgewonden stemmen. Volgens Hurtig zit er voor Jeanette niets anders op dan terug te komen naar de stad.

Wat hij zojuist heeft gezien is niet menselijk.

'Een of andere zieke klootzak heeft de man minstens honderd keer met een mes gestoken, hem in stukken gesneden en daarna met een gewone roller het hele appartement geverfd!'

Shit, denkt ze. Niet nu.

'Ik kom zo gauw ik kan. Geef me twintig minuten.'

Zo snel laat ik Johan dus weer aan zijn lot over.

Ze verbreekt de verbinding en schrijft een kort briefje voor Johan voor het geval hij wakker wordt. Omdat hij soms bang is in het donker, doet ze alle lampen in huis aan. Daarna stapt ze in haar auto en rijdt terug naar Södermalm.

Een beestachtige moord is wel het laatste waar ze op dit moment behoefte aan heeft. Behalve de zorgen om Johan zit ze ook nog met het stopgezette onderzoek.

Karl Lundström en Viggo Dürer.

En niet in de laatste plaats Victoria Bergman. Dat spoor had door de reactie van de rechtbank in Nacka een heel abrupt eind gekregen.

Het is minder hard gaan regenen, maar hier en daar liggen nog grote plassen en ze durft niet te hard te rijden uit angst voor aquaplaning. Het is koud. De thermometer bij de Hammarby-fabrieken staat op elf graden.

De takken van de bomen in het Kolerapark zijn gehuld in herfstkleuren en als ze vanaf de Johanneshovsbrug naar de stad kijkt, vindt ze het er fantastisch uitzien.

Edsviken

'Wilt u nog een kopje?' Annette Lundström hoest en morst bijna koffie.
'Ja, graag.'

Annette gaat zitten en schenkt in.

'Wat denkt u er zelf van?'

'Ik weet het niet...'

Sofia kijkt naar de andere tekeningen. Op de ene is een kamer te zien met een gezelschap dat uit drie mannen bestaat, een meisje dat op een bed ligt en een figuur met een afgewend hoofd. De andere is abstracter en moeilijk te interpreteren, maar hier staat de figuur twee keer op. In het midden van de afbeelding heeft de figuur, die wordt omgeven door een wirwar van gezichten, geen ogen en in de linkerbenedenhoek is nog een figuur te zien die bezig is uit de tekening te verdwijnen. Alleen het halve lichaam is zichtbaar, niet het gezicht.

Ze vergelijkt deze tekening met de eerste. Dezelfde figuur zonder ogen die vanuit een raam naar een tafereel in de tuin kijkt. Een grote hond en een man achter een boom. U1660?

'Wat begrijpt u niet aan de tekeningen?' vraagt Sofia van boven haar beker.

Annette Lundström glimlacht onzeker. 'De figuur zonder ogen. Ik liet Linnea de tekeningen een keertje zien en zei dat ze vergeten was diegene ogen te geven, maar toen antwoordde ze alleen dat het zo moest zijn. Ik neem aan dat het een zelfportret is, dat de figuur Linnea voorstelt. Maar ik begrijp niet wat ze ermee wil zeggen. Want iets moet er toch zijn? Ik weet niet of het haar manier is om te laten zien dat ze net deed alsof er niets aan de hand was.'

Hoe blind kun je zijn, denkt Sofia. Deze vrouw heeft haar hele leven haar ogen gesloten. Nu denkt ze dat ze dat kan compenseren door tegenover een psycholoog te bekennen dat ze iets vreemds ziet in de oude tekeningen van haar dochter. Een lamme bekrachtiging waarmee ze wil zeggen dat zij het ook ziet, maar pas nu. De schuld wordt afgeschoven op de echtgenoot en zij pleit zich vrij van betrokkenheid.

'Weet u wat dit betekent?' vraagt Sofia en ze wijst naar de tekens naast de boom op de eerste tekening. 'U1660?'

'Ik begrijp dan misschien niet veel, maar dit begrijp ik in elk geval wel. Linnea kon destijds nog niet schrijven en moest zijn naam dus natekenen. Die gebochelde man achter de boom.'

'En wie is dat?'

Annette glimlacht geforceerd. 'Er staat niet U1660. Er staat Viggo. Het is Viggo Dürer, de man van mijn vriendin. Linnea heeft het huis in Kristianstad getekend. Ze kwamen vrij vaak bij ons op bezoek, al woonden ze toen in Denemarken.

Sofia schrikt even. De advocaat van haar ouders.

Kijk uit voor die man.

Annette ziet er plotseling verdrietig uit.

'Henrietta, een van mijn beste vriendinnen, was getrouwd met Viggo. Ze is vorig jaar omgekomen bij een ongeluk. Ik geloof dat Linnea een beetje bang was voor Viggo en daarom wil ze hem misschien niet zien op de tekening. Ze was ook bang voor de hond. Het was een rottweiler; hij lijkt trouwens echt goed.' Annette pakt de tekening op en kijkt er beter naar. 'En daar heb je ons zwembad.' Ze wijst naar wat Sofia eerst voor een fontein had aangezien. 'Ze kon best goed tekenen, vindt u ook niet?'

Sofia knikt. 'Maar als u denkt dat Linnea zonder ogen achter het raam staat, wie is dan het meisje naast de hond?'

Annette glimlacht plotseling. 'Dat ben ik waarschijnlijk. Hier heb ik mijn rode jurk aan.' Ze legt de eerste tekening neer en pakt de tweede. 'En hier lig ik op bed te slapen, terwijl de mannen feestvieren.' Ze glimlacht gegeneerd bij de herinnering.

Sofia wordt misselijk als ze naar Annette kijkt. De blik achter de lach is leeg en met haar magere trekken lijkt ze net een vogel. Een struisvogel die zijn kop in het zand steekt.

Voor Sofia is het glashelder wat Linnea's tekeningen voorstellen. Annette Lundström verwart zichzelf met het meisje op de afbeeldingen en voor haar wordt de nu eens oogloze, dan weer afgewende en vluchtende figuur Linnea.

Annette Lundström is niet in staat om te zien wat zich in haar nabijheid heeft afgespeeld.

Terwijl Linnea al sinds haar vijfde alles begrijpt.

Sofia weet dat ze een gesprek met Linnea Lundström moet zien te regelen, met of zonder hulp van haar moeder.

'Vindt u het goed dat ik een foto van de tekeningen maak?' Sofia reikt naar haar handtas, waar haar mobieltje in zit. 'Misschien schiet me later iets te binnen.'

'Ja, dat is prima.'

Sofia pakt haar mobieltje, neemt een paar foto's van Linnea's tekeningen en staat dan op.

'Ik moet weer gaan. Wilde u het nog over iets anders hebben?'

'Nee, eigenlijk niet,' zegt Annette. 'Maar ik had, zoals gezegd, gehoopt dat u met Linnea wilde praten.'

Sofia blijft even staan.

'Als u dat wilt, kunnen we samen naar Danderyd gaan. Het hoofd van de psychiatrische afdeling is een oude kennis van me. Als we haar de situatie uitleggen en onze kaarten goed spelen, laat ze me misschien met Linnea praten.'

Als Sofia Zetterlund de Norrtäljevägen op rijdt, is het bijna zes uur. Het bezoek aan Annette Lundström heeft langer geduurd dan ze had gedacht, maar het is heel nuttig geweest.

Viggo Dürer? Waarom kan ze zich hem niet herinneren? Ze hebben telefonisch de boedelbeschrijving opgemaakt. Ze weet nog welke aftershave hij gebruikte. Old Spice en Eau de Vie. Dat is het enige.

Maar Sofia begrijpt dat Victoria Viggo Dürer heeft gekend. Zo moet het zijn.

Ze passeert het Danderyd-ziekenhuis en de brug over het Stocksundet. Bij Bergshamra moet ze abrupt remmen, omdat er vanwege wegwerkzaamheden verderop een file is ontstaan. Het verkeer kruipt langzaam vooruit.

Ze is rusteloos en zet de radio aan. Een zachte vrouwenstem vertelt hoe het is om met eetstoornissen te leven. Het onvermogen om te eten en te drinken uit angst om te slikken, een fobie veroorzaakt door een trauma.

Fundamentele lichamelijke reflexen die buiten werking worden gesteld. Wat lijkt het eenvoudig.

Sofia denkt aan Ulrika Wendin en Linnea Lundström.

Twee jonge meisjes wier problematiek voortkomt uit handelingen die zijn verricht door een man die Sofia recentelijk in het Huddinge-ziekenhuis heeft onderzocht. Karl Lundström.

Ulrika Wendin eet niet, Linnea Lundström praat niet.

Ulrika en Linnea zijn de consequenties van de handelingen van één enkele man, en binnenkort zullen ze tegenover haar zitten voor het vervolg op zijn verhaal.

De zachte vrouwenstem op de radio en de lampen van het kruipende verkeer in de nevelige duisternis brengen Sofia in een bijna hypnotische toestand.

Ze ziet twee hologige en ingevallen gezichten en Ulrika's vermagerde verschijning vloeit samen met die van Annette Lundström.

Dan dringt het ineens tot haar door wie Annette Lundström is. Of liever gezegd: was.

Het is bijna vijfentwintig jaar geleden. Haar gezicht was ronder geweest en ze had gelachen.

De slakkenhuizen

luisteren naar de leugens. Hij mag het onware niet binnenlaten, want dan zal het zijn maag bereiken en zijn lichaam vergiftigen.

Hij heeft eerder al geleerd niet te praten en nu probeert hij zich aan te leren niet naar de woorden te luisteren.

Als kind ging hij vaak naar de pagode van de Gele Kraanvogel in Wuhan om naar een monnik te luisteren.

Iedereen zei dat de oude man gek was. Hij sprak een vreemde taal die niemand begreep en hij stonk en was vies, maar Gao Lian mocht hem graag omdat zijn woorden die van Gao werden.

De monnik gaf hem geluiden die Gao tot de zijne maakte als ze zijn oren bereikten.

Wanneer de blonde vrouw zachte geluiden in mooie melodieën maakt, denkt hij aan de monnik en dan raakt zijn hart vervuld van een heerlijke warmte die alleen van hem is.

Gao tekent met de krijtjes die zij hem heeft gegeven een groot, zwart hart.

de maag
verteert de leugens als je niet voorzichtig bent, maar zij heeft hem geleerd dat hij zich kan beschermen wanneer het zuur in zijn maagzak zich vermengt met zijn lichaamssappen.

Gao Lian uit Wuhan proeft het water en het smaakt zout.

Ze zitten lang tegenover elkaar en Gao geeft haar van zijn eigen water.

Na een tijdje komt er geen water meer uit hem. In plaats daarvan stroomt er bloed uit zijn hals en dat smaakt rood en een beetje zoet.

Gao zoekt naar iets wat zuur smaakt en daarna naar iets bitters.

Als ze hem alleen heeft gelaten, blijft hij op de vloer zitten en rolt een krijtje tussen zijn vingers heen en weer tot zijn huid zwart kleurt.

Hij maakt elke dag nieuwe tekeningen en hij merkt dat hij zijn innerlijke beelden steeds beter op het papier kan overbrengen. Zijn hand en zijn arm hinderen hem niet langer. Zijn hersenen hoeven zijn hand niet te vertellen wat die moet doen. Die gehoorzaamt en trekt zijn idee niet in twijfel. Het is zo eenvoudig. Hij verplaatst de beelden gewoon van een punt in zijn fantasie, via zijn arm en zijn hand, naar het papier.

Hij leert hoe hij de zwarte schaduwen moet gebruiken om het witte te versterken en in de ontmoeting tussen de contrasten creëert hij nieuwe effecten.

Hij tekent een huis dat in brand staat.

Het Pathologisch Instituut

Het gedeeltelijk in stukken gesneden lichaam ligt op een rolwagen van roestvrij staal. Gapende diepe incisies in de armen en benen laten zien waar Ivo Andrić delen van Per-Ola Silfverbergs skelet heeft blootgelegd om de verwondingen nader te kunnen vaststellen.

De vingers en handpalmen van Per-Ola Silfverberg hebben diepe snijwonden die aantonen dat hij heeft geprobeerd zich te verdedigen door het lemmet van het mes vast te grijpen, en het is duidelijk dat hij voor zijn leven heeft gevochten tegen een overmachtige tegenstander.

De dader, of daders, heeft de polsslagader van de rechteronderarm doorgesneden en het lichaam vertoont sporen van een groot aantal messteken, alsof iemand de man keer op keer in razernij met het mes heeft bewerkt.

De sectie laat talloze blauwe plekken zien en de hals vertoont verwondingen van een wurggreep.

Een harde klap heeft een paar vingerkootjes verbrijzeld en diverse kleine bloedingen in de spieren van de borstkas wijzen erop dat de dader Per-Ola Silfverberg met zijn eigen lichaamsgewicht op de grond kan hebben gedrukt.

Naar alle waarschijnlijkheid vermoord en vervolgens in stukken gesneden.

De wijze waarop het bekken is leeggehaald en alle organen en ingewanden zijn verwijderd wijst op een persoon met anatomische kennis. Tegelijk zijn er ook tekenen van een ruwe en onkundige aanpak.

Het lichaam is in stukken gesneden met een scherp voorwerp, zoals een stevig enkelzijdig mes. De positie van de sneden doet vermoeden dat het snijwerk door twee personen is uitgevoerd.

Het totaalbeeld wekt de indruk van grove overdrijving en het meeste wijst op een dader die sadistisch is aangelegd.

In zijn rapport aan Jeanette Kihlberg schrijft Ivo Andrić: 'Met sadisme wordt in dit verband bedoeld dat een individu wordt geprikkeld als hij of zij anderen pijn doet of vernedert. Verder leert de praktijk van de forensische geneeskunde dat een moordenaar van het type dat Silfverberg van het leven heeft beroofd vaak de neiging heeft om zijn daad op een min of meer vergelijkbare manier te herhalen, op min of meer vergelijkbare slachtoffers. In een moeilijke en zeldzame zaak als deze dient de relevante literatuur grondig te worden bestudeerd, wat zeer tijdrovend is. Je hoort nog van me.'

Ivo Andrić moet aan de verminking van Catrine da Costa denken. Een van de hoofdverdachten had hier in Solna gewerkt en Ivo's voormalige chef was zelfs zijn scriptiebegeleider geweest.

Twee personen die allebei verschillende kennis bezitten van anatomie.

Kronoberg

'Industrieel op brute wijze vermoord' luidt de kop en als Jeanette de krant openslaat, ziet ze dat Per-Ola Silfverbergs hele leven en carrière in kaart zijn gebracht. Hij was opgegroeid in een vermogend gezin en had na zijn eindexamen industriële economie gestudeerd, Chinees geleerd en al vroeg ingezien dat exportbedrijven zich op de Aziatische markt moesten richten.

Hij was naar Kopenhagen verhuisd en directeur geworden van een firma die speelgoed vervaardigde.

In verband met een strafrechtelijk onderzoek dat later was geseponeerd, waren hij en zijn vrouw weer teruggegaan naar Zweden. Dat was dertien jaar geleden en nergens stond te lezen waarvan hij was verdacht. In Zweden had hij algauw naam gemaakt als een bekwaam manager en in de loop van de jaren had hij steeds meer prestigieuze bestuurstaken gekregen.

Jens Hurtig komt de kamer binnen, gevolgd door Schwarz en Åhlund.

'Ivo Andrić heeft zijn rapport opgestuurd, ik heb het vanochtend gelezen.' Hurtig overhandigt haar een stapel papieren.

'Mooi, dan kun jij ons vertellen wat hij te zeggen heeft.'

Schwarz en Åhlund zijn vol verwachting. Hurtig schraapt zijn keel voordat hij begint en Jeanette vindt dat hij een beetje angstig lijkt.

'Om te beginnen beschrijft Ivo Andrić hoe het er in het appartement uitzag, maar dat weten we al omdat we daar zelf zijn geweest, dus dat sla ik over.' Hij stopt even, bladert in de papieren en gaat verder.

'Eens kijken, hier staat: "Bij het slachten wordt het mes in een speciale hoek in het lichaam gestoken om bij de grote bloedvaten rond het hart te kunnen komen."'

'Alle mannen zijn dieren, vind je ook niet?' zegt Schwarz met een grijns, waarop Hurtig zijn blik op Jeanette richt om haar commentaar te horen.

'Ik ben geneigd om het met Schwarz eens te zijn dat het een symbolische moord lijkt, maar ik betwijfel of het feit dat Per-Ola Silfverberg een man was zijn grootste schuld is. Ik denk eerder aan de term vuile kapitalist, maar laten we niet op die gedachtegang voortborduren.'

Jeanette geeft Hurtig met een knikje te kennen dat hij verder kan gaan.

'De sectie op Per-Ola Silfverberg laat nog een ongewoon type steekwond zien. De wond bevindt zich op de hals van de man. Het mes is onder de huid in de hals gestoken en omgedraaid, waarna de huid van onderaf is losgetornd.' Hurtig kijkt het verzamelde groepje aan. 'Ivo heeft nooit eerder een dergelijke wond gezien. De manier waarop de polsslagader in de arm van het slachtoffer is doorgesneden, was ook ongebruikelijk. Dit duidt erop dat de dader vanuit bepaalde anatomische kennis heeft gehandeld.'

'Het gaat dus niet om een arts, maar een jager of een slachter zou denkbaar zijn,' oppert Åhlund.

Hurtig haalt zijn schouders op. 'Verder suggereert Ivo dat er sprake is van meer dan één dader. Het aantal steken en het feit dat sommige door een rechtshandig persoon zijn uitgevoerd en andere door een linkshandig iemand duiden daarop.'

'De ene dader beschikt misschien over goede anatomische kennis en de andere niet?' vraagt Åhlund, terwijl hij wat aantekeningen maakt in het notitieblok dat voor hem ligt.

'Dat is mogelijk,' antwoordt Hurtig aarzelend en hij kijkt naar Jeanette, die knikt zonder iets te zeggen. Losse draden, meer is het niet, denkt ze.

'Wat zegt zijn vrouw?' vraagt ze. 'Heeft zij het idee dat Per-Ola werd bedreigd?'

'We hebben gisteren geen zinnig woord uit haar gekregen,' antwoordt Hurtig. 'Maar we gaan later nog een keer met haar praten.'

'Het slot was in elk geval intact, dus waarschijnlijk was het iemand die hij kende,' begint Jeanette, maar ze wordt onderbroken door een klop op de deur. Ze zwijgen een paar tellen; dan gaat de deur open en stapt Ivo Andrić naar binnen.

Jeanette ziet dat Hurtig opgelucht uitademt. Het weergeven van de inhoud van het rapport had hem kennelijk veel inspanning gekost.

Die kant had ze niet eerder bij hem gezien.

'Ja, ik was toch in de buurt,' zegt Ivo.

'Je hebt dus nog meer?' vraagt Jeanette.

'Ja, hopelijk een wat helderder beeld,' zucht Ivo. Hij doet zijn honkbalpet af en gaat naast Jeanette op de tafel zitten.

'Stel,' begint hij, 'Silfverberg komt de dader op straat tegen en gaat vrijwillig mee naar zijn woning. Omdat zijn lichaam geen sporen vertoont die erop wijzen dat hij zou zijn vastgebonden, is het contact met de dader aanvankelijk een normaal samenzijn geweest, dat vervolgens uit de hand is gelopen.'

'Dat is wel het minste wat je kunt zeggen,' merkt Schwarz op.

Ivo Andrić reageert niet, maar vervolgt: 'Toch denk ik dat de moord was voorbereid.'

'Wat brengt je tot die conclusie?' Åhlund kijkt op van zijn notitieblok.

'De dader lijkt niet dronken te zijn geweest en vertoont waarschijnlijk geen zichtbare tekenen van een psychische ziekte. We hebben twee wijnglazen gevonden, maar die waren allebei grondig afgedroogd.'

'Wat kun je zeggen over het in stukken snijden van het lichaam?' vraagt Åhlund.

Jeanette zegt niets. Ze luistert en slaat haar collega's gade.

'Dat is vermoedelijk in de badkamer gebeurd en lijkt niet op het zogeheten transportklaar maken van een geslacht dier.'

Ivo Andrić beschrijft in welke volgorde de lichaamsdelen waarschijnlijk van het lichaam zijn gesneden en hoe de dader ze in het appartement heeft neergelegd. Hoe het appartement, gedurende de nacht en de ochtend, grondig is onderzocht op sporen. De watersloten in de badkamer zijn nagekeken, evenals de afvoerbuizen en het rooster van het afvoerputje.

'Wat opvalt, is dat de dijen met slechts een paar incisies vakkundig van de heupgewrichten zijn verwijderd en dat de onderbenen met dezelfde vakkundigheid zijn losgesneden van de kniegewrichten.'

Ivo is klaar en Jeanette sluit af door twee vragen in de groep te gooien, niet gericht aan iemand in het bijzonder.

'Wat zegt het in stukken snijden van het lichaam ons over de persoonlijkheid van de dader? En zal hij het weer doen?'

Jeanette kijkt de anderen een voor een doordringend aan.

Ze zitten zwijgend in de zuurstofarme vergaderkamer, verenigd door machteloosheid.

Het Klara sjö

Het Klara sjö is helemaal niet helder, zoals het woord 'klaar' doet vermoeden; het is een smerig watergebied, ongeschikt om te vissen en te zwemmen.

Het stroomgebied is groot en de lokale industrieën en het verkeer op de Klarastrandsleden hebben enorme verontreinigingen veroorzaakt in de vorm van zeer hoge concentraties stikstof, fosfor en een lange reeks metalen en organische verbindingen. Er is vrijwel geen zichtdiepte, net zomin als bij het nabijgelegen Openbaar Ministerie.

Een onderzoeksstaf heeft zijn eigen hiërarchie. Er is een hoofd en er zijn een paar rechercheurs en elke zaak heeft een vooronderzoeksleider, de officier van justitie, die de zichtdiepte bepaalt.

Kenneth von Kwist bladert door de stapel foto's van Per-Ola Silfverberg.

Dit is gewoon te veel, denkt hij. Ik kan niet meer hebben.

Als de officier in staat was geweest zijn gevoel om te zetten in een symbolisch beeld, zou hij zichzelf in kleine stukjes uiteen hebben zien barsten, zoals wanneer een spiegel door een kogel wordt getroffen en de glasscherven niet groter zijn dan een duimnagel. Dat vermogen mist hij echter en hij maakt zich alleen maar zorgen omdat hij te maken heeft gehad met de verkeerde mensen.

Als Viggo Dürer er niet was geweest, had Von Kwist kalm en onbezorgd de dagen tot zijn pensionering kunnen aftellen.

Eerst Karl Lundström, daarna Bengt Bergman en nu dus Peo Silfverberg. Allemaal aan hem voorgesteld door Viggo Dürer, maar het zijn geen mensen die de officier ooit als goede vrienden heeft beschouwd. Hij had met hen te maken gehad, en dat was alles.

Maar zou een nieuwsgierige journalist daar genoegen mee nemen? Of een ijverige rechercheur als Jeanette Kihlberg?

Uit eigen ervaring weet hij dat je alleen mensen kunt vertrouwen die onvervalst zelfzuchtig zijn. Zij volgen altijd een bepaald patroon en je weet precies hoe ze zullen handelen.

Maar als je te maken hebt met iemand als Jeanette Kihlberg, iemand met een onderliggend gevoel voor rechtvaardigheid, dan is de situatie niet even voorspelbaar. De enige mensen die je met goed resultaat om de tuin kunt leiden, zijn de echte egoïsten.

Hij weet dus dat het geen zin heeft om te proberen Jeanette Kihlberg op de gewone manier van zich af te houden. Hij moet er domweg voor zorgen dat ze geen toegang krijgt tot het materiaal waarover hij beschikt en hij is zich er terdege van bewust dat wat hij nu op het punt staat te doen crimineel kan worden genoemd.

Uit de onderste la van zijn bureau pakt hij een dertien jaar oude map; daarna zet hij de papierversnipperaar aan. Het apparaat maakt een fluitend geluid en voordat hij de papieren erin stopt, leest hij wat Per-Ola Silfverbergs Deense advocaat had gezegd.

De beschuldigingen zijn groot in aantal, niet gepreciseerd in tijd en plaats, en daardoor bijzonder moeilijk te weerleggen. De afloop van de zaak berust in hoofdzaak op de verhalen van het meisje en de mate waarin er geloof kan worden gehecht aan haar verklaringen.

Langzaam stopt hij het vel papier in de shredder. Hij hoort geritsel en even later komen er kleine, smalle, onleesbare strookjes uit.

Het volgende vel.

Het overige bewijs dat in de zaak is aangevoerd, kan het geloof in de verklaringen van het meisje ofwel versterken, ofwel verkleinen. Ze heeft tijdens de verhoren verteld over bepaalde handelingen die Per-Ola Silfverberg bij haar zou hebben verricht. Ze was echter niet in staat de verhoren te voltooien. Daarom zijn sommige verklaringen alleen te zien in de videoverhoren van de politie met het meisje.

Meer vellen papier, meer strookjes.

De verdediging heeft bezwaar gemaakt tegen de videoverhoren omdat de verhoorder suggestieve vragen heeft gesteld en antwoorden heeft uitgelokt. Verder had het meisje een motief om Per-Ola Silfverberg van de handelingen te beschuldigen. Als ze kon aantonen dat Per-Ola Silfverberg de oorzaak was van haar psychische ongezondheid, zou ze het pleeggezin mogen verlaten en teruggaan naar Zweden.

Teruggaan naar Zweden, denkt officier van justitie Kenneth von Kwist, en hij schakelt de papierversnipperaar uit.

Verleden

Er is geen goede reden om opnieuw te beginnen, had hij gezegd.
Jij bent altijd van mij geweest en dat zal altijd zo blijven.
Ze had het gevoel alsof ze twee personen was.
Een die van hem hield en een die hem haatte.

De stilte voelt als een vacuüm.

De hele reis naar Nacka ademt hij zwaar en luid door zijn neus en dat geluid neemt haar volledig in beslag.

Als ze het ziekenhuis bereiken, zet hij de motor uit.

'Daar zijn we dan,' zegt hij en Victoria stapt uit. Het portier valt met een dof geluid dicht en ze weet dat hij in de ontstane stilte zal blijven zitten.

Ze weet ook dat hij daar blijft; daarom hoeft ze niet om te kijken om zich ervan te vergewissen dat de afstand tussen hen echt groter wordt. Haar passen worden elke meter dat ze zich van hem verwijdert lichter. Haar longen groeien en ze vult ze met lucht die heel anders is dan de lucht die om hem heen hangt. Zo fris.

Zonder hem zou ik niet ziek zijn, denkt ze.

Zonder hem zou ik niets zijn, weet ze, maar ze maakt de gedachte niet af.

Haar therapeut is de pensioengerechtigde leeftijd gepasseerd, maar werkt nog wel.

Ze is zesenzestig, even wijs als haar leeftijd. In het begin was het moeizaam geweest, maar na een paar sessies had Victoria gemerkt dat ze zich steeds makkelijker kon openstellen.

Als ze de praktijk binnenstapt, ziet Victoria als eerste de ogen.

Daar verlangt ze vooral naar. Daar kan ze in landen.

De ogen van de vrouw helpen Victoria zichzelf te begrijpen. Ze zijn oeroud, hebben alles gezien en zijn betrouwbaar. Ze raken niet in paniek en ze zeggen niet dat ze gek is, maar ze zeggen ook niet dat ze gelijk heeft, of dat ze haar begrijpen.

De ogen van de vrouw flemen niet.

Daarom kan Victoria erin kijken en zich rustig voelen.

'Wanneer was de laatste keer dat je je echt goed voelde?' De therapeut begint elk gesprek met een vraag, die ze vervolgens gedurende de hele sessie als referentiepunt gebruikt.

Victoria sluit haar ogen zoals de therapeut haar heeft geleerd te doen als ze niet meteen antwoord kan geven op de vragen die haar worden gesteld.

Denk naar binnen, zeg wat je voelt in plaats van te proberen het goede antwoord te geven.

Er bestaat geen goed. Er bestaat geen fout.

'Toen ik laatst mijn vaders overhemden had gestreken, zei hij dat ze perfect waren.' Victoria glimlacht, want ze weet dat alle kreukels eruit waren en dat de boorden precies goed waren gesteven.

Deze ogen geven haar de volledige aandacht, ze zijn er alleen voor haar.

'Als je iets mocht kiezen om de rest van je leven te doen, zou dat dan overhemden strijken zijn?'

'Nee, absoluut niet!' barst Victoria uit. 'Overhemden strijken is hartstikke vervelend.' En ineens realiseert ze zich wat ze heeft gezegd, waarom ze het heeft gezegd en hoe het eigenlijk zou moeten zijn. 'Ik verplaats vaak spullen op zijn bureau en in zijn ladekast,' gaat ze in één adem door, 'om te kijken of hij iets merkt als hij thuiskomt. Dat doet hij bijna nooit, zelfs niet de keer dat ik zijn overhemden in de kleerkast volgens de grijsschaal had gesorteerd. Van wit via verschillende grijstinten naar zwart.'

De ogen kijken haar vol belangstelling aan. 'Interessant. Maar de laatste keer dat je zijn overhemden had gestreken gaf hij je dus een compliment?'

'Ja, ik geloof van wel.'

'Hoe gaat het met je studie?' vraagt de oude vrouw zonder op Victoria's antwoord te reageren.

'Gewoon.' Victoria haalt haar schouders op.

'Wat voor beoordeling kreeg je voor je laatste werkstuk?'

Victoria aarzelt.

Natuurlijk weet ze het nog wel, maar ze heeft geen idee hoe ze het over haar lippen moet krijgen.

De vrouw wacht op haar antwoord en Victoria ademt lucht in van de kamer waarin ze zitten; ze voelt hoe de zuurstof door haar bloedsomloop trekt en haar steeds verder opwekt.

Ze voelt haar benen, haar armen, de spieren die zich bewegen als ze haar haar van haar voorhoofd veegt.

'"Uitstekend," stond er,' zegt ze ironisch. '"Je hebt een fenomenaal inzicht in de neurale processen en komt met eigen interessante overwegingen die je goed in een groter werkstuk zou kunnen ontwikkelen."'

De therapeut kijkt haar met grote ogen aan en slaat haar handen ineen. 'Maar dat is geweldig, Victoria! Was je niet blij toen je je werk met zo'n opmerking terugkreeg?'

'Maar,' probeert Victoria. 'Dat maakt toch niet uit? Het is niet echt.'

'Victoria,' zegt de therapeut ernstig. 'Ik weet dat je het moeilijk vindt om onderscheid te maken tussen wat wel en niet echt is, zoals jij het noemt, of tussen wat je belangrijk en onbelangrijk vindt, zoals ik het noem... Als je even nadenkt, is dit daar niet een typisch voorbeeld van? Jij beweert dat je je goed voelt als je overhemden strijkt, maar eigenlijk wil je dat helemaal niet doen. En wanneer je studeert, wat je leuk vindt om te doen, presteer je uitstekend, maar...' Ze steekt een vinger op en pint haar blik vast in die van Victoria. 'Je mag van jezelf niet blij zijn als je een compliment krijgt voor iets wat je leuk vond om te doen.'

Die ogen, denkt Victoria. Die zien alles wat zijzelf nooit heeft gezien, alleen maar heeft vermoed. Ze vergroten haar als ze probeert zich kleiner te maken en ze wijzen voorzichtig op het verschil tussen wat ze denkt te zien, te horen en te voelen en wat er in de werkelijkheid van alle anderen gebeurt.

Victoria wou dat zij met oude, wijze ogen kon zien. Zoals de psycholoog.

De opluchting die ze in de kamer van de psycholoog voelt, verdwijnt meteen na de achtentwintig traptreden die naar de hoofdingang leiden.

Hij zit nog steeds in de auto te wachten als ze buiten komt.

Zijn gezicht is onbewogen, zwaar, en zelfs zij versteent als ze het ziet.

Dan de stilte in de auto op weg naar huis.

Ze passeren wijk na wijk, huis na huis, gezin na gezin.

Ze rijden door Hjortängen en Backaböl.

Ze ziet alle vanzelfsprekende mensen.

De mensen die door de straten lopen alsof ze een aangeboren recht hebben om daar te zijn.

Ze ziet een meisje van haar eigen leeftijd dat arm in arm loopt met haar moeder.

Ze zien er heel ongedwongen uit.

Dat meisje had ik kunnen zijn, denkt Victoria.

Ze realiseert zich dat ze wie dan ook had kunnen worden.

Maar ze werd zij.

Ze vervloekt de orde, ze vervloekt het toeval, maar verbijt zich en probeert zijn lucht niet in te ademen.

'Mama en ik willen straks tijdens het eten iets met je bespreken,' zegt hij als hij het portier opent en de straat op stapt. Hij pakt zijn broek vast en trekt die zo ver over zijn buik dat je de contouren van zijn scrotum kunt zien. Victoria wendt haar blik af en loopt naar het huis.

Links staat de lijsterbes die werd geplant toen zij werd geboren. De rijpe bessen schitteren provocerend rood, alsof ze willen laten zien dat de boom de winnaar is en Victoria de verliezer.

Het huis is als een zwart gat dat iedereen vernietigt die daar naar binnen gaat. Ze doet de deur open en laat zich opslokken.

Mama zegt niets als ze binnenkomen, maar ze heeft het eten klaarstaan. Ze gaan rond de tafel zitten. Papa, mama en Victoria.

Als ze daar zo zitten, begrijpt ze dat ze op een gezin lijken.

Het verdoofde gevoel verspreidt zich langzaam door haar lichaam. Ze hoopt dat het haar hart bereikt voordat hij gaat praten.

'Victoria,' begint hij, terwijl haar hart nog steeds klopt. Hij vouwt zijn geaderde handen en legt ze op tafel. Ze weet dat hij helemaal niet iets met haar gaat bespreken. Hij gaat haar iets bevelen.

'We denken dat een andere omgeving je goed zal doen,' gaat hij verder, 'en mama en ik zijn tot de conclusie gekomen dat het het beste is als het nuttige met het aangename kan worden verenigd.' Hij kijkt sommerend naar zijn vrouw, die knikt en meer aardappels op zijn bord schept.

'Weet je nog wie Viggo is?' vraagt hij aan Victoria.

Ze weet nog wie Viggo is.

Een Deense man die regelmatig op bezoek kwam toen ze klein was.

Nooit als mama thuis was.

'Ja, ik weet nog wie hij is. Wat is er met hem?' Ze begrijpt niet dat het haar lukt om woorden te formuleren, maar er ontwaakt iets in haar.

'Dat zal ik je vertellen. Viggo heeft een boerderij op Jutland en hij heeft iemand nodig die het huishouden kan doen. Geen zwaar werk, dat kan natuurlijk niet in jouw huidige toestand.'

'Mijn huidige toestand?' Nu herkent ze de kloppende woede die zich als een lichtgevend raster over de verlamming legt.

'Je weet heel goed wat we bedoelen,' zegt hij met luidere stem. 'Je praat in jezelf. Je bent al zeventien en hebt nog steeds fantasievrienden. Je hebt woede-uitbarstingen en gedraagt je als een klein kind!'

Ze knarst met haar tanden en staart naar de tafel.

Hij zucht gelaten omdat ze niets zegt.

'Ja, ja. De schuldige zwijgt altijd. Maar we hebben het beste met je voor en Viggo kent mensen in Ålborg die je kunnen helpen. Je gaat dit voorjaar naar hem toe, punt uit.'

Ze zwijgen terwijl hij de maaltijd beëindigt met een kop thee. Hij stopt een suikerklontje tussen zijn lippen en zo meteen zal hij de thee erdoor laten sijpelen tot de suiker oplost.

Ze zwijgen terwijl hij drinkt. Slurpt, zoals hij altijd doet.

'We doen het voor jou,' rondt hij af. Hij staat op, loopt naar de gootsteen en spoelt met zijn rug naar hen toe zijn kopje om. Mama schuift onrustig heen en weer en wendt haar blik af.

Hij draait de kraan dicht, droogt zijn handen af en leunt tegen het aanrecht. 'Je bent nog niet meerderjarig,' zegt hij. 'Wij zijn verantwoordelijk voor jou. Er valt niets te bespreken.'

Nee, dat weet ik, denkt ze. Er valt niets te bespreken, en dat is altijd al zo geweest.

Kronoberg

Als Ivo Andrić, Schwarz en Åhlund de vergaderkamer hebben verlaten, buigt Hurtig zich over de tafel naar voren en zegt zachtjes tegen Jeanette: 'Voordat we verdergaan met Silfverberg, waar staan we met de oude zaken?'

'Daar zit geen schot in. In elk geval van mijn kant. En jij? Heb jij wat gevonden?'

Ze ziet dat hij begint te stralen. Trots op zijn werk, denkt ze. Iemand aan wie je echt wat hebt.

Zijn blik verraadt een gespeelde nonchalance. Ze weet dat dat betekent dat hij eigenlijk ongeduldig is.

Ook dat beschouwt ze als een bevestiging dat hij de juiste persoon is om mee samen te werken.

'Ik heb zowel goed als slecht nieuws,' zegt hij. 'Wat wil je het eerst horen...'

'Geen clichés, alsjeblieft,' onderbreekt Jeanette hem. Hij raakt even van zijn à propos en ze glimlacht breed naar hem. 'Sorry, ik maakte een grapje. Begin maar met het slechte nieuws. Je weet dat ik dat prettig vind.'

'Oké. Eerst de rechtsgeschiedenis van Dürer en Von Kwist. Er zijn vijf of zes geseponeerde zaken waarin ze tegenover elkaar stonden, maar verder was daar niets bijzonders aan. Eigenlijk ook best logisch, omdat ze gespecialiseerd zijn in hetzelfde soort delicten. Ik heb diverse andere advocaten gevonden die verdediger waren in zaken waar Von Kwist officier van justitie was. Je mag het best dubbelchecken, maar ik denk niet dat je iets zult vinden.'

Jeanette knikt. 'Ga door.'

'De lijst met donateurs. Sihtunum i Diasporan wordt gesteund door een groep oud-leerlingen van het Sigtuna Lyceum, ondernemers en politici, succesvolle mensen met een onbesproken verleden. Slechts een klein aantal personen heeft geen directe connectie met de school, maar waarschijnlijk kennen ze een oud-leerling of hebben ze andere contacten die daarheen leiden.'

Daar komen we voorlopig dus niet verder mee, denkt Jeanette en ze gebaart naar Hurtig dat hij verder kan gaan.

'Het ip-adres was behoorlijk lastig. De gebruiker die de lijst met donateurs publiceerde heeft slechts één bericht gepost en ik heb lang moeten graven voordat ik het ip-adres kon identificeren. Raad eens waar het vandaan komt.'

'Een dood spoor?'

Hurtig spreidt zijn armen. 'Van een 7-Eleven-winkel in Malmö. Ik neem aan dat het een dood spoor is, want we weten allebei dat de bewakingsvideo's niet worden bewaard als er niets ongewoons gebeurt. Voor negenentwintig kronen kun je volstrekt anoniem een kaartje in een automaat kopen en een uur achter de computer gaan zitten.'

'Maar we hebben in elk geval een exact tijdstip waarop de persoon die het bericht plaatste zich in Malmö bevond. Dat is altijd wat, of niet soms? Was dat het slechte nieuws?'

'Ja.'

'Kun je ervoor zorgen dat alle papieren morgenochtend op mijn bureau liggen? Ik wil het voor de zekerheid toch nog een keertje controleren. Ik hoop dat je het niet erg vindt, je weet dat ik je vertrouw, maar vier ogen zien toch meer dan twee en twee hoofden denken beter dan één.'

'Natuurlijk.'

'En het goede nieuws?'

Jens Hurtig grijnst. 'Per-Ola Silfverberg is een van de donateurs.'

Voordat Jeanette Kihlberg het politiebureau voor die dag verlaat, laat Dennis Billing haar weten hoeveel geld er beschikbaar is voor het onderzoek in de zaak-Silfverberg en als ze langs het Raadhuis rijdt, bedenkt ze dat het budget dat Billing haar heeft toegezegd meer dan tien keer zo groot is als toen ze met de vermoorde jongens werkte.

Dode kinderen zonder papieren zijn minder waard dan dode Zweden met een carrière en geld op de bank, stelt ze steeds bozer wordend vast.

Welke factoren zijn eigenlijk bepalend voor de waarde van een mensenleven, vraagt ze zich af.

Is dat het aantal rouwenden op de begrafenis, de financiële nalatenschap of de mediabelangstelling voor het sterfgeval?

De maatschappelijke invloed van de overledene? De oorsprong of de huidskleur van de dode?

Of het bedrag dat de politie aan een moordonderzoek kan besteden?

Ze weet dat het onderzoek naar de dood van de minister van Buitenlandse Zaken Anna Lindh vijftien miljoen kronen had gekost op het moment dat het Svea Gerechtshof de moordenaar Mijailo Mijailović tot forensisch psychiatrische zorg veroordeelde, en ze weet ook dat dat binnen de politie als een laag bedrag wordt beschouwd vergeleken met de driehonderdvijftig miljoen die de dood van premier Olof Palme de samenleving tot nog toe heeft gekost.

Vita bergen

Wanneer Sofia Zetterlund wakker wordt, doet haar lichaam pijn alsof ze in haar slaap tientallen kilometers heeft hardgelopen. Ze staat op en gaat naar de badkamer.

Wat zie ik eruit, denkt ze als ze haar gezicht in de spiegel boven de wastafel ziet.

Haar haar zit in de war en ze is vergeten haar make-up eraf te halen toen ze naar bed ging. De uitgesmeerde mascara ziet eruit als blauwe plekken en de lippenstift is een roze vlies op haar kin.

Wat is er gisteren eigenlijk gebeurd?

Ze draait de kraan open en laat het koude water over haar handen stromen voordat ze die tot een kom vormt om haar gezicht af te spoelen.

Ze herinnert zich dat ze thuis tv heeft gekeken. Maar verder?

Ze droogt haar gezicht af, draait zich om en trekt het douchegordijn open. Het bad is tot de rand toe gevuld met water. Op de bodem ligt een lege wijnfles en het etiket, dat langzaam op het wateroppervlak drijft, bevestigt dat het de dure rioja is die jarenlang helemaal achter in de kast heeft gestaan.

Ik ben niet degene die drinkt, denkt ze. Dat is Victoria.

Maar wat nog meer behalve een paar flessen wijn en een bad? Ben ik vannacht buiten geweest? Heb ik het appartement verlaten?

Ze doet de deur open en kijkt in de hal. Niets bijzonders.

Maar in de keuken ziet ze dat er een plastic zak voor het kastje onder het aanrecht staat en al voordat ze zich omlaagbuigt en de zak openknoopt, begrijpt ze dat er geen afval in zit.

Alle kleren zijn kletsnat en ze rukt ze uit de zak.

Haar zwarte gebreide trui, een zwart hemd en haar donkergrijze joggingbroek. Met een diepe, gelaten zucht spreidt ze de kleren uit op de keukenvloer om ze beter te bekijken.

Ze zijn niet vies, maar ruiken zuur. Waarschijnlijk omdat ze de hele nacht in de zak hebben gelegen. Ze wringt de doorweekte trui boven een kom in de gootsteen uit.

Het water heeft een viesbruine kleur en als ze ervan proeft, smaakt het wat zoutig, maar ze kan met geen mogelijkheid zeggen of die smaak van zweet in de trui komt of van brak water buitenshuis.

Ze beseft dat ze er op dit moment niet achter zal komen wat ze de afgelopen nacht heeft gedaan; daarom pakt ze de kleren bij elkaar, hangt ze te drogen in de badkamer, laat het water uit het bad lopen en pakt de wijnfles eruit.

Dan loopt ze terug naar haar slaapkamer, trekt de jaloezieën omhoog en werpt een blik op de wekkerradio. Kwart voor acht. Ze heeft alle tijd. Tien minuten onder de douche, nog eens tien minuten voor de spiegel en dan een taxi naar de praktijk. Haar eerste cliënt komt om negen uur.

Linnea Lundström komt om één uur, dat weet ze. Maar voor die tijd? Ze heeft geen idee.

Ze doet het raam dicht en haalt diep adem.

Dit kan zo niet. Ik kan zo niet doorgaan. Victoria moet weg.

Een halfuur later zit Sofia Zetterlund in de taxi en controleert haar gezicht in de achteruitkijkspiegel, terwijl de auto door de Borgmästargatan rijdt.

Ze is tevreden met wat ze ziet.

Haar masker zit goed, maar vanbinnen beeft ze.

Ze realiseert zich dat er niets nieuws met haar is gebeurd.

Het verschil met vroeger is alleen dat ze zich tegenwoordig bewust is van haar geheugenuitvallen.

Vroeger waren die zo'n natuurlijk onderdeel van haar dat haar hersenen ze niet eens registreerden. Ze bestonden gewoon niet. Nu zijn ze daar als verontrustende, zwarte gaten in haar leven.

Ze begrijpt dat ze moet leren hiermee om te gaan. Ze moet leren om weer te functioneren en ze moet Victoria Bergman leren kennen. Het kind dat ze ooit was. De volwassen vrouw die Victoria daarna werd, verborgen voor de wereld en voor haarzelf.

De herinneringen van Victoria's leven, haar jeugd in het gezin Bergman, zijn niet gerangschikt als een fotoarchief waar je gewoon een la opentrekt, daar een map met een bepaalde datum of gebeurtenis uit haalt en vervolgens de plaatjes bekijkt. De herinneringen van haar jeugd komen grillig tot haar, besluipen haar als ze er absoluut niet op bedacht is. De ene keer komen ze zonder invloed van buitenaf, de andere keer kan een voorwerp of een gesprek haar terugwerpen in de tijd.

Tien minuten geleden, toen ze op de taxi wachtte, had ze in de keuken een sinaasappel geschild. De geur van de vrucht had de herinnering aan jus d'orange in de tuin in Dala Floda opgewekt, in de zomer dat ze acht jaar was. In Argentinië werd het wk-voetbal gespeeld en haar vader had haar met rust gelaten omdat Zweden een beslissende groepswedstrijd had gespeeld, maar toen ze hadden verloren was hij zo gefrustreerd geweest dat ze hem met haar handen had moeten kalmeren. Plotseling had ze zich herinnerd dat haar vader in de keuken schrijlings op haar was gaan zitten, terwijl zij aan zijn handel had getrokken tot zijn vloeistof op was. Die had vies gesmaakt, bijna als olijven.

Bij de Folkungagatan stopt de taxi voor rood en Sofia Zetterlund moet aan Annette Lundström denken. Een andere herinnering uit het verleden die haar door het toeval is toegeworpen.

In het vermagerde gezicht van Annette Lundström had Sofia een meisje uit Victoria Bergmans eerste jaar in Sigtuna herkend. Ze was twee jaar ouder geweest dan Victoria, een van de meisjes die over haar hadden gefluisterd, die in de gangen van de school naar haar hadden gegluurd.

Ze is ervan overtuigd dat Annette Lundström zich de gebeurtenis in de gereedschapsschuur kan herinneren. Dat Annette weet dat ze Victoria heeft uitgelachen. En ze is er ook van overtuigd dat Annette er geen idee van heeft dat de vrouw die ze in de arm heeft genomen voor therapiegesprekken met haar dochter dezelfde vrouw is die ze ooit heeft uitgelachen.

Weldra zal ze deze vrouw een dienst bewijzen. Ze zal haar dochter helpen over een trauma heen te komen. Hetzelfde trauma dat ze zelf doormaakt en waarvan ze weet dat het niet kan worden gewist.

Toch klampt ze zich vast aan de hoop dat het haar zal lukken, dat ze de confrontatie met de herinneringen niet hoeft aan te gaan en ze niet als de hare hoeft te beschouwen. Haar hersenen hebben geprobeerd haar dat te besparen door haar niet eens bewust te laten zijn van de herinneringen.

Maar het heeft niet geholpen. Zonder de herinneringen is ze niet meer dan een schil.

En het wordt niet beter. Het wordt alleen maar erger.

Als de taxi de Folkungagatan in slaat, vraagt Sofia zich af of het misschien tijd is voor meer drastische methoden. Regressie, het onder hypnose terugkeren naar eerdere herinneringen, zou een mogelijkheid kunnen zijn, maar voor die aanpak is een andere therapeut nodig die de behandeling uitvoert, en ze realiseert zich meteen dat dat niet de juiste weg is. Dat is veel te riskant, omdat ze geen flauw idee heeft wat Victoria – met andere woorden, zijzelf – in het verleden, maar ook in de afgelopen maanden, allemaal heeft gedaan.

Ze denkt aan alle gesprekken met Victoria die ze met de recorder heeft opgenomen, sessies die in feite niets anders waren dan therapie onder zelfhypnose, maar ze is zich er ook van bewust dat de methode niet kan worden gestuurd. De monologen van Victoria Bergman leiden hun eigen leven en om erachter te komen wat ze heeft meegemaakt moet zíj, Sofia Zetterlund, de gesprekken dirigeren.

Hoe ze het ook wendt of keert, de enige oplossing is dat Victoria Bergman en Sofia Zetterlund tot één persoon integreren, tot één bewustzijn dat toegang heeft tot de gedachten en herinneringen van beide persoonlijkheden.

Ze realiseert zich ook dat dat onmogelijk is zolang Victoria haar wegstoot en het deel van haar dat Sofia Zetterlund is zelfs veracht. En Sofia zelf steigert bij de gedachte zich te verzoenen met de gewelddaden die Victoria heeft gepleegd. Ze zijn twee personen zonder ook maar enige gemeenschappelijke noemer.

Behalve dat ze hetzelfde lichaam delen.

Kronoberg

'Je hebt bezoek,' roept Hurtig naar Jeanette als ze de lift uit stapt. 'Charlotte Silfverberg zit op je kamer. Wil je dat ik ook kom?'

Jeanette was ervan uitgegaan dat zij contact zou opnemen met Charlotte Silfverberg en niet andersom. Charlotte was vlak na de moord zo ontredderd geweest dat ze niet met haar hadden kunnen praten, maar nu heeft ze kennelijk iets op haar hart.

'Nee, ik doe het alleen.' Jeanette maakt een afwerend gebaar, loopt verder de gang in en ziet dat de deur van haar kamer openstaat.

Charlotte Silfverberg staat met haar rug naar de deur door het raam naar buiten te kijken.

'Hallo.' Jeanette stapt naar binnen en loopt naar haar bureau. 'Wat goed dat u bent gekomen. Ik had u willen bellen. Hoe gaat het?'

Charlotte Silfverberg draait zich om, maar blijft bij het raam staan. Ze antwoordt niet.

Het valt Jeanette op dat de vrouw onzeker lijkt. 'Gaat u zitten.' Jeanette gebaart naar de stoel aan de andere kant van het bureau.

'Ik sta liever. Ik blijf niet lang.'

'Wilde u over iets speciaals praten? Anders heb ik een paar vragen voor u.'

'Gaat uw gang.'

'Sihtunum i Diasporan,' zegt Jeanette. 'Uw man is donateur. Wat weet u van de stichting?'

Charlotte weifelt. 'Ik weet alleen dat het een groep mannen is die een of twee keer per jaar bij elkaar komen om over liefdadigheidsprojecten te praten. Volgens mij is het vooral een voorwendsel om dure drank te drinken en herinneringen uit hun diensttijd op te halen.'

'Dat is alles?'

'Ja. Peo leek eigenlijk niet bijster geïnteresseerd en hij heeft meer dan eens gezegd dat hij overwoog het donateurschap op te zeggen.'

'Gaf hij veel?'

'Nee, een paar duizend kronen per jaar. Het hoogste bedrag was geloof ik tienduizend.'

Jeanette vermoedt dat de vrouw net zo onwetend is als ze zich voordoet. 'Goed... Waarom wilde u mij spreken?' gaat ze verder.

'Ik moet u iets vertellen.' Charlotte stopt, slikt moeizaam en slaat haar armen over elkaar. 'Ik denk dat het belangrijk is.'

'Oké.' Jeanette bladert in haar notitieblok tot ze een leeg vel heeft gevonden. 'Ik luister.'

'Het zit zo,' begint Charlotte aarzelend. 'Dertien jaar geleden, het jaar voordat we naar Zweden verhuisden, is Peo ergens van beschuldigd. Hij werd vrijgesproken en alles is weliswaar goed gekomen...'

Beschuldigd waarvan, denkt Jeanette en ze herinnert zich het artikel dat ze heeft gelezen. Het is dus iets compromitterends? Ze heeft de neiging Charlotte te onderbreken, maar besluit haar door te laten praten.

'Sindsdien heb ik... Ja, eigenlijk is het maar een paar keer gebeurd. Ik geloof niet dat Peo er iets van heeft gemerkt.'

Kom nou maar ter zake, denkt Jeanette ongeduldig, maar ze doet haar best om niets van haar irritatie te laten merken.

Charlotte leunt tegen de vensterbank. 'Ik heb me af en toe bedreigd gevoeld,' zegt ze uiteindelijk. 'Er zijn een paar brieven gekomen.'

'Brieven?' Jeanette kan zich niet langer inhouden. 'Wat voor brieven?'

'Ja, ik weet het eigenlijk niet. Het was vreemd. De eerste kwam meteen nadat de aanklacht tegen Peo was geseponeerd. We namen aan dat de brief van een feministe kwam die boos was omdat hij niet werd vervolgd.'

'Wat stond er in de brief? Heeft u die nog?'

'Nee, er stonden alleen maar allerlei onsamenhangende dingen in, daarom hebben we hem weggegooid. Achteraf gezien was dat natuurlijk dom.'

Shit, denkt Jeanette. 'Waarom denkt u dat de brief van een feministe afkomstig was? Waar werd uw man van verdacht?'

Charlotte Silfverberg klinkt plotseling vijandig. 'Daar kunt u vrij makkelijk achter komen, toch? Ik wil er niet over praten. Dat hoofdstuk is wat mij betreft afgesloten.'

Jeanette vermoedt dat Charlotte haar als een vijand beschouwt. Iemand die, hoewel ze politieagent is, niet aan haar kant staat. Of misschien wel juist daarom, denkt Jeanette en ze knikt.

Ze begrijpt dat ze de vrouw beter niet kwaad kan maken. 'U heeft geen idee wie de brief kan hebben geschreven?' Jeanette glimlacht inschikkelijk.

'Nee, zoals ik al zei was het misschien iemand die het niet leuk vond dat Peo's naam werd gezuiverd.' Ze zwijgt, haalt diep adem en gaat dan verder. 'Een week geleden kwam er weer een brief. Ik heb hem meegenomen.'

Charlotte Silfverberg pakt een witte envelop uit haar handtas en legt die op het bureau.

Jeanette buigt zich omlaag, trekt de onderste bureaula open en haalt er een paar latex handschoenen uit, die ze snel aantrekt. Ze begrijpt dat de envelop al bezoedeld is met Charlotte Silfverbergs vingerafdrukken en die van talloze medewerkers van de postverwerking, maar ze doet het automatisch.

Met kloppend hart pakt ze de brief op.

Een heel gewone witte envelop. Die je met tien tegelijk bij de Ica- of de Konsum-supermarkt koopt.

Afgestempeld in Stockholm, geadresseerd aan Per-Ola Silfverberg, geschreven met zwarte inkt in kinderlijke blokletters. Jeanette fronst haar wenkbrauwen.

Ze opent de envelop voorzichtig met het topje van haar wijsvinger.

Het briefpapier is een even wit en gewoon opgevouwen A4'tje. Overal in verpakkingen van vijfhonderd vel te koop.

Jeanette vouwt het papier open en leest. Dezelfde met de hand geschreven blokletters in zwarte inkt: HET VERLEDEN HAALT JE ALTIJD IN.

Heel origineel, denkt Jeanette en ze slaakt een zucht. Ze kijkt naar Charlotte Silfverberg. 'U begrijpt natuurlijk dat dit bewijsmateriaal is. Waarom heeft u een week gewacht?'

'Ik ben niet helemaal mezelf geweest. Ik kon me er nu pas toe zetten weer naar ons appartement te gaan.'

Schaamte, denkt Jeanette. Het gaat altijd over schaamte.

Waar Per-Ola Silfverberg ook maar van was verdacht, het was iets geweest wat schaamte met zich had meegebracht. Daar is ze van overtuigd.

'Ik begrijp het. Is er nog meer?'

'Nee... In elk geval niets concreets.' Charlotte knikt naar de brief. 'Vorige week heb ik twee rare telefoontjes gehad. Toen ik opnam, werd er niets gezegd. Daarna hing de beller op.'

Jeanette schudt haar hoofd. 'Momentje,' zegt ze met haar gezicht naar Charlotte Silfverberg. Dan pakt ze de interne telefoon en toetst het snelkeuzenummer van Hurtig in.

'Per-Ola Silfverberg,' zegt ze als Hurtig opneemt. 'Ik heb vanochtend contact gehad met de politie in Kopenhagen over de geseponeerde aanklacht tegen hem. Wil je even kijken of er een fax voor mij is binnengekomen?'

Jeanette verbreekt de verbinding en leunt achterover op haar stoel.

Charlotte Silfverbergs wangen zijn vlammend rood. 'Ik vraag me af,' begint ze met onvaste stem; dan schraapt ze haar keel en vervolgt: 'Is het mogelijk om de een of andere vorm van beveiliging te krijgen?'

Jeanette begrijpt dat dat noodzakelijk is. 'Ik zal mijn best doen, maar ik weet niet of ik het vandaag al kan regelen.'

'Dank u wel.' Charlotte Silfverberg ziet er opgelucht uit. Ze pakt haar spullen bij elkaar en loopt naar de deur, terwijl Jeanette eraan toevoegt: 'Misschien moet ik u nog een keer spreken. Mogelijk morgen al.'

Charlotte blijft in de deuropening staan. 'Dat is goed,' zegt ze met haar rug naar Jeanette.

Op dat moment verschijnt Hurtig met een bruine map. Hij begroet Charlotte met een knikje, dringt langs haar heen, gooit de map op Jeanettes bureau en gaat weer terug naar zijn kamer.

Jeanette hoort Charlottes voetstappen in de richting van de lift verdwijnen.

Voordat ze de documenten begint te lezen haalt ze een kop koffie.

Het vooronderzoek in de zaak-Per-Ola Silfverberg beslaat, inclusief bijlagen, in totaal zeventien pagina's.

Het eerste wat Jeanette opvalt, is dat Charlotte, behalve dat ze geen informatie over de eigenlijke aanklacht heeft willen geven, een niet geheel onbelangrijk detail heeft achtergehouden.

Charlotte en Per-Ola Silfverberg hebben een dochter.

Het Zeeppaleis

Om negen uur een cliënt met slaapproblemen en om elf uur iemand met een anorectische problematiek.

Sofia kan zich hun namen maar amper herinneren als ze achter haar bureau haar samenvattingen van de sessies doorleest.

Haar lichaam is na de nachtelijke leemte uit balans. Haar handen zijn klam van het zweet en ze heeft een droge mond. De toestand wordt nog versterkt doordat ze weet dat Linnea Lundström straks komt. Sofia zal over een paar minuten zichzelf als veertienjarige ontmoeten. Het veertienjarige meisje dat ze de rug heeft toegekeerd.

Linnea arriveert om één uur op de praktijk en wordt vergezeld door iemand van Bureau Kinder- en Jeugdpsychiatrie.

Linnea Lundström is een jonge vrouw met een beduidend rijper lichaam en gezicht dan je bij een meisje van veertien zou verwachten. Ze heeft veel te vroeg volwassen moeten worden en draagt in haar lichaam nu al de verzamelde hel van een heel leven met zich mee, en ze zal haar hele verdere leven bezig blijven hiermee om te leren gaan.

Sofia begroet haar met de meest vriendelijke stem die ze maar kan opbrengen en vraagt Linnea plaats te nemen.

'U kunt zolang in de wachtkamer een tijdschrift lezen,' zegt ze tegen de begeleider. 'We zijn over drie kwartier klaar.'

De begeleider glimlacht en doet de deur dicht. 'Tot straks, Linnea,' zegt hij, maar het meisje antwoordt niet.

Na een kwartier vermoedt Sofia dat het niet makkelijk zal worden.

Ze had een meisje vol duisternis en haat verwacht, soms geformuleerd door stilte, maar ook als impulsieve uitbarstingen, gestuurd door een intrinsieke destructiviteit. Daar had Sofia iets mee gekund.

Maar nu ziet ze zich tegenover iets heel anders geplaatst.

Linnea Lundström antwoordt ontwijkend op haar vragen, haar lichaamstaal is afwijzend en er is geen oogcontact. Ze heeft zich half afgewend en frummelt aan een Bratz-popje dat dienstdoet als sleutelhanger. Het verbaast Sofia dat de hoofdpsychiater in Danderyd Linnea heeft kunnen overhalen hierheen te gaan.

Op het moment dat ze van Linnea wil weten welke verwachtingen ze van het gesprek heeft, stelt het meisje zelf een vraag die Sofia verrast. 'Wat heeft mijn vader eigenlijk tegen u gezegd?'

Linnea's stem is wonderlijk helder en sterk, maar haar blik is strak op de sleutelhanger gericht. Sofia heeft zo'n directe vraag niet verwacht en aarzelt. Ze mag geen antwoord geven dat ertoe leidt dat het meisje zich volledig distantieert.

'Hij kwam met bekentenissen,' begint Sofia. 'Vele bleken onwaar, andere waren min of meer waar.'

Ze stopt even om Linnea's reactie te bestuderen. Het meisje vertrekt geen spier.

'Maar wat heeft hij over mij gezegd?' vraagt ze even later.

Sofia denkt aan de drie tekeningen die Annette haar heeft laten zien toen ze in het huis in Danderyd op bezoek was. Drie scènes die Linnea in haar jeugd heeft getekend en die waarschijnlijk schilderingen van vergrijpen zijn.

'Hij heeft tegen mij hetzelfde gezegd als tegen de politie. Ik weet niet meer dan zij.'

'Waarom wilde u mij dan zien?' vraagt Linnea en ze kijkt Sofia voor het eerst aan, zij het met een haastige blik. 'Annette zei dat u mijn vader begrijpt... begreep. Dat heeft hij tegen Annette gezegd. Dat u hem begrijpt. Doet u dat?'

Opnieuw een directe vraag. Sofia is blij dat het meisje belangstelling begint te tonen en reageert met een tegenvraag, die ze zo rustig mogelijk probeert uit te spreken. 'Als je denkt dat je je beter zou voelen als je hem begrijpt, kunnen we elkaar helpen. Wil je dat?'

Linnea antwoordt niet meteen. Ze schuift even onrustig heen en weer, en Sofia ziet dat ze aarzelt. 'Kunt u me helpen?' vraagt ze dan en ze stopt de sleutelhanger in haar zak.

'Ik denk het. Ik heb veel ervaring met mannen zoals jouw vader. Maar ik heb jouw hulp ook nodig. Kun jij mij helpen jou te helpen?'

'Misschien,' zegt het meisje. 'Dat ligt eraan.'

Als de tijd om is – ze zijn tien minuten langer doorgegaan – is Sofia enorm opgelucht. Linnea's rug verdwijnt als de liftdeuren dichtgaan en hoewel het meisje weer helemaal dichtklapte toen de begeleider kwam, heeft Sofia in elk geval kunnen zien dat ze zich openstelde. Ze weet dat het misschien te vroeg is om te hopen, maar het gesprek is, ondanks het afwachtende begin, beter gegaan dan ze had verwacht en ze heeft goede hoop om de jonge vrouw dichter te kunnen naderen, als ze tenminste de echte Linnea heeft ontmoet en niet alleen een schil.

Ze doet de deur achter zich dicht en gaat met haar aantekeningen achter het bureau zitten.

Uit ervaring weet ze dat sommige dingen nooit volledig gerepareerd kunnen worden. Er zal altijd iets in de weg staan.

Kronoberg

Jeanette Kihlberg heeft net een lang gesprek gevoerd met Dennis Billing en heeft met enige overredingskracht voor elkaar gekregen dat er nu twee politieagenten beschikbaar zijn om Charlotte Silfverberg te bewaken.

Als ze hebben opgehangen, gaat ze direct het Deense onderzoek naar Per-Ola Silfverberg lezen.

De eisende partij is het pleegkind van Per-Ola en Charlotte.

Informatie over waarom het kind bij een pleeggezin is ondergebracht ontbreekt.

Meteen na de geboorte bij de familie Silfverberg geplaatst, in een buitenwijk van Kopenhagen.

Omdat de papieren openbaar zijn, is de naam van de eiser met brede, zwarte strepen onherkenbaar gemaakt, maar Jeanette weet dat ze er eenvoudig achter kan komen hoe het meisje heet.

Ze is tenslotte politieagent.

Maar op dit moment wil ze vooral weten wie Per-Ola Silfverberg is. Of liever gezegd: wie hij was.

Patronen krijgen een vorm.

Jeanette ziet fouten, nalatigheden, zaken die niet onderzocht zijn en manipulatie. Agenten en aanklagers die hun werk niet hebben gedaan, invloedrijke personen die hebben gelogen en feiten hebben verdraaid.

In wat ze leest ontbreken de energie, de wil en het vermogen om alles over Per-Ola Silfverberg tot op de bodem uit te pluizen. De macht om geen onderzoek te doen is met wonderlijke consequentie uitgeoefend.

Jeanette bladert verder in het onderzoeksmateriaal en hoe meer ze leest, hoe gefrustreerder ze zich voelt.

Ze werkt op de afdeling Geweldsdelicten, maar het is alsof ze regelrecht wordt omringd door zedendelinquenten.

De een na de ander.

Zowel dode als levende.

Geweld en seksualiteit, denkt ze.

Twee fenomenen die niet bij elkaar zouden moeten horen, maar die min of meer zijn verenigd.

Als ze klaar is met lezen is ze helemaal kapot, maar ze weet dat ze Hurtig op de hoogte moet brengen van de nieuwe feiten. Ze neemt haar aantekeningen mee en loopt met vermoeide passen naar zijn kamer.

Jens Hurtig is verdiept in net zo'n stapel onderzoeksmateriaal als ze zojuist zelf heeft gelezen.

'Wat is dat?' Jeanette wijst verbaasd naar de papieren in zijn hand.

'De Denen hebben nog meer materiaal gestuurd en dat ben ik maar gaan lezen. Dan kunnen we elkaar nu vertellen wat we te weten zijn gekomen. Dat gaat iets sneller.' Hurtig glimlacht naar haar en gaat verder. 'Wie begint er, jij of ik?'

'Ik,' antwoordt Jeanette, terwijl ze gaat zitten. 'Per-Ola Silfverberg, of Peo, zoals hij wordt genoemd, werd er dertien jaar geleden van verdacht zich aan zijn pleegdochter te hebben vergrepen, die toen een jaar of zeven was.'

'Ze was net zeven geworden,' vult Hurtig aan.

'Oké. Weet je ook wie er aangifte heeft gedaan? Dat staat niet in mijn papieren.'

'Ook niet in de mijne, maar ik neem aan iemand van de school van het meisje.'

'Waarschijnlijk wel, ja.' Jeanette kijkt naar haar aantekeningen. 'In elk geval heeft de dochter gedetailleerd verteld over – ik citeer – "Per-Ola's fysieke opvoedmethodes met slaag en ander geweld, maar het kostte haar moeite om over het seksuele misbruik te vertellen".'

Jeanette legt de papieren neer, haalt diep adem en constateert: 'Maar ze heeft duidelijk uiting gegeven aan sterke gevoelens van walging en Per-Ola's gedrag als abnormaal beschreven.'

Hurtig schudt zijn hoofd. 'Wat een smeerlap! Als een kind van zeven vindt dat papa...' Hij valt stil en Jeanette gaat verder.

'Het meisje geeft meer beschrijvingen van Peo's fysieke geweld, het tongzoenen waartoe hij haar heeft gedwongen en het intensieve wassen van haar onderlichaam.'

'Alsjeblieft.' Hurtig klinkt bijna smekend, maar Jeanette wil dit achter de rug hebben en gaat onverbiddelijk door.

'Het meisje heeft een aantal specifieke details genoemd en uitvoerig haar emotionele reacties beschreven op de keren dat Per-Ola 's nachts bij haar zou zijn gekomen. De beschrijving die het meisje heeft gegeven van hoe hij zich in haar bed gedroeg, wijst erop dat hij anale en vaginale gemeenschap met haar heeft gehad.' Ze last een korte pauze in. 'Dat was alles in het kort.'

Hurtig staat op en loopt naar het raam. 'Vind je het goed dat ik het raam openzet? Ik heb frisse lucht nodig.' Zonder Jeanettes antwoord af te wachten schuift hij een plant opzij en opent het kleine ventilatieraam.

'Gemeenschap?' zegt hij met zijn blik naar het park gericht. 'Als het om kinderen gaat, heet dat verdomme toch verkrachting?'

Jeanette heeft de kracht niet om te antwoorden.

Door de frisse wind beginnen de papieren te ritselen en het geluid van spelende kinderen in het park vermengt zich met het achtergrondgeruis van getik op toetsenborden en een zoemende airco.

'Waarom is de zaak geseponeerd?' Hurtig draait zich om naar Jeanette.

Ze zucht en leest: '"Met inachtneming van het feit dat het meisje niet onderzocht kon worden, kan niet worden uitgesloten dat zo niet het geval is geweest."'

'Wat? Niet worden uitgesloten dat zo niet het geval is geweest?' Hurtig slaat met zijn hand op het bureau. 'Wat is dat voor een idioot jargon?'

Jeanette lacht. 'Ze geloofden het meisje gewoon niet. En toen Peo's advocaat er daarna op wees dat de verhoorder in het inleidende verhoor met het meisje in zekere zin suggestieve vragen had gesteld en haar soms een beetje had gepusht...' Ze slaakt een zucht. 'Misdrijf kan niet worden bewezen. De zaak wordt geseponeerd.'

Hurtig slaat zijn eigen map open en bladert, zoekt iets. Als hij het heeft gevonden, pakt hij het vel papier uit de map en legt het op zijn bureau.

Hij wil net gaan lezen als een kind in het park een boze kreet slaakt en een ander kind luid begint te huilen. Hij raakt van zijn à propos, krabt zich achter zijn oor en wacht tot de kinderen buiten getroost of in elk geval weer stil zijn.

'En, wat heb jij? Is er een vervolg?' Jeanette pakt een sigaret en schuift haar stoel naar het raam.

'Vind je het goed?' vraagt ze, en ze wijst naar de sigaret.

Hurtig knikt, haalt pennen uit een blikje en geeft haar dat, zodat ze een asbak heeft.

'Ja, er is een vervolg.'

'Laat maar horen.' Jeanette steekt de sigaret aan en blaast de rook door het open raam, maar merkt dat het meeste toch weer de kamer in waait.

'De familie Silfverberg, Per-Ola en Charlotte dus, voelt zich na het onderzoek nagewezen en vervolgd en wil niet langer met het meisje te maken hebben. Via de kinderbescherming in Denemarken komt ze in de pleegzorg terecht. Ook weer in de omgeving van Kopenhagen.'

'Wat is er daarna met haar gebeurd?'

'Dat weet ik niet, maar hopelijk is ze goed terechtgekomen, zoals dat heet.'

'Ze is nu twintig,' stelt Jeanette vast en Hurtig knikt instemmend.

'Maar nu komt het vreemde.' Hij recht zijn rug. 'De Silfverbergs verhuizen naar Zweden. Kopen het appartement aan de Glasbruksgränd in Stockholm en alles is pais en vree.'

'Maar?'

'Om de een of andere reden wilde de politie in Kopenhagen dat er een vervolgverhoor met hem werd gehouden en ze namen contact op met de politie in Stockholm.'

'Hè?'

'En wij hebben hem voor een gesprek laten komen.'

'Wie waren daarbij aanwezig?'

Hurtig legt het papier dat hij in zijn hand heeft neer en schuift het naar haar toe, terwijl hij naar de onderste regels wijst.

Jeanette leest wat er boven zijn vinger staat.

Verhoorder: Gert Berglind, eenheid voor verkrachtingen en incest.

De kinderen in het park zijn stil, net als de toetsenborden in de aangrenzende kamers.

Alleen de airco en Hurtigs heftige ademhaling zijn te horen.

Hurtigs wijsvinger.

De keurig geknipte nagel zonder rouwrandje.

Advocaat van de verdediging: Viggo Dürer.

Jeanette leest en beseft dat er aan de andere kant van een heel dunne

sluier een andere waarheid ligt. Een andere werkelijkheid.
Bijzitter: Kenneth von Kwist, officier van justitie.
Alleen is die werkelijkheid zo enorm veel akeliger.

Verleden

Ze hield niet van de oude en zwakke mensen.
Bij de melkafdeling kwam een oude man met zijn zoete geur van urine, vuil
en etenswalmen veel te dichtbij.
De vrouw bij de vleesafdeling kwam met een emmer water; ze zei dat het niet
erg was en ruimde alles op wat ze bij het ontbijt naar binnen had gewerkt.

'Voel je hem?' De Zweed kijkt haar opgewonden aan. 'Duw je arm er nog een eindje verder in! Wees niet zo laf!'

Het gekrijs van de zeug doet Victoria aarzelen. Haar arm zit bijna tot haar elleboog in het varken.

Nog een paar centimeter en dan voelt ze eindelijk de kop van het biggetje. De duim tegen de kaak en de wijs- en middelvinger over de hoofdhuid, achter de oren. Zoals Viggo het haar heeft geleerd. Dan trekken, voorzichtig.

'Goed zo! Daar komt hij. Ga door!'

Ze denken dat dit het laatste is. Tien geelgevlekte biggetjes liggen spartelend op het strobed om de spenen van de moeder te vechten. Viggo heeft de hele tijd naar het werpen van de biggen staan kijken. Bij de eerste drie heeft de Zweed geholpen; de andere zeven kwamen er zelf uit.

De schedespieren spannen zich krachtig om Victoria's arm en even denkt ze dat de zeug kramp heeft gekregen. Maar als ze wat harder trekt, lijken de spieren te ontspannen en nog geen tel later is het biggetje er half uit. Nog een tel later ligt het op het bloederige, vuile stro.

De achterpoten schokken, dan blijft het biggetje roerloos liggen.

De Zweed lacht opgelucht. 'Zie je wel! Dat was toch niet zo moeilijk?'

Ze wachten. Viggo buigt zich omlaag en wrijft over de rug van het biggetje. 'Goed gedaan,' zegt hij en hij glimlacht scheef naar Victoria.

Biggetjes blijven altijd ongeveer een halve minuut na de geboorte roerloos liggen. Je denkt dat ze dood zijn; dan beginnen ze plotseling te bewegen en tuimelen een poosje in het wilde weg rond voordat ze de spenen van de zeug vinden. Maar dit biggetje heeft met de poten gesparteld. Dat hadden de andere niet gedaan.

Ze telt stilletjes in zichzelf en als ze bij dertig is, wordt ze ongerust. Heeft ze hem te stevig vastgepakt? Op de verkeerde manier getrokken?

Viggo's glimlach sterft weg als hij de navelstreng controleert. 'Verdomme. Hij is dood...'

Dood?

Natuurlijk is hij dood, denkt ze. Ik heb hem gewurgd. Zo is het.

Viggo schuift zijn bril omlaag en kijkt haar ernstig aan. 'Het geeft niet. De navelstreng is beschadigd. Het is niet jouw schuld.'

Jawel, het is mijn schuld. En straks zal de zeug het biggetje opeten. Als wij hier weg zijn, zal ze zich te goed doen aan de nageboorte, alle voeding tot zich nemen die ze kan krijgen.

Ze zal haar eigen jong opeten.

Viggo Dürer heeft een grote boerderij even buiten Struer en na het biggen bestaat Victoria's vaste gezelschap, naast de schoolboeken, uit vierendertig varkens van een Deens landras, een stier, zeven koeien en een verwaarloosd paard. De boerderij is een slecht onderhouden vakwerkhuis in een triest, vlak landschap met windmolentjes, nog lelijker dan Nederland. Een lappendeken van ongastvrije, winderige en duistere akkers strekt zich uit tot aan de horizon, waar je een glimp van een smalle, blauwe streep water kunt opvangen, de Venø Bugt.

Er zijn twee redenen waarom ze hier is: studie en recreatie.

De echte redenen zijn ook twee in getal.

Isolering en discipline.

Hij noemt het recreatie, denkt ze, en ze staat op van het bed in de logeerkamer. Maar het gaat om isolering. Niet in de buurt komen van andere mensen en gedisciplineerd zijn. Binnen de kaders blijven. Huishoudelijk werk en studie. Schoonmaken, eten koken en studeren.

Werken met de varkens. En de zwijnen die regelmatig haar kamer bezoeken.

Haar studie betekent veel voor haar. Ze heeft een psychologiecursus op afstand aan de universiteit van Ålborg gekozen en haar enige contact met de buitenwereld is met de begeleider die af en toe ongeïnteresseerd schriftelijk commentaar op haar huiswerk geeft.

Ze legt haar boeken op het bureau en probeert te lezen. Maar het lukt niet. Allerlei gedachten tollen door haar hoofd en ze slaat het boek bijna meteen weer dicht.

Afstand, denkt ze. Opgesloten op een boerderij in niemandsland. Afstand van haar vader. Afstand van mensen. Een psychologiecursus op afstand, opgesloten met zichzelf in een kamer bij een varkensboer met een academische graad.

Advocaat Dürer heeft Victoria zeven weken geleden in Värmdö opgehaald en haar bijna duizend kilometer in zijn oude Citroën door een nachtzwart Zweden naar een net ontwaakt Denemarken gereden.

Victoria kijkt door het beslagen raam naar de auto op het erf. Wat is het toch een belachelijk ding, denkt ze. Als je hem parkeert, is het net of hij een wind laat, kreunt en in een onderdanige buiging in elkaar zakt.

Viggo is een akelige man om te zien, maar ze weet dat zijn belangstelling voor haar met de dag afneemt. Met elke dag dat ze ouder wordt. Hij wil dat ze zich scheert, maar dat weigert ze.

'Scheer de varkens maar,' zegt ze tegen hem.

Victoria trekt het rolgordijn naar beneden. Ze wil alleen maar slapen, hoewel ze weet dat ze zou moeten studeren. Ze loopt achter, niet omdat ze niet gemotiveerd is, maar omdat ze de cursus niet goed vindt. Een rommeltje. Oppervlakkige kennis zonder diepere reflectie.

Ze wil niet te snel gaan en blijft daarom in de tekst steken, gaat erbuitenom en vervolgens bij zichzelf naar binnen.

Waarom begrijpt niemand hoe belangrijk het is? De menselijke psyche kan niet in een tentamen worden afgehandeld. Tweehonderd woorden over schizofrenie en waanvoorstellingen is te weinig. Dat kan niet worden gebruikt als bewijs dat je er iets van hebt begrepen.

Ze gaat weer op bed liggen en denkt aan Solace. Het meisje dat de tijd in Värmdö draaglijk maakte. Solace was een surrogaat geworden dat haar vader bijna zes maanden heeft gebruikt. Sinds zeven weken is ze er niet meer.

Victoria schrikt als beneden de voordeur dichtvalt. Ze hoort stemmen uit de keuken en stelt vast dat het Viggo en een andere man zijn.

Weer de Zweed, denkt ze. Ja, dat moet haast wel.

Ze kan geen woorden onderscheiden en het geluid van de stemmen wordt vervormd door de oude houten vloer, die de hoge geluiden filtert, waardoor alles dof klinkt, maar ze herkent de intonatie.

Ja hoor, het is de Zweed. De derde keer al deze week.

Voorzichtig komt ze overeind en stapt van het bed af, giet het glas water leeg in de bloempot, zet het op de grond en legt er haar oor tegenaan.

Eerst hoort ze alleen haar eigen hartslag, maar als ze weer gaan praten, kan ze duidelijk verstaan wat ze zeggen.

'Vergeet het!' Dat is Viggo's stem. De Zweed heeft, hoewel hij al jaren in Denemarken woont, moeite met het dialect van Jutland en Viggo spreekt altijd Zweeds met hem.

Ze vindt het afschuwelijk als Viggo Zweeds praat; zijn accent klinkt geforceerd en hij praat langzamer, alsof hij het tegen een idioot of een klein kind heeft.

In de eerste weken van haar verblijf sprak hij ook Zweeds met haar, tot ze besloot om hem consequent in het Deens te antwoorden.

Hem aanspreken doet ze nooit.

'En waarom niet?' De Zweed klinkt geïrriteerd.

Viggo zwijgt een paar tellen. 'Het is te riskant. Begrijp je dat?'

'Ik vertrouw de Rus en Berglind staat borg voor hem. Als je mij en Berglind vertrouwt, kun je de Rus ook vertrouwen. Waar ben je bang voor?'

De Rus? Berglind? Ze begrijpt niet waar ze het over hebben.

De Zweed gaat verder. 'Niemand mist toch zeker een rotkind uit Rusland?'

'Niet zo hard. Boven is ook een rotkind, dat misschien hoort wat je zegt.'

'Nu je het toch over haar hebt...' De Zweed lacht weer, negeert Viggo's vermaning en blijft luid praten. 'Hoe ging het in Ålborg? Is alles geregeld met het kind?'

Viggo zwijgt even voordat hij antwoordt. 'De laatste papieren zijn deze week klaar. Je kunt gerust zijn, je krijgt je kleine meisje.'

Victoria raakt in de war. Ålborg twee weken geleden? Dat was toch toen...

184

Ze hoort hen beneden bewegen, voetstappen op de keukenvloer en dan het geluid van de voordeur die wordt dichtgeslagen. Als ze het gordijn een eindje opzijduwt, ziet ze dat ze naar de schuur lopen.

Ze pakt haar dagboek uit het nachtkastje, kruipt weer in bed en wacht. Ligt klaarwakker in het donker met haar rugzak die altijd ingepakt op de vloer staat.

De Zweed blijft tot in de kleine uurtjes op de boerderij. Ze vertrekken bij het ochtendgloren en om halfvijf hoort ze de auto's wegrijden.

Ze weet dat ze naar Thisted aan de andere kant van de Limfjord gaan en dat Viggo nog uren wegblijft.

Ze staat op, stopt haar dagboek in het buitenvak van de rugzak, trekt de rits dicht en kijkt op haar horloge. Kwart voor vijf. Hij komt op z'n vroegst om tien uur terug en dan zal zij hier ver vandaan zijn.

Voordat ze het huis verlaat, opent ze de kast in de woonkamer.

Daar staat een oude speeldoos uit de achttiende eeuw waar Viggo altijd over opschept als hij gasten heeft, en ze besluit om uit te zoeken of die echt zo waardevol is als hij zegt.

Er staat een sterke ochtendzon als ze naar Struer wandelt, waar ze een lift krijgt naar Viborg.

In Viborg neemt ze de trein van halfzeven naar Kopenhagen.

Het Zeeppaleis

Binnen een minuut heeft ze op de computer in de praktijk een foto van Viggo Dürer gevonden. Haar hart gaat tekeer als ze zijn gezicht ziet en ze begrijpt dat Victoria haar iets wil zeggen. Maar de oude man met het smalle gezicht en ronde, dikke bril zegt haar helemaal niets; er is alleen dat onbehaaglijke gevoel in haar borst en de herinnering aan aftershave.

Ze slaat de foto op de harde schijf op en drukt hem in volledige resolutie af. Dan geeft ze zichzelf tien minuten, waarin ze, met de kleurenprint voor zich op het bureau, probeert herinneringen op te roepen.

De foto is van opzij genomen en ze bestudeert de details van het gezicht en de kleding. De man is bleek en heeft dun haar, is misschien een jaar of zeventig, maar niet erg gerimpeld. Het gezicht is eerder glad. Hij heeft diverse grote levervlekken, volle lippen, een smalle neus en ingevallen wangen. Een grijs pak, een zwarte stropdas, een wit overhemd en een borstspeld op het colbertzakje, waarop het logo van zijn advocatenkantoor staat.

Verder niets.

Überhaupt geen concrete herinneringen. Victoria geeft haar geen beelden, geen woorden, alleen vibraties.

Ze legt de print boven in het brievenbakje op het bureau, zucht gelaten en kijkt op haar horloge. Ulrika Wendin is te laat.

De magere, jonge vrouw beantwoordt Sofia's begroeting met een zwak glimlachje.

Ze hangt haar jas over de rugleuning van de stoel en gaat zitten.

'Ik ben zo snel mogelijk gekomen.'

Haar ogen zijn hol. Dagen achter elkaar dronken geweest, denkt Sofia. 'Hoe is het met je?'

Ulrika glimlacht scheef en lijkt zich te generen, maar ze aarzelt niet als ze vertelt. 'Ik was zaterdagavond in de kroeg en toen zag ik een jongen die me wel oké leek en die heb ik mee naar huis genomen. We hebben samen een fles Rosita opgedronken en toen gingen we naar bed.'

Sofia heeft geen idee welke kant het verhaal op gaat, daarom knikt ze instemmend en wacht af.

Ulrika lacht kort. 'Ik weet niet of ik het echt heb gedaan. Of ik daar echt heen ben gegaan en hem mee naar huis heb genomen. Het voelt alsof het iemand anders was, maar aan de andere kant was ik behoorlijk bezopen.'

Ulrika stopt even en pakt een strip kauwgom uit haar zak. Diverse bankbiljetten van vijfhonderd kronen komen mee.

Ulrika duwt ze zonder iets te zeggen snel terug in haar zak.

Sofia slaat haar zwijgend gade.

Ze weet dat Ulrika werkloos is en dus geen grote sommen geld kan opnemen.

Waar komt al dat geld vandaan, denkt ze.

'Ik voelde me relaxed met hem,' gaat Ulrika verder zonder Sofia aan te kijken. 'Omdat ik niet degene was die met hem naar bed ging. Ik heb vvs, het vulvaire vestibulitissyndroom. Gênant, hè? Ik kan niemand vrijwillig binnenlaten, maar bij hem lukte het omdat ik niet degene was die daar lag.'

vvs? Zij was niet degene die daar lag? Sofia denkt aan de verkrachting van Ulrika door Karl Lundström. Ze weet dat een van de vermeende oorzaken van vvs een overdreven wassen van het onderlichaam is. De slijmvliezen drogen uit en worden broos, de zenuwen en de spieren raken beschadigd en de pijn is constant.

Herinneringen aan dat ze zichzelf schoonboende, uren in de stomende douche, de grove spons en de geur van zeep, maar het lukte nooit om zijn stank weg te wassen.

'Het was helemaal perfect,' vervolgt Ulrika. 'Toen ik 's ochtends wakker werd, was hij verdwenen. Ik heb niet eens gemerkt dat hij wegging.'

'Heeft hij je geld gegeven?' Sofia knikt naar Ulrika's jaszak. Ze realiseert zich meteen dat het een ongevoelige vraag is.

'Nee.' Ulrika kijkt steels naar haar zak en trekt de rits dicht. 'Dat soort dingen doe ik niet. Iets in mij wilde dit echt.'

Iemand anders moeten worden om verlangen, contact te durven voelen. Om normaal te kunnen zijn. Kapotgemaakt, voor altijd, omdat een man zijn ding heeft gedaan. Sofia kookt inwendig.

'Ulrika...' Sofia leunt over het bureau naar voren om het belang van haar vraag te benadrukken.

'Kun je mij vertellen wat genot is?'

Het meisje zwijgt een tijdje en antwoordt dan: 'Slaap.'

'Hoe is jouw slaap?' vraagt Sofia. 'Kun je daar iets over vertellen?'

Ulrika slaakt een diepe zucht. 'Leeg. Die is niets.'

'Dus voor jou betekent genot dat je niet hoeft te voelen?' Sofia denkt aan haar geschaafde hielen, de pijn die ze zelf nodig heeft om zich rustig te voelen.

'Dus genot is niets?'

Ulrika antwoordt niet, maar recht haar rug en zegt woedend: 'Nadat die klootzakken mij in het hotel hadden verkracht,' – haar blik is zwart – 'heb ik vier jaar lang elke dag gezopen. Daarna heb ik geprobeerd te minderen, maar ik zie er het nut niet van in. Ik kom voortdurend in de shit terecht.' Ulrika's gezichtsuitdrukking is vol haat. 'Ja, het is allemaal op die hotelkamer begonnen, maar daarna is de hel alleen maar doorgegaan.'

'In wat voor shit kom je terecht?'

Ulrika zakt in elkaar op de stoel.

'Het is alsof mijn lichaam niet van mij is, of dat het iets uitstraalt waardoor mensen denken dat ze met me kunnen doen wat ze willen. Mensen kunnen me slaan, ze kunnen me neuken, wat ik ook doe of zeg. Ik zeg dat het vreselijk veel pijn doet, maar dat maakt geen bal uit.'

Het vvs, denkt Sofia. Ongewenste gemeenschap en droge slijmvliezen. Dit is een meisje dat niet weet hoe het voelt om te willen, dat alleen maar geleerd heeft om van ontsnappingen te dromen. Natuurlijk is de leegte van de slaap voor haar een bevrijding.

Misschien had Ulrika's handelen in de kroeg een noodzakelijk element bevat. Een situatie waarin zij degene was die besliste, die de controle had. Omdat Ulrika er helemaal niet aan gewend was om vanuit haar eigen wil te handelen, had ze zichzelf gewoon niet herkend.

Het is verleidelijk om te denken dat het om dissociatie gaat. Maar dissociatie ontwikkelt zich niet in de tienerjaren, het is het verdedigingsmechanisme van het kind.

Het gaat eerder om confronterend gedrag, denkt Sofia, bij gebrek aan een betere omschrijving. Een soort cognitieve zelftherapie.

Sofia weet dat het meisje tijdens de verkrachting in het hotel gedrogeerd was met een middel dat de spieren in haar onderlichaam verlamde, waardoor ze alles had laten lopen.

Ze realiseert zich dat Ulrika's toestand – mogelijke anorexia, zelfverachting, vrij vergevorderd alcoholisme en een achtergrondgeschiedenis gekleurd door vriendjes die haar hebben mishandeld en uitgebuit – waarschijnlijk door deze ene gebeurtenis zeven jaar geleden is veroorzaakt.

Alles is de schuld van Karl Lundström.

Ulrika wordt plotseling nog bleker. 'Wat is dat?'

Sofia begrijpt niet wat ze bedoelt. De blik van het meisje is vastgenageld aan iets op het bureau.

Een stilte van vijf seconden. Dan staat Ulrika op van haar stoel en pakt de print die de hele tijd in het papierbakje heeft gelegen. De foto van Viggo Dürer.

Sofia weet niet hoe ze moet reageren. Shit, denkt ze. Waarom ben ik zo onnadenkend? 'Dat is de advocaat van Karl Lundström,' is alles wat ze weet uit te brengen. 'Ken je hem?'

Ulrika kijkt een paar tellen naar de foto en legt hem vervolgens terug op het bureau. 'Laat maar. Ik heb die man nooit gezien. Ik dacht dat het iemand anders was.' Het meisje probeert te glimlachen, maar Sofia ziet dat dat niet lukt.

Ulrika Wendin kent Viggo Dürer.

Gamla Enskede

'En, wat doen we met de dochter?' Hurtig kijkt Jeanette aan.

'Zij is natuurlijk enorm interessant. We moeten zo veel mogelijk over haar te weten zien te komen. Naam, adres enzovoort. Je weet wat ik bedoel.'

Hurtig knikt. 'Zal ik een opsporingsbevel naar haar doen uitgaan?'

Jeanette denkt na. 'Nee, nog niet. Laten we eerst kijken wat we over haar kunnen vinden.' Ze staat op en maakt zich klaar om terug te gaan naar haar eigen kamer. 'Ik zal Von Kwist bellen en zeggen dat ik hem morgen wil spreken. We moeten verdomme weten wat er destijds is gebeurd.'

Hurtig kijkt op zijn horloge. 'Zullen we samen een hapje eten voordat we naar huis gaan?'

'Nee, ik eet thuis. Ik wil Johan nog even zien voordat hij naar een vriendje gaat of zich in zijn kamer opsluit.'

Na een kort telefoongesprek met de officier van justitie, waarin ze een afspraak maken om over het stopgezette vooronderzoek naar Peo Silfverberg te praten, stapt Jeanette in haar auto en rijdt naar huis.

Stockholm lijkt haar grijzer en vochtiger toe dan ooit. Een kleurloze vooravond. Een stad in zwart en wit. Geen kleuren.

Maar aan de horizon worden de wolken kapotgescheurd en tussen de glinsterende randen ziet ze glimpen van een blauwe lucht. Als ze uit de auto stapt, ruikt het naar regenwormen en nat gras.

Johan zit voor de tv als Jeanette vlak na vijven thuiskomt en als ze een blik in de keuken werpt, ziet ze dat hij kennelijk al heeft gegeten. Ze loopt naar de bank en geeft hem een zoen op zijn hoofd.

'Hoi. Heb je een leuke dag gehad?'

Hij haalt zijn schouders op zonder te antwoorden.

'Wat wil je vanavond doen?'

'Hou toch op,' moppert hij stuurs, terwijl hij zijn knieën optrekt en naar de afstandsbediening reikt. 'Opa en oma hebben een kaartje gestuurd. Ik heb het op de keukentafel gelegd.' Hij zet het geluid van de tv luider.

Jeanette loopt terug naar de keuken, pakt de ansichtkaart en bekijkt de voorkant. De Chinese Muur, hoge bergen en een golvend, groen landschap.

Ze leest de achterkant. Ze hebben het goed, maar verlangen naar huis. De gebruikelijke woorden. Alles onder controle. Ze klemt de kaart aan de koelkast, ruimt het aanrecht op, zet de vaat in de afwasmachine en gaat dan naar boven om te douchen.

Als ze weer beneden komt, is Johan naar zijn kamer gegaan en ze hoort dat hij met een computerspel bezig is.

Ze heeft verschillende keren geprobeerd belangstelling te tonen, maar heeft het nooit lang kunnen volhouden omdat de games altijd te ingewikkeld en gewelddadig bleken.

Åke en zij hadden Johan aanvankelijk willen verbieden de meest bloederige spellen te spelen, maar ze hadden al snel ingezien dat dat zinloos was. Al zijn vrienden hebben die games, dus het zou in de praktijk geen enkel effect hebben. Ze herinnert zich een voorval van toen Johan acht was: hij had bij een vriendje gelogeerd en de volgende dag had hij vol trots verteld dat ze *The Shining* hadden gezien. Een film waar hij van Åke en haar nooit naar had mogen kijken.

En de ouders van het vriendje waren onderwijzers op Johans school geweest.

Heb ik hem te erg beschermd, vraagt ze zich af. Op hetzelfde moment krijgt ze een inval. Waar zeurde hij laatst toch zo over? Het spel dat iedereen heeft behalve hij. Ze loopt naar de keuken en belt Hurtig.

'Hoi. Kun je me ergens mee helpen?'

Hij klinkt buiten adem als hij opneemt. 'Natuurlijk. Zeg het maar. Of kan ik je zo terugbellen? Ik ben weer bezig zelfmoord op de trap te plegen.' Zijn stem weergalmt en ze begrijpt dat hij zich in het trappenhuis van zijn flat bevindt. Zes verdiepingen zonder lift.

'Deze vraag kun je in je slaap beantwoorden. Wat is momenteel het populairste spel?'

Hij lacht. 'Spel? Bedoel je de Olympische Spelen in Peking, spellen voor de pc of voor de Xbox, of iets heel anders?'

'Voor de pc.'

'*Assasins's Creed*,' antwoordt hij prompt.

'Nee.'

'Hoezo nee? Je vroeg welk spel het...'

'Dat was niet het spel dat ik bedoelde,' onderbreekt ze hem. 'Weet je er nog meer?'

Ze hoort dat zijn sleutels in het slot rammelen. '*Call of Duty*?'

'Nee.'

'*Counter Strike*?'

Jeanette herkent geen van de namen. 'Nee, als ik me niet vergis, was het geen actiespel.'

Hurtig ademt luid in de telefoon en daarna hoort ze het geluid van een deur die dichtgaat. 'Dan bedoel je vast *Spore*?' stelt hij uiteindelijk voor.

'Yes, dat is 'm. Is het gewelddadig?'

'Dat ligt eraan hoe je speelt. Het is een evolutiespel waarbij je je karakter moet ontwikkelen van een kleine cel tot meester over het universum, en dan kan het soms handig zijn om geweld te gebruiken.'

Evolutie. Zo was het, ja, denkt Jeanette. 'Interessant. Hoe kan ik eraan komen?'

'Je kunt het kopen. Maar de eerste versie heeft nogal veel bugs, problemen met foutieve serienummers en een kopieerbeveiliging die vernieuwend zou moeten zijn, maar die alleen maar voor chaos zorgt.'

Jeanette zucht gelaten. 'Oké, dat wordt dus niks...'

'Er is natuurlijk een andere mogelijkheid,' gaat hij verder. 'Je zou het van mij kunnen lenen, omdat ik toevallig een gekraakte versie heb. Is Johan jarig?'

'Nee. Maar wat bedoel je met gekraakt? Illegaal gekopieerd?'

'Tja, gemodificeerde software is denk ik een betere benaming.'

Op hetzelfde moment verstomt het geluid van de computer op Johans kamer; dan gaat de deur open. Hij loopt de hal in, trekt zijn schoenen aan en maakt de veters vast. Jeanette vraagt Hurtig even te blijven hangen en wil van Johan weten waar hij heen gaat, maar het enige antwoord dat ze krijgt, is het geluid van de voordeur die dicht wordt getrokken.

Als hij weg is, glimlacht ze zwakjes en pakt de hoorn van de telefoon weer op. 'Ik ben vandaag eerder naar huis gegaan omdat ik bang was dat

Johan zich in zijn kamer had opgesloten of naar een vriendje was gegaan. Sinds ik thuis ben, heeft hij beide al gedaan.'

'Ik snap het,' zegt Hurtig. 'En nu wil je hem verrassen?'

'Ja. Vergeef me mijn onkunde, maar als jij me het spel leent, kan ik het dan naar Johans computer kopiëren en het daarna aan jou teruggeven?'

Hurtig antwoordt eerst niet en ze heeft het idee dat hij grinnikt.

'Luister,' zegt hij dan. 'Laten we het zo doen... Ik kom nu meteen naar jou toe en installeer het spel voor Johan, zodat hij zijn verrassing van-avond al krijgt.'

Was ze zonet gekwetst omdat hij om haar onkunde had gelachen, ze vergeeft het hem meteen. 'Je bent een toffe vent. Als je nog niet hebt gege-ten, trakteer ik op pizza.'

'Graag.'

'Welke wil je?'

Hij lacht. 'Dat ligt eraan welke op dit moment het populairst is. Die vraag kun jij toch zeker in je slaap beantwoorden?'

Ze snapt de hint. 'Provençale?'

'Nee.'

'Quattro Stagione?'

'Nee, die ook niet,' zegt Hurtig. 'Dat zijn pizza's voor snobs.'

'Dan wil je vast een Vesuvio?'

'Ja, precies. Vesuvio.'

Die avond valt Jeanette op de bank in de woonkamer in slaap. Ze droomt nog half als de telefoon gaat en het dringt pas na een paar tellen tot haar door wat er aan de hand is. Ze komt overeind van de bank. 'Hallo?' ant-woordt ze slaapdronken en ze ziet dat er twee lege pizzadozen op de tafel liggen. Dat is waar ook, denkt ze. Hurtig is gekomen, we hebben pizza gegeten en ik ben in slaap gevallen toen hij het spel installeerde.

'Hoi, met mij. Alles kits?'

Ze ergert zich aan Åkes overdreven populaire manier van praten. 'Hoe laat is het eigenlijk?' Ze strekt zich uit om op het display van de stereo-installatie te kijken en kreunt als ze ziet dat het vijf voor vier is. 'Åke, ik hoop voor jou dat dit belangrijk is.'

'Sorry,' zegt hij en hij lacht, 'ik was het tijdverschil vergeten. Ik ben in Boston. Wilde even met Johan praten.'

Wat zegt hij, verdomme?

'Boston? Zit je niet in Krakau? Geen grapjes nu. Ben je dronken? Hoe dan ook, Johan slaapt en ik ben niet van plan om...' Ze stopt als ze de streep licht uit de deuropening van Johans kamer ziet. 'Wacht even.'

Ze legt de telefoon neer, loopt voorzichtig naar de deur en duwt die wat verder open.

Hurtig en Johan zitten met hun rug naar haar toe achter de computer en zijn verdiept in een soort blauwe mijt die op het scherm rondzwemt.

Ze gaan zo op in het spel dat ze haar niet horen.

'Pak hem! Pak hem!' fluistert Hurtig zachtjes, maar merkbaar opgewonden, en hij geeft Johan een klap op zijn schouder als de mijt iets verslindt wat op een rode, behaarde spiraal lijkt.

Jeanettes eerste impuls is om te vragen wat ze in godsnaam om vier uur 's ochtends aan het doen zijn en ze dan naar bed te sturen, maar op hetzelfde moment dat ze haar mond opent, bedenkt ze zich.

Laat ze maar lekker spelen.

Ze slaat hen een paar tellen gade en realiseert zich dat Johan voor het eerst in tijden tevreden lijkt terwijl hij onder hetzelfde dak verkeert als zij, al denkt hij op dit moment natuurlijk dat ze ligt te slapen. Voorzichtig doet ze de deur dicht en loopt terug naar de woonkamer.

'Wil je zo vriendelijk zijn je nader te verklaren, Åke,' zegt ze, en ze weet dat ze het punt nadert waarop ze ofwel pisnijdig wordt, wat ze later zal betreuren, ofwel kalmeert en een verstikkend gevoel in haar buik krijgt.

'Dat was ik ook van plan, maar jij ging tekeer als een stoomlocomotief en ik had niet eens de tijd om mijn mond open te doen. Bovendien ben ik lang genoeg met je getrouwd geweest om te weten wanneer je niet luistert. We hebben vakantie en zijn hier vanochtend aangekomen. Het was een spontane inval.'

'Een spontane inval? Naar Boston gaan zonder iets tegen mij of Johan te zeggen?'

Hij zucht. 'Ik heb Johan gisteren gebeld. Hij zou aan jou doorgeven dat ik deze week in Boston ben.'

'Nou, dat heeft hij dus niet gedaan. Niets aan te doen. Veel plezier. Tot kijk.'

'Ik...'

Jeanette verbreekt de verbinding. Het heeft geen zin energie te verspillen aan gezeur.

Ze slaat haar armen voor haar gezicht.

Ze huilt niet, maar snikt gesmoord en rochelend.

Ze kruipt weer op de bank, trekt de deken over zich heen en probeert weer in slaap te komen.

Is Åkes werk groter en belangrijker dan dat van mij, denkt ze. Gedeeld ouderlijk gezag?

Åke ziet Johan als een last en ik erger me aan Johans zwijgen.

Mag je een hekel hebben aan je eigen kind? Soms, natuurlijk.

Ze draait zich om en gaat op haar buik liggen, terwijl ze onderdrukt gelach uit Johans kamer hoort. In stilte bedankt ze Hurtig, maar tegelijkertijd verbaast het haar dat hij zo onverantwoordelijk is dat hij niet begrijpt dat een tiener zijn slaap nodig heeft om naar school te kunnen gaan. Waarschijnlijk komt er ook niets van de voetbaltraining van morgen. Hurtig kan misschien wel werken, maar Johan zal een zombie zijn.

Ze merkt algauw dat het zinloos is om te proberen te slapen. Zodra ze haar ogen sluit, zoemen de gedachten rond als bijen. Ze gaat weer op haar rug liggen en staart naar het plafond.

De drie letters die Åke ooit in een dronken bui met groene verf dwars over de zoldering heeft geschilderd zijn nog steeds te zien. Het had niet geholpen dat hij er de volgende dag overheen had geverfd. Net als zoveel andere dingen die hij beloofd had aan te pakken, had hij er daarna niets meer aan gedaan. In een iets donkerder tint dan de rest van het witte plafond zijn een H, een I en een F te zien, van voetbalclub Hammarby IF.

Als we het huis willen verkopen, zal hij me verdomme moeten helpen, denkt ze.

Het zal vreselijk veel papierwerk met zich meebrengen en makelaars die zeuren over homestyling. Maar nee, Åke vertrekt naar Polen, drinkt een paar glazen champagne en verkoopt oude schilderijen die hij allang zou hebben vernietigd als ik hem niet had tegengehouden.

En vervolgens volgt de ene vakantie op de andere. Met Alexandra naar Boston.

Voor Jeanette lijkt de wettelijke proeftijd van zes maanden tussen het aanvragen en het uitspreken van de scheiding plotseling het voorgeborchte van de hel. En daarna wacht de echte hel in de vorm van de boedelscheiding. Maar ze moet glimlachen als ze bedenkt dat ze wettelijk recht heeft op de helft van hun gemeenschappelijke vermogen. Het schiet door haar heen dat ze Åke bang zou kunnen maken door net te doen alsof ze haar deel opeist, alleen om zijn reactie te zien. Hoe meer schilderijen hij verkoopt voordat de scheiding een feit is, hoe meer geld zij krijgt.

Weer hoort ze gelach uit Johans kamer en hoewel Jeanette blij voor hem is, voelt ze zich eenzaam en wou ze dat Sofia had gebeld in plaats van Åke. Toen ze op de pizza's wachtte, had ze Sofia twee keer gebeld, eerst met de vaste telefoon en daarna met haar mobieltje, maar er was niet opgenomen.

Lieve Sofia, kom gauw bij me, denkt ze, en ze gaat op haar zij liggen en kruipt onder de deken in elkaar.

Ze verlangt ernaar Sofia's rug dicht tegen haar buik te voelen en mist de handen die haar haar van haar voorhoofd strijken.

Het duurt vrij lang voordat Jeanette weer in slaap valt. Het snikken wordt langzaam minder, als bij een huilend kind.

Vita bergen

Sofia pakt de recorder, gaat voor het raam staan en kijkt naar de straat. Het regent niet meer. Aan de overkant loopt een vrouw met een zwartwitte aangelijnde bordercollie langs. Door de hond moet ze aan Hannah denken, die vlak na hun interrailvakantie zo ernstig door eenzelfde soort hond was gebeten dat ze een vinger moest missen. Toch was ze boven alles van honden blijven houden.

Sofia zet de recorder aan en begint te praten.

Wat mankeert mij?

Waarom kan ik niet dezelfde tederheid of liefde voor dieren voelen als andere mensen?

Als kind heb ik het heel vaak geprobeerd.

Eerst waren het wandelende takken, omdat die makkelijker waren dan aquariumvissen, en ze waren ook heel geschikt omdat hij zo vreselijk allergisch was voor Esmeralda, die naar iemand anders ging die wel tegen katten kon. Toen was er een poging om iets voor de zomer te vinden en dat werd het jonge konijn dat in de auto doodging omdat niemand eraan dacht dat ook een boerenkonijn water nodig heeft, en daarna was het de geit die we te leen hadden en die de hele zomer schijnzwanger was, en het enige wat ik me van haar herinner zijn alle kleine, zwarte, kleverige keutels die overal lagen en aan je voeten bleven plakken. En toen waren er de kippen waar niemand van hield en daarna was er een poosje het paard van de buurman; dat was vóór het konijn dat trouw en vrolijk en gehoorzaam en warm was en waar je in weer en wind voor zorgde en dat je te eten gaf voordat je naar school ging, en het konijn werd gebeten door de herder van de paardenbuurman, die in het begin vast niet vals was, maar iedereen die geslagen wordt, wordt op den duur waarschijnlijk nijdig en valt de zwakkeren aan...

Deze keer wordt ze niet moe van haar eigen stem. Ze weet wie ze is.

Ze staat bij het raam, kijkt door een spleetje van de dichte jaloezieën naar wat er op straat gebeurt en laat haar hersenen werken.

Het konijn kon niet ontkomen omdat er overal sneeuw lag, ook op de plekken waar hij zich anders had kunnen verstoppen, en de hond beet hem in zijn nek net zoals hij de peuter van drie had gebeten die hem een ijsje had gevoerd. Omdat de hond alles haatte, haatte hij kennelijk ook ijs en beet het kind recht in het gezicht, en niemand maakte zich eigenlijk al te druk; de wonden werden gewoon zo goed en zo kwaad als het ging gehecht. Je hoopte er het beste van en toen was het paard er weer en de manege en pony's en de hartjes in je dagboek betekenden eigenlijk een oudere jongen van wie je graag zou willen dat hij je leuk vond of in elk geval naar je keek als je met je nieuwe borsten en in je strakste broek trots door de gangen rondstapte. Kunnen inhaleren zonder te hoesten of over te geven zoals wanneer je valium had geslikt of veel te veel had gedronken en zo dom was geweest om naar huis te gaan en in de hal te vallen, en dan moest oma voor je zorgen en wilde je alleen maar bij haar op schoot zitten en zo klein zijn als je eigenlijk ook was en haar armen om je heen voelen en de stiekeme sigarettenrook ruiken omdat oma ook bang voor hem was en alleen maar rookte als hij het niet zag...

Ze doet de recorder uit, loopt terug naar de keuken en gaat aan de keukentafel zitten.

Ze spoelt het bandje terug en haalt het uit het apparaat. Er staat inmiddels een aanzienlijke hoeveelheid herinneringen keurig gerangschikt in de boekenkast in haar werkkamer.

Gao's lichte, bijna geluidloze gesluip en dan het krakende geluid van de deur achter de boekenkast in de woonkamer.

Ze staat op en gaat bij hem naar binnen, in hun eigen geheime, zachte en veilige kamer.

Hij zit op de grond te tekenen en ze gaat op het bed zitten, stopt een nieuw, leeg bandje in het apparaat.

De kamer is een kooi, een toevluchtsoord waar ze zichzelf kan zijn.

Het Klara sjö

De woorden stromen uit Kenneth von Kwists mond als hij vertelt over zijn aandeel in het aanvullende verhoor met Peo Silfverberg. Het valt Jeanette op dat hij geen enkel feit hoeft te controleren. Von Kwist kent alle details vanbuiten en ze krijgt het onaangename gevoel dat hij een verhaal opdreunt dat hij uit zijn hoofd heeft geleerd.

Het is ochtend en ze zitten in het kantoor van de officier van justitie met uitzicht op het Klara sjö, waar een paar kanovaarders het gure najaarsweer trotseren en door het smalle kanaal peddelen. Knap dat ze in deze wind met die ranke dingen kunnen omgaan, denkt ze en ze wacht tot Von Kwist verdergaat.

De officier knijpt zijn ogen half dicht, kijkt haar met een kritische blik aan alsof hij probeert uit te vinden wat haar bedoelingen zijn.

Leunt achterover en vouwt zelfverzekerd zijn armen achter zijn hoofd.

'Als ik me niet vergis, belde de politie van Kopenhagen,' vervolgt hij. 'Ze wilden dat ik, als officier van justitie, deel zou nemen aan het gesprek met Silfverberg. Het verhoor werd geleid door de vorige politiechef Gert Berglind en Per-Ola Silfverberg had zijn advocaat meegenomen, Viggo Dürer.'

'Alleen jullie vier waren dus aanwezig?'

Von Kwist knikt bevestigend en haalt diep adem.

'Ja, we hebben een paar uur gepraat en hij ontkende alle beschuldigingen. Hij beweerde dat zijn pleegdochter altijd al een levendige fantasie had gehad. Het meisje had het kennelijk niet makkelijk gehad. Ik weet nog dat hij vertelde dat ze vlak na de geboorte door haar biologische moeder in de steek was gelaten en bij de familie Silfverberg in huis was geplaatst. Ik herinner me heel goed dat hij zich verdrietig en heel erg gekrenkt voelde door de aantijgingen.'

Als Jeanette Von Kwist vraagt hoe het komt dat hij zich een gesprek van zo lang geleden zo gedetailleerd kan herinneren, antwoordt hij lachend dat hij een uitstekend geheugen en een snel verstand heeft.

'Waren er redenen om hem te geloven?' probeert Jeanette. 'Ik bedoel, Per-Ola en zijn vrouw verlieten Denemarken zodra hij uit het huis van bewaring was vrijgelaten en op mij komt dat over alsof hij iets te verbergen had.'

De officier zucht zwaar. 'Kennelijk hechtten we geloof aan zijn verhaal.'

Jeanette schudt gelaten haar hoofd. 'Hoewel zijn dochter beweerde dat hij allerlei dingen met haar had gedaan? Ik vind het volstrekt onbegrijpelijk dat hij er zo makkelijk vanaf kwam.'

'Ik niet.' De ogen van de officier versmallen zich achter zijn bril tot een paar spleetjes. Een zwakke glimlach speelt om zijn lippen. 'Ik doe dit werk al zo lang dat ik weet dat er voortdurend fouten worden gemaakt en onzorgvuldigheden plaatsvinden.'

Jeanette beseft dat ze niet verder komt en verandert van onderwerp.

'Wat kun je over de zaak-Ulrika Wendin zeggen?'

De glimlach dooft en Von Kwist krijgt plotseling een hoestaanval; hij verontschuldigt zich en verlaat de kamer. Als hij terugkomt, heeft hij twee glazen en een karaf water bij zich. Hij zet de glazen op het bureau, schenkt ze vol en geeft het ene glas aan Jeanette.

'Wat wil je over Ulrika Wendin weten?' Hij neemt een grote slok water. 'Dat was zeven jaar geleden,' zegt hij vervolgens.

'Ja, maar met jouw goede geheugen weet je vast dat het onderzoek werd geleid door dezelfde oud-politiechef, Gert Berglind, een onderzoek dat ook werd gestaakt. Jij zag geen verband?'

'Nee, daar heb ik nooit over nagedacht.'

'Toen Annette Lundström Karl een alibi verschafte voor de avond dat Ulrika Wendin werd verkracht, accepteerde je dat. Je hebt niet eens gecontroleerd of haar informatie juist was. Klopt dat?'

Jeanette voelt de woede op komen zetten en probeert zich in te houden. Ze weet dat ze niet mag opstuiven. Dat ze haar kalmte moet bewaren, wat ze ook van het handelen van de officier van justitie vindt.

'Dat is een keuze die ik heb gemaakt,' antwoordt hij rustig. 'Een weloverwogen beoordeling van de informatie die ik had. Ik moest bepalen of Lundström daar was geweest. En mijn verhoor met hem toonde aan dat dat niet het geval was. Zo eenvoudig was het. Ik had geen reden om te denken dat hij loog.'

'En als je er nu naar kijkt, vind je dan niet dat je alles wat grondiger had moeten onderzoeken?'

'De verklaring van Annette Lundström was slechts een deel van de informatie waar ik over beschikte, maar die had inderdaad beter gecontroleerd kunnen worden. Alles had beter gecontroleerd kunnen worden.'

'Maar dat gebeurde niet?'

'Nee.'

'En jij hebt tegen Gert Berglind en de onderzoeksleiding gezegd dat ze verder moesten gaan?'

'Ja.'

'Toch is dat niet gebeurd?'

'Die keuze hebben zij waarschijnlijk gemaakt op basis van hun weloverwogen beoordeling van de feiten.'

Jeanette ziet Von Kwist glimlachen. Zijn stem is die van een slang.

Op een goede dag struikel je nog over je eigen sluwheid, denkt ze.

De Jutas backe

De hervorming van de psychiatrie die op 1 januari 1995 van kracht werd, was slecht. Dat die bovendien de voorzitter van het onderzoek, minister van Sociale Zaken Bo Holmberg, persoonlijk trof moet als ironie van het lot worden beschouwd.

Zijn echtgenote, minister van Buitenlandse Zaken Anna Lindh, werd vermoord door een man die volgens het gerechtshof psychisch ziek was en die daarom in een gesloten instelling had moeten zitten.

In plaats daarvan had haar moordenaar, Mijailo Mijailović, zich vrijelijk door de straten van Stockholm kunnen bewegen en die als slagveld voor de strijd met zijn onzichtbare demonen gebruikt.

Veel instellingen werden weliswaar al in de jaren zeventig gesloten, maar je vraagt je toch af wat er zou zijn gebeurd als het psychiatrieonderzoek tot een andere slotsom dan het uiteindelijke resultaat was gekomen.

De slaaphuizen in Stockholm beschikken over zo'n tweeduizend bedden en voor de vijfduizend daklozen – van wie de meesten een drank- of een drugsprobleem hebben – is het met andere woorden een voortdurende strijd om onderdak te vinden.

Omdat bovendien bijna de helft van hen ook psychische problemen heeft, wordt er vaak ruziegemaakt over de lege bedden en kiezen velen ervoor elders te overnachten.

In de grote bergholten onder de St.-Johanneskerk op Norrmalm zijn hele kolonies ontstaan van mensen die met elkaar gemeen hebben dat ze buiten de bescherming van de gewone maatschappij vallen.

In de kathedraalachtige zalen, waar het druipt van het vocht, hebben ze iets gevonden wat in elk geval een beetje op geborgenheid lijkt.

Kleine hutjes van plastic of zeildoek naast een paar stukken karton en een slaapzak. De kwaliteit van de woningen varieert aanzienlijk en sommige zou je haast stijlvol kunnen noemen.

Boven aan de Jutas backe slaat ze rechts af naar de Johannesgatan en ze loopt langs de omheining van het kerkhof.

Elke stap die ze zet, brengt haar dichter bij iets nieuws, een plek waar ze zou kunnen blijven en gelukkig zou kunnen worden. Waar ze een nieuwe naam zou kunnen aannemen, nieuwe kleren zou kunnen aantrekken, haar verleden achter zich zou kunnen laten.

Een plek waar haar leven een andere wending kan nemen.

Ze haalt de muts uit haar jaszak, zet die op en stopt haar blonde haar er zorgvuldig onder.

De bekende vlinders in haar buik maken zich kenbaar en net als de vorige keer vraagt ze zich af wat ze zal doen als ze naar de wc moet.

Toen had alles zich vanzelf opgelost omdat het slachtoffer haar gewoon had binnengelaten – ja, haar zelfs had uitgenodigd. Per-Ola Silfverberg was naïef geweest, goedgeloviger dan goed voor hem was, en dat vond ze best vreemd, want hij was toch een man die in de zakenwereld gehard was.

Per-Ola Silfverberg had met zijn rug naar haar toe gestaan toen ze het grote mes tevoorschijn had gehaald en de polsslagader van zijn rechteronderarm had doorgesneden. Hij was door zijn knieën gezakt, had zich omgedraaid en haar bijna verbaasd aangestaard. Eerst had hij naar haar gekeken en toen naar de plas bloed die zich langzaam op het lichte parket had gevormd. Zijn ademhaling was zwaar geweest, maar hij had toch geprobeerd overeind te komen en zij had hem zijn gang laten gaan omdat hij geen schijn van kans had gehad. Toen ze haar polaroidcamera had gepakt, was hij verbaasd geweest.

Het had haar bijna twee weken gekost om de vrouw in de bergholte onder de kerk te lokaliseren. Een bedelaar op het Sergels torg had verteld dat ze ondanks haar huidige situatie sprak en handelde als de adellijke dame die ze in haar eigen ogen nog altijd was.

In weerwil van haar achtergrond was Fredrika Grünewald op straat beland, waar ze al tien jaar bekendstond als de Gravin. Ze weet dat de familie Grünewald, door de riskante beleggingen en slechte investeringen van Fredrika, haar hele vermogen is kwijtgeraakt.

Ze heeft zich een tijdlang afgevraagd of ze wel wraak op Fredrika wil nemen, omdat haar leven toch al naar de verdommenis is, maar wat je bent begonnen moet je afmaken.

En dus is het zo besloten. Punt uit. Er is geen ruimte voor medelijden. Of ze nu een dakloze zwerver is of een tot de upper class behorende dame in goeden doen.

De herinneringen aan Fredrika Grünewald komen weer terug.

Ze ziet een vieze vloer en hoort de ademhalingen. De stank van zweet, vochtige aarde en machineolie.

Of Fredrika Grünewald nu de aanstichtster is geweest of zich alleen maar van haar taak heeft gekweten, ze is schuldig. Niets doen kan ook schuld inhouden.

Wie zwijgt stemt toe.

Ze gaat links de Kammakargatan in en vervolgens weer naar links op de Döbelnsgatan. Nu bevindt ze zich aan de overkant van het kerkhof, waar de ingang schijnt te zijn. Ze vertraagt haar pas en zoekt naarstig naar de metalen deur waar de bedelaar over heeft verteld.

Over het trottoir komt een ouder echtpaar haar kant op wandelen en ze trekt de muts verder over haar voorhoofd. Een meter of vijftig verderop ziet ze een donkere man onder een boom staan. De grijze metalen deur naast hem staat op een kier en binnen hoort ze een zwak geroezemoes.

Eindelijk heeft ze de bergholte gevonden.

'Wie ben jij, verdomme?'

De man stapt uit de duisternis onder de boom vandaan.

Hij is aangeschoten en dat is goed, omdat zijn herinneringen aan haar vaag zullen zijn; misschien vergeet hij alles wel.

'Weet jij wie de Gravin is?' Ze kijkt hem recht aan, maar omdat hij scheel is, vindt ze het moeilijk om te bepalen op welk oog ze haar blik moet richten.

Hij staart terug. 'Hoezo?'

'Ik ben een vriendin van haar en ik moet haar spreken.'

De man grinnikt bij zichzelf. 'Zo, dat mens heeft dus vrienden. Daar had ik geen flauw idee van.' Hij haalt een verfrommeld pakje sigaretten tevoorschijn en steekt een peuk op. 'Wat levert dat me op? Als ik je bij haar breng, bedoel ik.'

Ze is er niet langer zeker van dat hij aangeschoten is. Zijn blik heeft een plotse helderheid die haar bang maakt. Wat als hij zich haar zal herinneren?'

'Wat wil je hebben om mij de weg te wijzen?' Ze laat haar stem dalen, fluistert bijna. Wil niet dat anderen hun gesprek kunnen horen.

'Een paar honderdjes misschien. Ja, dat lijkt me wel redelijk.' De man glimlacht.

'Je krijgt er drie als je me laat zien waar ze is. Deal?'

De man knikt en maakt een smakkend geluid.

Ze pakt haar portemonnee en geeft hem drie briefjes van honderd, die hij tevreden grijnzend bekijkt voordat hij de deur voor haar openhoudt en gebaart dat ze naar binnen kan gaan.

Een zoete, misselijkmakende stank komt haar tegemoet en ze graait een zakdoek uit haar jaszak. Houdt die voor haar neus en mond om niet over te geven, terwijl de man om haar reactie grinnikt.

De trap is lang en als haar ogen aan het donker zijn gewend, ziet ze onderaan een zwak schijnsel.

'Pas op dat je niet valt. Het kan hier glad zijn.'

De man pakt voorzichtig haar arm beet en bij de aanraking deinst ze terug.

'Oké, oké,' roept hij uit. 'Ik snap het. Denk je dat ik besmettelijk ben of zo?' Hij laat haar los en ze hoort dat hij zich oprecht gekwetst voelt.

Griezel, denkt ze. Jij bent één grote besmettingshaard.

Wanneer ze de grote zaal in stapt, kan ze haar ogen aanvankelijk niet geloven. De ruimte heeft de omvang van een klein voetbalveld en is minstens tien meter hoog. Het is één grote wirwar van tenten, dozen en hutjes met her en der kleine open vuren waar allerlei mensen omheen liggen of zitten.

Maar het opvallendst is de stilte.

Alleen het zwakke geluid van gefluister en gesnurk is te horen.

Alles is in een soort respect gehuld. Alsof de mensen die hier beneden leven, hebben afgesproken elkaar met rust te laten, om elkaar niet te storen bij hun zorgen.

De man loopt langs haar heen en ze volgt hem de schaduwen in. Niemand lijkt notitie van haar te nemen.

De man vertraagt zijn pas en blijft staan.

'Hier woont dat mens.' Hij wijst naar een hut die is gebouwd van zwarte afvalzakken, groot genoeg voor minstens vier personen. Voor de ingang hangt een blauwe deken. 'Ik smeer 'm nu. Als ze vraagt wie je de weg heeft gewezen, dan zeg je maar dat het Börje was.'

'Oké. Bedankt voor je hulp.'

De man draait zich om en verdwijnt langs dezelfde weg als ze zijn gekomen.

Als ze op haar hurken gaat zitten, ziet ze binnen iets bewegen. Langzaam haalt ze de zakdoek voor haar mond weg en ademt voorzichtig in. De lucht is dik en bedompt. en ze doet haar best om alleen door haar mond te ademen. Ze pakt de pianosnaar en verbergt die in haar hand.

'Fredrika?' fluistert ze. 'Ben je daar? Ik moet met je praten.'

Ze schuift dichter naar de ingang toe, pakt de polaroidcamera uit haar tas en duwt voorzichtig de deken opzij.

Als schandelijkheid een geur heeft, dan voelt ze die nu in haar neus prikken.

Het Zeeppaleis

Ann-Britt belt via de binnenlijn om te zeggen dat Linnea Lundström er is en Sofia Zetterlund gaat naar de wachtkamer om het meisje te begroeten.

Net als bij Ulrika Wendin wil Sofia bij de psychotherapeutische behandeling van Linnea Lundström uitgaan van een driefasemodel.

Het eerste deel van de behandeling gaat uitsluitend over stabilisatie en vertrouwen. Steun en structuur zijn de kernwoorden, en Sofia hoopt dat medicatie niet nodig zal zijn, voor Ulrika noch Linnea. Maar dat valt nu nog niet volledig uit te sluiten. Tijdens het tweede deel gaat het erom dat ze zich het seksuele trauma herinneren en het verwerken, dat ze het bespreken en herbeleven. Ten slotte, in de laatste fase, moeten de traumatische ervaringen worden gescheiden van seksuele ervaringen in het heden en in de toekomst.

Sofia had zich verbaasd over Ulrika's ontmoeting met een vreemde in de kroeg, wat een puur seksuele handeling was geweest waar Ulrika zich kennelijk beter door was gaan voelen.

Ze is herhaaldelijk verkracht en heeft vvs. Een ontmoeting met een vreemde heeft haar geholpen om zich te ontspannen en bewust of onbewust heeft ze zelf geëxperimenteerd met de relatie tussen intimiteit en seksualiteit.

Dan herinnert ze zich Ulrika's reactie op de foto van Viggo Dürer. Viggo Dürer heeft een centrale rol in Linnea's jeugd gehad.

Welke rol kan hij in Ulrika's leven hebben gespeeld?

Linnea Lundström gaat op de bezoekersstoel zitten. 'Ik heb het gevoel dat ik hier net nog was,' zegt ze. 'Ben ik zo ziek dat ik elke dag moet komen?'

Sofia is dankbaar dat Linnea zo ontspannen is dat ze zelfs grapjes maakt.

'Nee, daar gaat het niet om. Maar het is goed om in het begin veel contact te hebben, zodat we elkaar snel leren kennen.'

De eerste tien minuten van het gesprek zijn aarzelend. Ze hebben het over Linnea's algemene toestand, fysiek en psychisch.

Geleidelijk aan brengt Sofia het gesprek op het onderwerp dat de eigenlijke reden is voor Linnea's consulten: de relatie van het meisje met haar vader.

Sofia ziet het liefst dat Linnea het onderwerp zelf aansnijdt, zoals tijdens het gesprek een dag eerder, en algauw wordt haar hoop bewaarheid.

'U zei dat het erom ging elkaar te helpen,' zegt Linnea.

'Ja, dat is een voorwaarde.'

'Denkt u dat ik mezelf beter kan begrijpen als ik hem beter begrijp?'

Sofia wacht even met haar antwoord. 'Misschien... Ik wil er alleen eerst helemaal zeker van zijn dat jij mij de aangewezen persoon vindt om mee te praten.'

Linnea kijkt verbaasd. 'O? Zijn er anderen dan? Mijn vriendinnen of zo? Ik zou me kapotschamen...'

Sofia glimlacht. 'Nee, niet per se een van je vriendinnen. Maar er zijn ook andere therapeuten.'

'U heeft met hem gesproken. U bent het meest geschikt. Dat zei Annette in elk geval.'

Sofia kijkt naar Linnea en constateert dat opstandigheid het beste woord is om te beschrijven wat ze ziet. Ik mag haar nu niet verliezen, denkt Sofia. 'Ik begrijp het... Terug naar je vader. Als je over hem wilt praten, waar zou je dan mee willen beginnen?'

Linnea haalt een verfrommeld vel papier uit haar jaszak en legt het op het bureau. Het lijkt alsof ze zich schaamt. 'Ik heb gisteren iets achtergehouden.' Linnea aarzelt even, maar schuift het vel dan toch naar Sofia. 'Dit is een brief die mijn vader me afgelopen voorjaar heeft geschreven. Lees hem maar.'

Sofia kijkt naar het papier. Het ziet eruit alsof de brief herhaaldelijk is gelezen.

Een beduimeld vel van een gelinieerd collegeblok, vol krabbels in een zwierig minimaal handschrift. 'Wil je dat ik dat nu doe?'

Linnea knikt en Sofia pakt de brief van het bureau.

Het is een mooi handschrift, maar moeilijk te ontcijferen. De brief is tijdens een vlucht met krachtige turbulentie geschreven en gedateerd

Nice-Stockholm, 3 april 2008. Uit wat Karl Lundström vertelt, kan Sofia opmaken dat hij een beurs aan de Franse Rivièra heeft bezocht. De brief is dus slechts enkele weken voor zijn aanhouding geschreven.

Het eerste deel bestaat louter uit beleefdheidsfrasen. Daarna wordt de tekst steeds fragmentarischer en onsamenhangender.

Talent is geduld en angst voor nederlagen. Jij bezit beide eigenschappen, Linnea, dus je hebt alles wat je nodig hebt om te slagen, al voelt het op dit moment niet zo.

Maar voor mij is alles voorbij. Er zijn wonden in het leven die als lepra in afzondering aan je ziel vreten.

Nee, ik moet op zoek naar schaduw! Ga ze gezond en levend naderbij, volg ze bevend, de geliefden van mij, in het huis der schaduwen zoek ik een thuis.

Sofia herkent de formulering. Toen ze Karl Lundström in het Huddinge-ziekenhuis sprak, had hij over het huis der schaduwen gesproken. Hij had gezegd dat het een metafoor was voor een geheime, verboden plaats.

Ze kijkt Linnea even over het papier heen aan.

Het meisje glimlacht onzeker, richt haar ogen weer op de vloer en Sofia leest verder.

Alles staat in het boek dat ik bij me heb. Dat gaat over mij en over jou.

Er staat dat ik alleen begeer wat duizenden, wellicht miljoenen, voor mij hebben begeerd en dat mijn daden daardoor door de geschiedenis zijn goedgekeurd. De impulsen voor de begeerte bevinden zich niet in mijn geweten, ze bevinden zich in de collectieve wisselwerking die met anderen is ontstaan. Met de begeerten van anderen.

Ik doe alleen maar wat de anderen doen en het geweten kan zich vrijpleiten. Toch zegt het geweten dat er iets mis is! Ik begrijp het niet!

Ik zou het orakel van Delphi kunnen raadplegen. Pythia, de vrouw die nooit liegt.

Dankzij haar begreep Socrates dat hij die weet dat hij het niet weet wijs is. De onkundige denkt iets te weten waar hij geen kennis van heeft en wordt daarom twee keer zo onkundig omdat hij niet weet dat hij het niet weet. Maar ik weet dat ik het niet weet!

Betekent dit dat ik wijs ben?

Daarna volgen enkele regels die onleesbaar zijn en een grote, donkerrode vlek, waarvan Sofia vermoedt dat het rode wijn is. Ze kijkt opnieuw naar Linnea en trekt vragend een wenkbrauw op.

'Ik weet het,' zegt het meisje. 'Het is nogal warrig. Waarschijnlijk was hij dronken.'

Sofia leest zwijgend verder.

Net als Socrates ben ik een misdadiger die ervan wordt beschuldigd de jeugd te bederven. Maar hij was een pederast en wellicht hadden de mensen die hem beschuldigden gelijk. De staat huldigt zijn goden en de rest van ons wordt ervan beschuldigd demonen te aanbidden.

Socrates was net als ik! Hebben wij het mis? Alles staat in dit boek! Weet je trouwens wat er in Kristianstad is gebeurd toen je klein was? Viggo en Henrietta? Het staat in dit boek!

Viggo en Henrietta Dürer, denkt Sofia. Annette Lundström had het over de Dürers gehad en Viggo stond op de tekeningen van Linnea afgebeeld.

Sofia herkent Karl Lundströms ambivalente houding ten opzichte van goed en fout van het gesprek in het Huddinge-ziekenhuis en de puzzelstukjes beginnen op hun plek te vallen. Ze leest door, hoewel de brief haar onaangenaam raakt.

De grote slaap. En de blindheid. Annette is blind en Henrietta was blind, zoals het meisjes van het Sigtuna Lyceum betaamt.

Het Sigtuna Lyceum, denkt Sofia. Henrietta? Wie is zij? Ze stopt met lezen en legt de brief weg. Er zijn enkele dingen waar ze sterk op heeft gereageerd.

Ze begrijpt dat Henrietta Dürer bij Annette Lundström in de klas heeft gezeten. Ook zij had een varkensmasker gedragen, gegromd en gelachen. Ze had destijds anders geheten – iets alledaags, Andersson, Johansson? Maar ze was een van hen geweest, gemaskerd en blind.

En later was ze getrouwd met Viggo Dürer.

Het is gewoon te veel. Sofia voelt haar maag samentrekken.

Linnea onderbreekt haar gedachten. 'Mijn vader zei dat u hem begreep. Volgens mij heeft hij het over iemand zoals u, een Pythia noemt hij het... Al schrijft hij heel vreemd.'

'Wat weet je nog van Viggo Dürer? En Henrietta?'

Linnea antwoordt niet en zakt met een lege blik dieper weg in de stoel.

'Naar welk boek verwijst hij?'

Linnea zucht weer. 'Ik weet het niet... Hij las heel veel. Maar hij had het vaak over een geschrift dat *De aanwijzingen van de Pythia* heet.'

'*De aanwijzingen van de Pythia*?'

'Ja, maar hij heeft het me nooit laten zien.'

'En als hij Kristianstad noemt, waar denk jij dan aan?'

'Geen idee.'

In nog geen week tijd heeft Sofia twee jonge vrouwen ontmoet die door een en dezelfde man zijn beschadigd. Hoewel Karl Lundström dood is, zal zij ervoor zorgen dat de slachtoffers eerherstel krijgen.

Wat is zwakte? Slachtoffer zijn? Vrouw? Gebruikt?

Nee, zwakte is dat niet tot je voordeel maken.

'Ik kan je helpen de herinneringen boven te laten komen,' zegt ze.

Linnea kijkt haar aan. 'Denkt u dat?'

'Ik weet het zeker.'

Sofia trekt de la van haar bureau open en pakt de tekeningen die Linnea heeft gemaakt toen ze vijf, negen en tien was.

De bergholte van St.-Johannes

De naam Johannes is Hebreeuws en betekent 'God heeft zich erbarmd' en het motto van de Johannieter Orde is al sinds de twaalfde eeuw 'Voor hulp aan de behoeftigen'.

Het is daarom een logica van de voorzienigheid dat de bergholte onder de St.-Johanneskerk op Norrmalm in Stockholm als een toevluchtsoord voor de armen en verstotenen fungeert.

Op de deur van de bergholte zit een versleten sticker die bedrieglijk veel op de Deense vlag lijkt. Het is echter het vaandel van de Johannieter Orde, een omgekeerd kruisridderwapen in de vorm van een wit kruis op een rode ondergrond, dat iemand erop heeft geplakt om te laten weten dat je hier veilig bent, wie je ook bent.

Het is echter geen logica, maar eerder een spottende bijgedachte van de voorzienigheid dat de boodschap van geborgenheid tussen de rotswanden in de crypten soms vals weerklinkt, en in dit geval als een schreeuw om hulp.

Jeanette Kihlberg wordt om halfzeven 's ochtends door de telefoon gewekt en politiechef Dennis Billing draagt haar op om meteen naar het centrum van Stockholm te gaan, omdat er in de bergholte onder de St.-Johanneskerk een vermoorde vrouw is aangetroffen.

Snel krabbelt ze een berichtje voor Johan op een papiertje, dat ze samen met een briefje van honderd kronen op de keukentafel legt voordat ze zachtjes vertrekt en in de auto gaat zitten.

Ze pakt haar telefoon en belt Jens Hurtig. De meldkamer heeft al contact met hem opgenomen en hij zal, als hij kan doorrijden, over een kwartier ter plaatse zijn. Hurtig heeft begrepen dat er een ware lynchstemming in de bergholte heerst en daarom spreken ze op straat af.

In de Söderledstunnel heeft een vrachtauto een lekke band gekregen en het verkeer staat zo goed als stil. Ze beseft dat het nog wel even zal duren en belt Hurtig nog een keer om te zeggen dat hij alvast naar binnen moet gaan.

Op de Centralbrug komt het verkeer weer in beweging en vijf minuten later rijdt ze via de Klaratunnel naar de Sveavägen en langs het Concertgebouw. De Kammakargatan is gedeeltelijk een eenrichtingsstraat en daarom neemt ze de Tegnérgatan, waarna ze rechts afslaat naar de Döbelnsgatan.

Een grote menigte verspert de weg en ze rijdt het trottoir op, parkeert en stapt uit.

Er staan drie politiebusjes met zwaailichten en een stuk of tien agenten zijn druk bezig de ingang naar de bergholte vrij te houden.

Jeanette loopt naar Åhlund toe en ziet Schwarz iets verderop bij een stevige metalen deur staan.

'Hoe gaat het?' Ze moet roepen om zich verstaanbaar te maken.

'Een en al chaos.' Åhlund spreidt zijn armen. 'We hebben iedereen naar buiten gedirigeerd. Het gaat om zo'n vijftig mensen. Je ziet het...' Hij wuift met zijn hand. 'Ze kunnen verdorie nergens naartoe.'

'Hebben jullie de Stadsmissie gebeld?' Mogelijk kan de christelijke liefdadigheidsorganisatie opvang regelen. Jeanette doet een pas opzij en laat een collega langs die een van de meest agressieve mensen wil meenemen.

'Ja, maar ze zitten vol en kunnen ons nu niet helpen.'

Hij kijkt haar afwachtend aan en Jeanette denkt na voordat ze verdergaat.

'Dan doen we het anders. Laat zo snel mogelijk een stadsbus komen. Dan kunnen de mensen zich daarin opwarmen en wij kunnen met de bewoners praten die iets te vertellen hebben. Al neem ik aan dat de meesten niet erg mededeelzaam zullen zijn. Dat zijn ze meestal niet.'

Åhlund knikt en pakt zijn communicatieradio.

'Ik ga beneden een kijkje nemen. Laten we maar hopen dat het niet al te lang duurt voordat ze terug kunnen.'

Jeanette loopt naar de metalen deur. Daar wordt ze tegengehouden door Schwarz, die haar een wit mondkapje geeft.

'Volgens mij kun je dit beter omdoen.'

Hij trekt zijn neus op.

De stank is echt ondraaglijk. Jeanette doet het elastiekje om haar oren en controleert of het kapje ook bij haar neus goed afsluit voordat ze in de duisternis naar beneden gaat.

De grote zaal baadt in het felle licht van schijnwerpers en het dieselaggregaat dat de lampen van stroom voorziet maakt veel lawaai.

Jeanette blijft even staan en kijkt uit over de bizarre ondergrondse samenleving.

Een krottenwijk die zo uit de achterbuurten van Rio de Janeiro had kunnen komen. Woningen van ouwe troep en dingen die je op straat kunt vinden. Sommige zijn met vaardige hand en gevoel voor esthetiek gemaakt. Andere zijn slechts kinderlijke hutjes. Ondanks de wanorde heeft het allemaal iets georganiseerds.

Een onderliggend verlangen naar structuur.

Hurtig staat een meter of twintig verderop en gebaart naar haar. Voorzichtig baant ze zich een weg door de stapels slaapzakken, afvalzakken, dozen en kleren. Bij een van de tenten staat een kastje vol boeken. Een kartonnen bord laat weten dat je ze mag lenen, op voorwaarde dat je ze terugbrengt.

Ze weet dat het een ongegrond vooroordeel is dat daklozen niet intellectueel zijn en geen belangstelling hebben voor cultuur. De stap hierheen is waarschijnlijk niet groter dan een beetje pech, onbetaalde rekeningen of een depressie.

Hurtig staat bij een tent van plastic zakken. Voor de ingang hangt een versleten blauwe deken en daarachter ziet ze iemand liggen.

'Oké, wat is er gebeurd?' Jeanette buigt zich voorover en probeert in de tent naar binnen te kijken.

'De vrouw die daar ligt, heet Fredrika Grünewald en wordt de Gravin genoemd omdat ze van adel schijnt te zijn. Dat wordt nagetrokken.'

'Mooi. En verder?'

'Een paar getuigen zeggen dat een man die Börje heet gistermiddag samen met een onbekende vrouw naar beneden is gekomen.'

'Hebben we die Börje al te pakken gekregen?'

'Nee, maar hij is een soort beroemdheid hier, dus het zou niet al te moeilijk moeten zijn. We hebben een opsporingsbericht doen uitgaan.'

'Prima.' Jeanette gaat dichter naar de opening van de tent toe.

'Ze is verschrikkelijk toegetakeld. Het hoofd is vrijwel geheel van de hals verwijderd.'

'Met een mes?' Ze gaat staan en recht haar rug.

'Ik denk het niet. We hebben dit gevonden.' Hurtig houdt een plastic zak omhoog waar een lange staaldraad in zit. 'Vermoedelijk is dit het moordwapen.'

Jeanette knikt. 'Het is niet door een van de mensen hier gedaan?'

'Volgens mij niet. Als ze, om het zo maar te zeggen, alleen was doodgeslagen en beroofd, dan...' Hurtig kijkt nadenkend. 'Maar dit is iets anders.'

'Er is helemaal niets gestolen?'

'Nee. Haar portemonnee ligt er nog en daar zat bijna tweeduizend kronen in, plus een geldige maandkaart.'

'Oké. Wat denk jij?'

Hurtig haalt zijn schouders op. 'Wraak misschien. Nadat de vrouw is vermoord, heeft de moordenaar haar met ontlasting ingesmeerd. Vooral rond de mond.'

'Gatver.'

'Ivo gaat kijken of het haar eigen poep is, maar met een beetje geluk is het van de moordenaar.' Hurtig wijst naar de tent; Ivo Andrić is al druk bezig om samen met een paar collega's het lichaam in een grijze lijkzak te leggen, zodat het naar Solna kan worden vervoerd.

De technici verwijderen het plastic dat als tent heeft dienstgedaan en nu kan Jeanette de tragische woning helemaal zien. Een kleine spiritusbrander, wat conservenblikjes en een stapel kleren. Voorzichtig pakt ze een jurk op. Het is een Chanel. Amper gedragen.

Ze kijkt op de ongeopende blikjes en ziet dat verscheidene geïmporteerd zijn. Mosselen, ganzenleverpastei en paté. Geen voedsel dat je gewoon bij de supermarkt koopt.

Alles ondergedompeld in bloed.

Waarom woonde Fredrika Grünewald hier, denkt ze. Ze lijkt niet direct gebrek aan geld te hebben gehad. Er moet een andere reden zijn. Maar welke?

Jeanette kijkt naar de rest van de bezittingen. Er klopt iets niet. Er ontbreekt iets. Ze knijpt haar ogen samen, reset zichzelf en probeert zonder voorbehoud te kijken.

Wat zie ik niet, denkt ze.

'Zeg, Jeanette.' Ivo Andrić tikt haar op haar rug. 'Eén ding slechts, voor ik ga. De ontlasting op haar gezicht komt niet van een mens. Het is hondenpoep.'

Op hetzelfde moment ziet ze het.
Er ontbreekt niets.
Er ligt iets wat er niet zou moeten zijn.

Verleden

Durf je? Durf je? Durf je vandaag dan, laffe koe? Durf je? Durf je?
Nee, je durft niet! Je durft niet! Je bent te laf!
Je bent een zielig geval. Geen wonder dat niemand zich om je bekommert!

De versleten gevels, hotels, cafés en sekswinkels van de Istedgade om-
zomen de trottoirs en ze glimlacht herkennend als ze de stillere dwars-
straat in loopt, de Viktoriagade. Het is iets minder dan een jaar geleden
dat ze hier voor het laatst was en ze herinnert zich dat het hotel vlakbij
is, aan de linkerkant in het volgende blok na de kruising, naast een pla-
tenwinkel.

Vorig jaar had ze het hotel zorgvuldig uitgekozen. In Berlijn had ze aan
de Bergmannstrasse in Kreuzberg gelogeerd en met haar komst naar Kopenhagen was de cirkel rond geweest. De Viktoriagade was een logische
plek geweest om te sterven.

Ze ziet dat het neonbord met de naam van het hotel nog altijd kapot
is als ze de oude houten deur naar de receptie opent. Achter de balie zit
dezelfde verveelde jongeman als de vorige keer. Toen rookte hij; nu heeft
hij een tandenstoker in zijn mond. Het lijkt alsof hij elk moment in slaap
kan vallen.

Hij geeft haar de sleutels en ze betaalt met een paar kreukelige briefjes
die ze in een koektrommel in Viggo's keuken heeft gevonden.

In totaal heeft ze bijna tweeduizend Deense kronen en ruim negenhonderd Zweedse. Daar redt ze het wel een paar dagen mee. De speeldoos
die ze van Viggo heeft gestolen, levert misschien ook een paar honderd
kronen op.

Kamer nummer 7, waar ze zich vorige zomer heeft geprobeerd op te
hangen, ligt op de eerste verdieping.

Terwijl ze de krakende houten trap op loopt, vraagt ze zich af of de wastafel is gerepareerd. Voordat ze had besloten zich op te hangen, had ze met een parfumflesje tegen de rand gestoten en er was tot aan de afvoer een barst in het porselein ontstaan.

Daarna was alles weinig dramatisch verlopen.

De haak in het plafond had losgelaten en ze was op de vloer van de badkamer wakker geworden met de ceintuur om haar nek, een dikke lip en een gebroken voortand. Het bloed had ze weggeveegd met een T-shirt.

Naderhand was het alsof er niets was gebeurd. De badkamer zag er precies zo uit als voorheen, op de barst in de wastafel en het gat van de haak in het plafond na. Het was een bijna onzichtbare, zinloze daad geweest.

Ze doet de deur van het slot en gaat naar binnen. Net als de vorige keer staat er een smal bed langs de rechtermuur en een klerenkast tegen de linker. Het raam, dat uitkijkt op de Viktoriagade, is net zo vies als toen. Het ruikt er naar rook en schimmel en de deur naar de kleine badkamer staat open.

Ze schopt haar schoenen uit, gooit haar tas op het bed en zet het raam open om te luchten.

Buiten hoort ze het geruis van het verkeer en het geblaf van de straathonden.

Daarna gaat ze naar de badkamer. Het gat in het plafond is geplamuurd en de barst in de wastafel is gerepareerd met siliconenkit en veranderd in een vieze grijze streep.

Ze doet de deur van de badkamer dicht en gaat op bed liggen.

Ik besta niet, denkt ze en ze lacht.

Ze pakt haar pen en haar dagboek uit haar rugzak en begint te schrijven.

Kopenhagen, 23 mei 1988. Denemarken is een rotland. Varkens en boeren, moffenmeiden en moffenjongens.

Ik ben gaten en barsten en zinloze daden. In de Viktoriagade en in de Bergmannstrasse. Toen verkracht door Duitsers op Deens grondgebied. Tijdens het Roskilde Festival, drie Duitse jongetjes.

Nu verkracht door een Deens moffenjong in een bunker die de Duitsers in Denemarken hebben gebouwd. Denemarken en Duitsland. Viggo is Duits-Deens. De Deense zoon van een moffenhoer.

Nu lacht ze luid. 'Solace Aim Nut. Troost mij, ik ben gek.'

Hoe kun je in vredesnaam zo heten?

Daarna legt ze het dagboek weg. Zij is niet gek. Alle anderen zijn gek.

Ze denkt aan Viggo Dürer. De Moffenjongen.

Hij verdient het om gewurgd te worden en in een bunker op Oddesund te worden geworpen.

Geboren uit een Deens kutwijf en gedood in een Duits kutgebouw. Daarna mochten de varkens hem opvreten.

Ze pakt het dagboek weer.

Ze stopt en bladert terug. Twee maanden, vier maanden, een halfjaar.

Ze leest.

Värmdö, 13 december 1987.

Solace wordt niet wakker na wat hij in de sauna heeft gedaan. Ik ben bang dat ze zal sterven. Ze ademt en haar ogen zijn open, maar ze is helemaal weg. Hij was hard tegen haar. Haar hoofd smakte tegen de muur toen hij bezig was en ze zag eruit als stokjes mikado. Verstrooid over de bank in de sauna.

Ik heb haar gezicht met een natte doek gedept, maar ze wil niet wakker worden.

Is ze dood?

Ik haat hem. Goedheid en vergiffenis zijn alleen maar nóg een vorm van onderdrukking en provocatie. Haat is puurder.

Victoria bladert een paar pagina's verder.

Solace was niet dood. Ze werd wakker, maar zei niets, ze had alleen buikpijn en perste alsof ze moest baren. Daarna kwam hij naar ons toe, op onze kamer.

Toen hij ons zag, leek hij aanvankelijk ongelukkig. Daarna snoot hij op ons. Hij drukte een vinger tegen zijn ene neusgat en snoot op ons!

Had hij niet op z'n minst kunnen spugen?!

Ze herkent haar eigen handschrift nauwelijks.

24 januari 1988.

Solace weigert het masker af te zetten. Ik begin haar houten gezicht beu te worden. Ze ligt alleen maar te mekkeren. Ze piept. Het masker moet aan haar gezicht zijn vastgegroeid, alsof de houtvezels haar hebben aangevreten.

Ze is een houten pop. Stil en dood ligt ze daar en het houten gezicht piept omdat het zo verdomd vochtig is in de sauna.

Houten poppen krijgen geen kinderen. Ze zetten alleen in vocht en warmte uit.

Ik haat haar!
Victoria slaat het dagboek dicht. Buiten hoort ze iemand lachen.

's Nachts droomt ze over een huis. Alle ramen staan open. Het is haar taak om ze dicht te doen, maar zodra ze het laatste sluit, gaat een van de ramen die ze net dicht heeft gedaan weer open. Het vreemde is dat zij degene is die heeft besloten dat alle ramen niet tegelijk gesloten mogen zijn, omdat de taak dan te makkelijk is. Sluiten, openen, sluiten, openen, en zo gaat het maar door tot ze moe wordt, op de vloer gaat zitten en plast.

Als ze wakker wordt, is het zo nat in bed dat het door de matras op de vloer is gelopen.

Het is nog maar vier uur in de ochtend. Toch besluit ze op te staan. Ze wast zich, zoekt haar spullen bij elkaar en loopt de kamer uit. Ze neemt de lakens mee en gooit ze in een afvalbak in de gang voordat ze naar de receptie gaat.

Ze gaat in het kleine café zitten en steekt een sigaret op.

Het is de vierde of vijfde keer in nog geen maand tijd dat ze wakker wordt omdat ze in bed heeft geplast. Het is vroeger ook wel eens gebeurd, maar niet zo vlak na elkaar en niet in combinatie met sterke dromen.

Ze pakt een paar boeken uit haar rugzak.

Het cursusboek psychologie voor universitaire studies en een paar boeken van R.J. Stoller. De pocketuitgave van Freuds theorieën over seksualiteit heeft ze ook meegenomen en ze vindt het grappig, om niet te zeggen belachelijk, dat het zo'n dun werk is.

Het exemplaar van *De droomduiding* is bijna stukgelezen, en in tegenstelling tot wat ze vooraf had verwacht, heeft het lezen van het boek ertoe geleid dat ze zich helemaal tegen de theorieën van Freud heeft gekeerd.

Waarom zouden dromen uitdrukking geven aan onbewuste lusten en verborgen innerlijke conflicten?

En wat heeft het voor zin om je eigen drijfveren voor jezelf te verbergen? Dan is het net alsof ze één persoon is als ze slaapt en iemand anders wanneer ze wakker is. Wat is daar nu de logica van?

De dromen weerspiegelen gewoon haar gedachten en fantasieën. Misschien zit er wel een symboliek in, maar ze gelooft niet dat ze zichzelf beter leert kennen door te veel over de betekenis van haar dromen na te denken.

Het lijkt idioot om te proberen problemen in het echte leven op te lossen door je eigen dromen te interpreteren en ze denkt dat het zelfs gevaarlijk kan zijn.

Wat als je ze een betekenis toekent die ze niet hebben?

Wat interessanter is, is dat ze heldere dromen heeft, lucide dromen; dat heeft ze begrepen nadat ze een artikel over het onderwerp heeft gelezen. Ze is zich er al slapend van bewust dat ze droomt en ze kan de dingen die in haar dromen gebeuren beïnvloeden.

Ze moet giechelen als ze constateert dat het telkens een actieve keuze van haar is geweest om tijdens haar slaap in bed te plassen.

Het wordt nog grappiger als je bedenkt dat de psychologische wetenschap een ongebruikelijk hoge hersencapaciteit toeschrijft aan mensen die lucide dromen hebben. Ze plast dus in bed omdat haar hersenen aanzienlijk verfijnder en ontwikkelder zijn dan die van anderen.

Ze dooft haar sigaret en pakt een ander boek. Daarin wordt een overzicht gegeven van allerlei onderzoeken naar de hechtingstheorie. Hoe de relatie van een baby met de moeder consequenties heeft voor het latere leven.

Hoewel het boek niet tot de cursusliteratuur behoort en ze er bovendien depressief van wordt, kan ze het niet nalaten er af en toe in te lezen. Pagina na pagina, hoofdstuk na hoofdstuk gaat over dat waarvan anderen haar hebben beroofd en waarvan ze zelf afstand heeft gedaan.

Relaties met andere mensen.

Alles werd al bij haar geboorte door haar moeder verpest en de gebarsten en bemoste ruïnes die haar relationele leven vormen, zijn teder verzorgd door haar vader, die alle andere mensen de toegang tot haar ontzegde.

Ze glimlacht niet langer.

Mist ze een relatie? Verlangt ze überhaupt naar iemand?

Ze heeft in elk geval geen vrienden die ze kan missen en ook geen vrienden die haar missen.

Hannah en Jessica zijn al heel lang vergeten. Zijn ze haar ook vergeten? De beloftes die ze elkaar hebben gedaan? Eeuwige trouw en dat soort dingen?

Maar er is één persoon die ze mist sinds ze in Denemarken is. En dat is niet Solace. Hier kan ze zich zonder haar redden.

Ze mist de oude psycholoog van het ziekenhuis in Nacka.

Als zij hier nu was geweest, had ze begrepen dat Victoria met een reden naar het hotel was gegaan: om haar eigen dood opnieuw te beleven.

Tegelijk ziet ze nu in wat er moet gebeuren.

Als je niet in staat bent te sterven, kun je een ander worden en zij weet hoe dat in zijn werk zal gaan.

Eerst neemt ze de boot naar Malmö, daarna de trein terug naar Stockholm en vervolgens de bus naar Tyresö, waar de oude vrouw woont.

En deze keer zal ze alles vertellen, echt alles wat ze over zichzelf weet.

Ze moet wel.

Wil Victoria Bergman echt kunnen sterven.

Het Pathologisch Instituut

De laatste keer dat Ivo Andrić heeft overgegeven, is ruim vijftien jaar geleden tijdens de belegering van Sarajevo, toen hij na een van de raids van de Serviërs met een groep vrijwilligers aan de rand van de stad de restanten had verzameld van een stuk of tien gezinnen die zo onfortuinlijk waren geweest een doodseskader in de weg te lopen.

Hij is nog geen kwartier met het lichaam van Fredrika Grünewald bezig, of hij onderbreekt de sectie om het dichtstbijzijnde toilet op te zoeken.

Toen net als nu. Haat, vernedering en vergelding.

Als hij weer naar de sectiezaal loopt, probeert hij niet te denken aan het jonge meisje dat hij uit het flatgebouw in Ilidža naar buiten heeft gedragen.

'*Jebiga!*' vloekt hij als hij de deur opendoet en de stank van het lichaam hem tegemoetkomt.

Vergeet Ilidža, denkt hij en hij doet zijn mondbescherming weer om.

Dit is een grote, dikke vrouw, geen dun, klein meisje.

Vergeet haar.

Ivo Andrić is geen man die vaak huilt en hij is zich er ook niet van bewust dat hij dat op dit moment doet.

Zijn hersenen vertellen hem niet dat hij met de rug van zijn ene hand de tranen uit zijn ogen veegt, terwijl hij met de andere het laken van Fredrika Grünewalds naakte lichaam trekt.

Hij pakt zijn notitieblok en schrijft walgend op dat de arme vrouw vermoedelijk is gestikt toen de hondenpoep in haar keel werd geperst.

Haar mond en de luchtkanalen in haar neus en tussen haar keelholte en haar oren bevatten behalve uitwerpselen sporen van braaksel van garnalen en witte wijn.

Waarom doe ik dit werk, denkt hij en hij sluit zijn ogen.

Ongewild zijn zijn gedachten weer naar het meisje gegaan dat bij haar neefjes en nichtjes in Ilidža op bezoek was.

Het meisje, dat Antonija heette, was zijn jongste dochter geweest.

Het Zeeppaleis

Linnea Lundström zit in de bezoekersstoel aan de andere kant van het bureau en het verwondert Sofia hoe snel ze erin is geslaagd het vertrouwen van het meisje te winnen.

Ze laat Linnea de foto's van de drie tekeningen zien.

Linnea, vijf, negen en tien jaar, getekend met kleurkrijt.

'Dat ben jij toch?' vraagt Sofia, terwijl ze naar de vellen wijst. 'En is dit Annette?'

Linnea kijkt verbaasd, maar zegt niets.

'En dit is misschien een kennis van jullie?' Sofia richt haar vinger op Viggo Dürer. 'Toen jullie in Skåne woonden. Kristianstad.'

Sofia heeft de indruk dat het meisje opgelucht is. 'Ja,' zegt ze, 'maar het zijn slechte tekeningen. Zo zag hij er niet uit. Hij was nog dunner.'

'Hoe heette hij?'

Linnea aarzelt even en als ze uiteindelijk antwoord geeft, is dat fluisterend. 'Dat is Viggo Dürer, de advocaat van mijn vader.'

'Wil je over hem vertellen?'

De ademhaling van het meisje wordt oppervlakkiger en onregelmatiger, alsof ze naar adem hapt. 'U bent de eerste die snapt wat ik heb getekend,' zegt ze dan.

Sofia denkt aan Annette Lundström, die vrijwel elke krijtstreep op Linnea's tekeningen verkeerd heeft geïnterpreteerd.

'Het is fijn dat iemand het begrijpt,' gaat Linnea verder. 'Bent u degene over wie mijn vader heeft geschreven? Een Pythia? Iemand die het begrijpt?'

'Ik kan iemand zijn die het begrijpt,' zegt Sofia met een glimlach. 'Maar dat kan alleen als jij me helpt. Wil je me vertellen wat de tekeningen voorstellen?'

Het antwoord van Linnea komt snel en ze is verrassend direct, al zegt ze niets over de inhoud van de tekeningen. 'Hij was... Toen ik klein was, vond ik hem aardig.'

'Viggo Dürer?'

Ze kijkt naar de vloer. 'Ja... In het begin was hij aardig. Later, misschien vanaf dat ik vijf was, deed hij soms superraar.'

Linnea neemt zelf het initiatief om over Viggo Dürer te vertellen en Sofia beseft dat de tweede fase van de behandeling is ingegaan. De fase die om het herinneren en verwerken gaat.

'Je bedoelt dat hij aardig tegen je deed tot je vijf was?'

'Volgens mij wel.'

'Je hebt dus duidelijke herinneringen van toen je nog zo klein was.'

Linnea kijkt op en werpt een blik naar buiten. 'Tja, wat heet duidelijk. Ik weet in elk geval nog dat ik hem aardig vond voordat dat in Kristianstad gebeurde... Toen ze bij ons op bezoek waren.'

Sofia denkt aan de tekening van Viggo Dürer en zijn hond in de tuin van de familie Lundström in Kristianstad.

Karl Lundström had de gebeurtenis genoemd in de brief die Linnea had meegebracht. Linnea veracht haar vader, maar is bang voor Viggo. Ze deed wat Viggo wilde, en Annette en Henrietta waren alleen maar blind. Sloten hun ogen voor wat er in hun nabijheid gebeurde.

Zoals gebruikelijk, denkt Sofia.

Karl Lundström had geschreven dat Viggo dubbel onkundig was en uit de rest van de brief van Lundström kan ze concluderen dat hij bedoelt dat Viggo's dubbele onkundigheid inhoudt dat hij het mis heeft en zich daar niet van bewust is.

Dan blijft er nog maar één vraag over, constateert Sofia. Op welk gebied is Viggo dubbel onkundig?

Ze is ervan overtuigd dat ze weet waar Karl Lundström op doelde. Ze buigt zich over het bureau naar voren en kijkt Linnea recht aan. 'Wil je vertellen wat er in Kristianstad is gebeurd?'

Het Klara sjö

Officier van justitie Kenneth von Kwist is eigenlijk niet van adel, maar heeft ooit tijdens zijn middelbareschooltijd 'von' aan zijn naam toegevoegd om zich bijzonderder voor te doen dan hij was. Hij is nog altijd ongelooflijk ijdel en vindt zijn reputatie en zijn uiterlijk buitengewoon belangrijk.

Kenneth von Kwist ziet zich voor een probleem geplaatst en maakt zich grote zorgen. Ja, hij is zo ongerust na het gesprek dat hij zojuist met Annette Lundström heeft gehad dat hij zijn latente maagcatarre in een regelrechte maagzweer voelt veranderen.

Benzodiazepinen, denkt hij. Zo verslavend dat je grote vraagtekens moet plaatsen bij de getuigenverklaring van iemand die dergelijke medicijnen slikt. Ja, zo moet het zijn. Door de zware medicatie heeft Karl Lundström van alles en nog wat verzonnen.

Kenneth von Kwist staart naar de stapel papieren die voor hem op zijn bureau ligt.

5 milligram Stesolid, leest hij. 1 milligram Xanax en ter afsluiting 0,75 milligram Halcion. Dagelijks! Volstrekt onwaarschijnlijk.

De ontwenning moet zo groot zijn geweest dat Lundström willekeurig wat had kunnen bekennen, alleen om een nieuwe dosis te krijgen, denkt hij terwijl hij de processen-verbaal van verhoor doorleest.

Het is een omvangrijke hoeveelheid tekst, zo'n vijfhonderd getypte pagina's.

Maar officier van justitie Kenneth von Kwist voelt de twijfel knagen.

Er zijn veel te veel mensen bij betrokken. Mensen die hij persoonlijk kent, of in elk geval dacht te kennen. Zoals Viggo Dürer.

Is hijzelf aldoor slechts een nuttige idioot geweest die een groep pedofielen en verkrachters aan vrijspraak heeft geholpen?

Had de dochter van Per-Ola Silfverberg gelijk gehad toen ze haar pleegvader ervan beschuldigde zich aan haar te hebben vergrepen?

En was Ulrika Wendin inderdaad door Karl Lundström gedrogeerd, naar een hotel gebracht en daarna verkracht?

De waarheid grijnst officier van justitie Kenneth von Kwist in het gezicht. Hij heeft zich laten gebruiken, zo simpel is het. Maar hoe moet hij zijn handen in onschuld wassen zonder tegelijk zijn zogenaamde vrienden te verraden?

Verder ziet hij terugkerende verwijzingen naar consulten die bij Forensische Psychiatrie in het Huddinge-ziekenhuis hebben plaatsgevonden. Kennelijk heeft Karl Lundström een paar gesprekken met de psycholoog Sofia Zetterlund gehad.

Is het mogelijk alles in de doofpot te stoppen?

Kenneth von Kwist vindt na enig zoeken een Losec, roept zijn secretaresse en vraagt haar om het nummer van Sofia Zetterlund.

Het Zeeppaleis

Wanneer Linnea Lundström de praktijk heeft verlaten, is Sofia een hele tijd bezig om het gesprek op te schrijven.

Ze heeft de gewoonte dit met twee verschillende ballpoints te doen, een rode en een blauwe, zodat ze het verhaal van haar cliënt kan scheiden van haar eigen gedachten.

Als ze het zevende gelinieerde A4'tje met aantekeningen omdraait om aan het achtste te beginnen, wordt ze overvallen door een verlammende vermoeidheid. Het is net alsof ze heeft geslapen.

Ze bladert een paar pagina's terug om haar geheugen op te frissen en begint willekeurig ergens te lezen; het is de pagina die ze heeft gemarkeerd met een vijf.

De tekst is het verhaal van Linnea, opgeschreven met de blauwe pen.

De rottweiler van Viggo is altijd ergens aan vastgebonden. Aan een boom, de balustrade voor het huis, een brommende radiator. De hond haalt vaak uit naar Linnea en ze loopt met een boogje om hem heen. Viggo komt 's nachts naar haar kamer, de hond houdt in de hal de wacht en Linnea herinnert zich de reflecties van hondenogen in de duisternis. Viggo laat Linnea een fotoalbum met naakte kinderen zien, even oud als zij, en ze herinnert zich flitslicht in de duisternis. Ze herinnert zich ook dat ze een grote, zwarte dameshoed op heeft en een rode jurk draagt die Viggo haar heeft gegeven. Linnea's vader komt de kamer binnen, Viggo wordt boos, ze ruziën en Linnea's vader vertrekt weer, laat hen alleen.

Het had Sofia verbaasd dat de woorden zomaar uit Linnea's mond waren gerold. Alsof het verhaal al lang geleden was geformuleerd en latent in haar had liggen wachten, tot het nu dan eindelijk vrijelijk naar buiten kon stromen omdat er iemand was aan wie ze haar ervaringen kwijt kon.

Linnea is heel bang om alleen te zijn met Viggo. Overdag is hij aardig en 's nachts is hij gemeen, en hij heeft eerder iets met haar gedaan waardoor ze bijna niet zonder hulp kon lopen. Ik vraag haar wat Viggo met haar heeft gedaan en Linnea antwoordt dat ze denkt dat 'het zijn hand en zijn stuk chocola waren en toen fotografeerde hij me en ik zei niets tegen mama en papa'.

Sofia weet dat het stuk chocola een eufemisme is.

Linnea herhaalt 'zijn handen, zijn stuk chocola en daarna flitslicht van het fototoestel' en daarna zegt ze dat Viggo agent en boefje wil spelen en dat zij de boef is en handboeien om krijgt. De boeien en het ruwe stuk chocola schuren de hele ochtend, hoewel Linnea slaapt en tegelijk niet slaapt, omdat het flitslicht aan de binnenkant van haar oogleden rood is als ze die sluit. En alles is buiten haar en niet binnenin, zoals een zoemende mug in je hoofd...

Sofia ademt steeds heftiger. Ze herkent de formuleringen niet meer.

Ze ontdekt dat de rest van de tekst met een rode pen is geschreven.

... een zoemende mug, die naar buiten kan komen als ze met haar hoofd tegen de muur bonkt. Dan kan de mug naar buiten vliegen door het raam, dat ook de bedompte lucht kan laten ontsnappen van de handen van de Moffenjongen die naar varken stinken, en van zijn kleren die naar ammoniak stinken, hoe vaak hij ze ook wast, en van zijn stuk chocola dat naar paardenhaar smaakt en dat je eraf zou moeten snijden en aan de varkens zou moeten voeren...

Een klopje op haar deur onderbreekt haar gedachten.

'Binnen,' zegt ze afwezig, terwijl ze verder bladert.

Ann-Britt komt de kamer in en gebaart dat het dringend is. 'Je moet een telefoontje plegen. Officier van justitie Kenneth von Kwist wil dat je hem belt zodra je een momentje hebt.'

Sofia herinnert zich een huis omringd door akkers.

Ze zat vaak bij het vuile raam op de eerste verdieping naar de bewegingen van de zeevogels in de lucht te kijken.

De zee was niet ver weg geweest.

'Oké. Geef me zijn nummer maar, dan bel ik meteen.'

Ze herinnert zich ook het koude metaal tegen haar hand toen die het slachtmasker omklemde. Ze had Viggo Dürer kunnen doden.

Als ze dat had gedaan, was Linnea's verhaal anders geweest.

Ann-Britt geeft haar met een bezorgde blik het papiertje aan. 'Hoe gaat het eigenlijk met je? Je ziet er wat minnetjes uit.' Ze legt haar hand op Sofia's voorhoofd en glimlacht moederlijk. 'Maar volgens mij heb je geen koorts.'

De herinneringen verbleken. Het is hetzelfde gevoel als bij een déjà vu. Eerst is alles heel helder, je weet wat er gaat gebeuren of wat er gezegd gaat worden; daarna verdwijnt het gevoel en het is zinloos te proberen het vast te houden. Als een ijsblokje dat steeds sneller smelt naarmate je het steviger vastklemt.

'Ach, ik heb gewoon slecht geslapen.' Ze wordt ongeduldig en duwt voorzichtig de hand op haar voorhoofd weg. 'Laat me maar. Ik bel de officier over tien minuten.'

Ann-Britt knikt kort naar haar en loopt met een bezorgd gezicht de kamer uit.

Sofia kijkt weer naar de aantekeningen. De laatste drie pagina's zijn de woorden van Victoria. Victoria Bergman, die over Viggo Dürer en Linnea Lundström vertelt.

... zijn uitstekende rugwervels zijn door zijn kleren heen te zien, zelfs als hij een pak aanheeft. Hij dwingt Linnea zich uit te kleden, met zijn speelgoed zijn spelletjes te spelen op haar kamer, die altijd op slot zit, behalve die keer dat ze werden onderbroken door Annette, of misschien ook dat het Henrietta was. Ze schaamde zich omdat ze halfnaakt op handen en voeten op de vloer zat terwijl hij volledig gekleed was en zei dat het meisje had gezegd dat ze hem wilde laten zien dat ze een spagaat kon, en toen wilden ze dat ze het nog een keer deed en nadat ze eerst een spagaat en vervolgens een brug had gedaan, hadden ze alle twee geklapt, hoewel het allemaal volkomen gestoord was omdat ze twaalf was en al borsten had, bijna als een volwassene...

Sofia herkent een deel van wat Linnea heeft verteld, maar de woorden zijn vermengd met Victoria's herinneringen. Toch brengt de tekst geen nieuwe beelden van vroeger tot leven.

De gelinieerde pagina's bestaan uitsluitend uit letters zonder samenhang.

Ze werpt een vlugge blik op het laatste A4'tje en besluit op een later moment naar de aantekeningen te kijken. Dan toetst ze het nummer van de officier van justitie in.

'Met Von Kwist.' De stem is licht en bijna vrouwelijk.

'Met Sofia Zetterlund. U heeft gebeld. Wat kan ik voor u doen?'

Officier van justitie Kenneth von Kwist legt in het kort uit waar het om gaat, dat Karl Lundström benzodiazepinen voorgeschreven heeft gekregen en dat hij wil weten hoe zij daartegenover staat.

'Het maakt niet veel uit. Zelfs als Karl Lundström zijn verklaring onder invloed van zware medicijnen heeft afgelegd, dan wordt die uiteindelijk door zijn dochter bevestigd. Zij is nu het belangrijkst.'

'Zware medicijnen.' De officier van justitie snuift. 'Weet u wat Xanax is?' Sofia hoort de bekende mannelijke superioriteit en wordt pissig.

Ze doet haar best om kalm en langzaam te praten en probeert pedagogisch te klinken, alsof ze het tegen een kind heeft. 'Het is algemeen bekend dat patiënten die langdurig Xanax slikken een afhankelijkheid ontwikkelen. Daarom valt het onder de narcotica. Helaas maken niet alle artsen gebruik van die kennis.'

Ze wacht op een reactie, maar als de officier niets zegt, gaat ze verder. 'Veel mensen krijgen grote problemen en voelen zich beroerd wanneer ze het geneesmiddel gebruiken. De ontwenning is moeilijk en zo goed als je je voelt wanneer Xanax door het lichaam wordt opgenomen, zo slecht voel je je wanneer het medicijn het verlaat. Een van mijn cliënten heeft Xanax beschreven als snelle reizen tussen hemel en hel.'

Ze hoort dat de officier van justitie diep ademhaalt. 'Mooi, mooi. Ik hoor dat u uw huiswerk heeft gedaan.' Hij lacht en probeert vergoelijkend te klinken. 'Ik denk toch dat wat hij met zijn dochter zegt te hebben gedaan niet klopt...' Hij stopt midden in de zin.

'U bedoelt dat er een reden zou zijn om niet zoveel waarde aan zijn verklaringen te hechten?' Ze merkt dat ze nu echt nijdig klinkt.

'Zoiets, ja.' De officier van justitie valt stil.

'Ik denk niet alleen dat u het mis heeft. Ik weet dat u het mis heeft.' Sofia denkt aan alles wat Linnea heeft verteld.

'Wat bedoelt u? Heeft u bewijs, anders dan de verhalen van zijn dochter?'

'Een naam. Ik heb een naam. Linnea heeft herhaaldelijk over een man verteld die Viggo Dürer heet.'

Op hetzelfde moment dat Sofia de naam van de advocaat noemt, heeft ze er al spijt van.

De Glasbruksgränd

Wat in de tent van Fredrika Grünewald Jeanettes aandacht had getrokken, was een boeket gele tulpen geweest, niet alleen vanwege de kleur, maar ook door het kaartje dat aan een van de stelen had gehangen.

De klok van de Katarinakerk slaat zes doffe slagen en Jeanette krijgt opnieuw last van een slecht geweten omdat ze nog steeds aan het werk is en niet thuis bij Johan zit.

Maar na de vondst bij Fredrika Grünewald is het noodzakelijk om snel door te gaan. Daarom staan Hurtig en zij nu voor het exclusieve appartement van de familie Silfverberg. Ze hebben vooraf gebeld om hun komst aan te kondigen.

Charlotte Silfverberg doet open en laat hen binnen.

Het ruikt er naar verf en op de vloer ligt nog afdekpapier met verfspetters. Jeanette begrijpt dat het appartement volledig is gerenoveerd, dat dat noodzakelijk was na hoe het er de vorige keer uitzag. Overal bloed en het verminkte lichaam van Per-Ola Silfverberg.

Waarom woont ze hier überhaupt nog, denkt Jeanette, en ze knikt naar de vrouw. Ze weet dat Charlotte en zij bijna even oud zijn, maar ze neemt aan dat een probleemloos leven, gezonde voeding en een aantal chirurgische ingrepen ervoor hebben gezorgd dat de vrouw er aanmerkelijk jonger uitziet.

'Ik neem aan dat het om Per-Ola gaat.' Charlotte Silfverberg klinkt bijna sommerend.

'Ja, dat kun je wel zeggen.' Jeanette kijkt in de hal om zich heen.

Charlotte Silfverberg gaat hun voor naar de woonkamer. Jeanette loopt naar het grote panoramaraam en verbaast zich over het prachtige uitzicht over Stockholm.

Aan de overkant ziet ze het Nationale Museum en het Grand Hôtel, met rechts de jeugdherberg Af Chapman. Ze beseft dat ze op dit moment waarschijnlijk het mooiste zicht op het silhouet van Stockholm heeft dat er maar bestaat. Jeanette draait zich om en ziet dat Hurtig in een fauteuil is gaan zitten, terwijl de vrouw nog altijd staat.

'Ik neem aan dat dit niet lang zal duren.' Charlotte Silfverberg loopt naar de andere fauteuil en grijpt de rugleuning met beide handen beet als om haar evenwicht te bewaren. 'Daarom ga ik ervan uit dat jullie niets willen hebben. Koffie of zo, bedoel ik.'

Jeanette schudt haar hoofd en besluit het kaartje met de wonderlijke formulering nog niet te noemen. Het kan goed zijn om dat achter de hand te hebben als blijkt dat Charlotte Silfverberg geen antwoord op hun vragen wil geven.

'Nee, het is prima zo.' Jeanette doet haar best om vriendelijk te klinken, zodat de vrouw zachter en inschikkelijker wordt. Jeanette gaat op de bank zitten.

'Om te beginnen zou ik graag weten waarom u niets heeft verteld over jullie dochter.' Ze zegt het ogenschijnlijk terloops, terwijl ze zich vooroverbuigt en haar notitieblok pakt. 'Of beter gezegd: jullie pleegdochter.'

Charlotte Silfverberg deinst terug, laat de rugleuning los, loopt om de stoel heen en gaat zitten.

'Madeleine? Wat is er met haar?'

Dus ze heet Madeleine, denkt Jeanette. 'Waarom heeft u vorige keer niets over haar gezegd? En over haar beschuldigingen aan het adres van uw man?'

Charlotte Silfverberg antwoordt zonder aarzelen. 'Omdat ze voor mij een afgesloten hoofdstuk is. Ze heeft zich een keer te vaak geblameerd en is tegenwoordig niet meer welkom in dit huis.'

'Hoe bedoelt u?'

'Ik zal een lang verhaal kort maken.' Charlotte Silfverberg haalt diep adem voor ze verdergaat. 'Madeleine kwam vlak na haar geboorte bij ons. Haar moeder was heel jong en bovendien psychisch ernstig ziek en kon daarom niet voor het kind zorgen. Daarom kwam ze bij ons, en we hielden van haar alsof ze ons eigen kind was. Ja, we hielden van haar, hoewel ze haar hele jeugd lastig was. Ze was vaak ziek en zeurde veel. Ik heb ik weet niet hoeveel nachten opgezeten, terwijl zij aan één stuk door krijste. Ontroostbaar gewoon.'

'Hebben jullie nooit uitgezocht wat haar mankeerde?' Hurtig buigt zich naar voren en legt zijn handen op de salontafel.

'Wat viel er uit te zoeken? Het meisje was... tja, hoe zeg je dat... beschadigde waar.' Charlotte Silfverberg tuit haar lippen en Jeanette had de vrouw graag een klap in haar gezicht gegeven.

Beschadigde waar?

Heet het zo wanneer je een kind zo slecht behandelt dat het zijn toevlucht zoekt tot de enige verdediging die het heeft – krijsen?

Jeanette blijft de vrouw aankijken en wordt een beetje bang van wat ze ziet. Charlotte Silfverberg is niet alleen in rouw. Ze is ook gemeen.

'Maar goed, ze groeide op en ging naar school. Papa's kleine meid. Per-Ola en zij waren zo vaak mogelijk samen en daardoor ging het waarschijnlijk mis. Een meisje moet niet zo'n nauwe band met haar vader hebben.'

Het wordt stil om de tafel en Jeanette begrijpt dat ze alle drie aan de bewering van het meisje denken dat Per-Ola zich aan haar heeft vergrepen, maar voordat Jeanette daar iets over kan zeggen gaat Charlotte Silfverberg verder.

'Ze werd zo afhankelijk van Peo dat hij het tijd vond duidelijke grenzen te stellen. Dat vond ze waarschijnlijk niet leuk en daarom verzon ze allerlei ongunstige dingen over hem, uit wraak.'

'Ongunstige dingen?' Jeanette kan haar woede niet inhouden. 'Verdomme, het meisje zei dat Per-Ola haar had verkracht.'

'Ik zou graag zien dat u op uw taalgebruik let wanneer u het tegen mij heeft.' Charlotte Silfverberg steekt beide handen in een afwerend gebaar omhoog. 'Ik wil er verder niet over praten. *End of discussion.*'

'Helaas zijn we nog niet helemaal klaar.' Jeanette legt haar notitieblok neer. 'U moet begrijpen dat ze sterk wordt verdacht van de moord op uw man.'

Pas nu lijkt de ernst van de zaak tot Charlotte Silfverberg door te dringen en ze knikt stom.

'Weet u waar ze tegenwoordig woont?' gaat Jeanette verder. 'En kunt u Madeleine beschrijven? Heeft ze speciale kenmerken?'

De vrouw schudt haar hoofd. 'Ik neem aan dat ze nog in Denemarken is. Toen onze wegen zich scheidden, nam de kinderbescherming haar onder haar hoede en ze werd in een kinderpsychiatrische kliniek geplaatst.

Wat er daarna met haar is gebeurd, weet ik niet.'

'Oké. Verder nog iets?'

'Ze is nu volwassen en...'

Charlotte Silfverberg ziet er opeens heel moe uit en Jeanette vraagt zich af of ze in huilen zal uitbarsten. Maar de vrouw vermant zich en gaat verder. 'Ze heeft blauwe ogen en is blond. Tenzij ze haar haar heeft geverfd, uiteraard. Ze was een schattig kind om te zien en kan heel goed een mooie jonge vrouw zijn geworden. Maar dat weet ik natuurlijk niet...'

'Geen bijzondere eigenschappen?'

Charlotte Silfverberg knikt enthousiast. 'Dat is waar ook,' mompelt ze. 'Dat is waar ook.'

'Wat is zo?' Jeanette kijkt Hurtig vragend aan. Hij haalt zijn schouders op.

De vrouw kijkt op. 'Ze was ambidexter.'

Jeanette is verward omdat ze geen idee heeft wat dat betekent, maar Hurtig moet lachen. 'Dat is grappig. Dat ben ik ook.'

'Waar hebben jullie het over?' vraagt Jeanette, gefrustreerd omdat ze niet begrijpt of het een belangrijk detail is of niet.

'Zowel links- als rechtshandig.' Hurtig pakt zijn pen en schrijft iets op het notitieblok dat voor hem ligt. Eerst met zijn rechterhand, daarna met de linker. Hij scheurt het vel eraf en geeft het aan Jeanette.

'Jimi Hendrix was het ook, net als Shigeru Miyamoto.'

Jeanette kijkt naar het papier. Hurtig heeft zijn naam twee keer geschreven en ze ziet geen verschil in het handschrift. Het is beide keren identiek. Dat ze dat niet wist.

'Shigeru Miyamoto?'

'Het videogamegenie van Nintendo,' verduidelijkt Hurtig. 'De man achter onder meer *Donkey Kong*.'

Jeanette wuift de irrelevante details weg. 'Het is voor Madeleine dus geen enkel probleem om beide handen te gebruiken?'

'Inderdaad,' antwoord Charlotte Silfverberg. 'Ze tekende vaak met links, terwijl ze met rechts schreef.'

Jeanette denkt aan wat Ivo Andrić over de slachting van Per-Ola Silfverberg heeft gezegd: dat de sneden erop wijzen dat die door twee mensen zijn gemaakt.

Iemand die rechts is en iemand die links is.

Twee mensen met verschillende kennis van anatomie.

'Oké,' antwoordt ze afwezig.

Hurtig kijkt Jeanette aan en omdat ze hem kent, weet ze dat hij zich afvraagt of het nu tijd is het kaartje te laten zien en als Jeanette onopvallend knikt, steekt hij zijn hand in zijn zak en haalt een plastic zakje met het bewijsmateriaal tevoorschijn.

'Zegt dit u iets?' Hij schuift het plastic zakje naar Charlotte Silfverberg, die vragend naar de kleine felicitatiekaart kijkt die erin zit. Op de voorkant staat een afbeelding van drie varkentjes en daaronder staat: GEFELICITEERD MET DEZE HEUGLIJKE DAG!

'Wat is dit?' Ze pakt het zakje op, draait het kaartje om en bekijkt de achterkant. Eerst ziet ze er verbaasd uit en daarna moet ze lachen. 'Hoe komen jullie hieraan?'

Ze legt het kaartje op tafel en nu kijken ze alle drie naar de foto die op de achterkant is bevestigd.

Jeanette wijst ernaar. 'Wat is dat voor foto?'

'Dat ben ik en dat is toen ik eindexamen deed. Iedereen die geslaagd was, had foto's van zichzelf en die ruilde je met elkaar.' Charlotte Silfverberg glimlacht herkennend naar de foto van zichzelf en Jeanette meent iets nostalgisch in haar gezicht te zien.

'Kunt u iets vertellen over de middelbare school waar u op zat?'

'Sigtuna?' zegt ze. 'Hoe bedoelt u? Wat heeft Sigtuna met de moord op Peo te maken? En hoe komen jullie aan deze foto?' Ze fronst haar voorhoofd, kijkt eerst naar Jeanette en wendt zich dan tot Hurtig. 'Want daarom zijn jullie hier toch?'

'Jazeker, maar om verschillende redenen zouden we graag wat horen over uw tijd op Sigtuna.' Jeanette probeert oogcontact met de vrouw te maken, maar die kijkt nog altijd naar Hurtig.

'Ik ben niet doof!' Charlotte Silfverberg verheft haar stem, draait zich ten slotte om naar Jeanette en kijkt haar vorsend aan. 'En gek ben ik ook niet! Dus als u iets over mijn schooltijd wilt horen, moet u me eerst vertellen wát u wilt weten en waaróm u dat wilt weten.'

Jeanette denkt na. Het voelt alsof ze op een aanvaring afstevenen en ze besluit iets behoedzamer te zijn.

'Sorry, ik zal het uitleggen.' Jeanette kijkt naar Hurtig om hulp, maar hij slaat spottend zijn ogen ten hemel. Jeanette weet wat hij denkt: kut-wijf.

Jeanette haalt diep adem en gaat verder. 'We willen een aantal dingen nagaan waar we vraagtekens over hebben.' Ze pauzeert even. 'We moe-ten nóg een moord onderzoeken en die betreft een vrouw die helaas een verband met u blijkt te hebben. Daarom willen we wat weten over uw tijd in Sigtuna. Het gaat namelijk om een oud-klasgenoot van u, Fredrika Grünewald. Herinnert u zich haar?'

'Is Fredrika dood?' Charlotte Silfverberg ziet er oprecht geschokt uit.

'Ja, en er zijn aanwijzingen dat het om dezelfde moordenaar kan gaan. Het kaartje lag naast haar lichaam.'

Charlotte Silfverberg zucht diep en legt het kleed op tafel recht. 'Over de doden niets dan goeds, maar zij was geen goed mens, Fredrika. Dat zag je toen al.'

'Hoe bedoelt u?' Hurtig buigt zich weer naar voren en legt zijn armen op zijn schoot. 'Waarom was ze geen goed mens?'

Charlotte Silfverberg schudt haar hoofd. 'Fredrika is zonder meer het verschrikkelijkste mens dat ik ooit ben tegengekomen en ik kan niet be-paald zeggen dat ik om haar rouw. Eerder het tegendeel.'

Charlotte Silfverberg valt stil, maar haar woorden weergalmen tussen de pas geschilderde muren.

Wat is dit voor iemand, denkt Jeanette. Vanwaar al die haat?

Ze zitten alle drie in gepeins verzonken. Alleen Charlotte schuift onge-duldig op haar fauteuil heen en weer, en Jeanette kijkt rond in de ruime woonkamer.

Een vlies antiekwitte muurverf van een millimeter dun camoufleert het bloed van Charlottes echtgenoot.

Jeanette heeft opeens moeite met ademen en wil weg.

Ze ziet dat het weer is gaan regenen en ze hoopt dat ze thuis is voordat Johan naar bed gaat.

Hurtig schraapt zijn keel. 'Vertelt u eens.'

Charlotte Silfverberg doet verslag van haar schooltijd in Sigtuna en Jeanette en Hurtig laten haar ongestoord praten.

Ze maakt een oprechte indruk op Jeanette als ze zelfs dingen onthult die nadelig voor haar zijn. Ze verbergt niet dat ze een van de handlangers van Fredrika Grünewald was. Meedeed met het pesten van leerlingen en leraren.

Ruim een halfuur lang luisteren ze naar Charlotte Silfverberg en ten slotte buigt Jeanette zich naar voren, kijkt naar haar aantekeningen en zegt: 'Als ik uw verhaal samenvat, dan herinnert u zich Fredrika als een intrigante. Ze kreeg jullie zover dat jullie dingen deden die jullie eigenlijk niet wilden. U was haar beste vriendin, samen met twee andere meisjes, Regina Ceder en Henrietta Nordlund. Klopt dat?'

'Zo zou je het kunnen zeggen.' Charlotte Silfverberg knikt.

'En op een bepaald moment hebben jullie drie meisjes een behoorlijk vernederende inwijdingsrite laten ondergaan, om het voorzichtig te zeggen. Op Fredrika's bevel?'

'Ja.'

Jeanette kijkt naar Charlotte Silfverberg en ziet iets wat je schaamte zou kunnen noemen. De vrouw schaamt zich.

'Weet u nog hoe die meisjes heetten?'

'Twee zijn van school gegaan, dus die heb ik nooit leren kennen.'

'Maar de derde? Die blijkbaar is gebleven.'

'Ja, haar herinner ik me vrij goed. Ze deed alsof er niets was gebeurd. Ze was net een ijskonijn en als je haar in de gang tegenkwam, keek ze haast trots. Na dat voorval deed niemand haar iets. Ik bedoel, de rector had op het punt gestaan aangifte bij de politie te doen, dus de meesten van ons beseften dat we te ver waren gegaan. We lieten haar met rust.' Charlotte Silfverberg zwijgt even.

'Hoe heette het meisje dat wel op school bleef?' Jeanette slaat haar notitieblok dicht en treft voorbereidingen om eindelijk naar huis te gaan.

'Victoria Bergman,' zegt Charlotte Silfverberg.

Hurtig kreunt alsof hij een stomp in zijn middenrif heeft gekregen en Jeanette merkt zelf dat haar hart een slag overslaat. Het notitieblok laat ze op de grond vallen.

Abidjan

Regina Ceder verlaat het consulaat-generaal laat in de middag en vraagt de chauffeur om haar rechtstreeks naar het vliegveld te brengen. De schaduwen van de wolkenkrabbers in het centrum van de stad, de getinte ruiten en de airco van de limousine geven haar eindelijk de koelte waar ze al sinds haar eerste bespreking na de lunch naar verlangt. De hitte is ondraaglijk geweest en ze hoopt dat geen van de diplomaten of regeringsmedewerkers de transpiratievlekken op haar bloes heeft gezien. Ze had pas na vijven naar het toilet kunnen gaan, omdat de bijeenkomst door hun omslachtige manier van doen nogal was uitgelopen.

Tijd wordt hier niet gerespecteerd, denkt ze. Vrouwen met macht evenmin, te oordelen naar de wijze waarop diverse regeringsvertegenwoordigers haar hebben behandeld. Zelfs de minister van Buitenlandse Zaken, die anders altijd beleefd tegen haar is, had net zo neerbuigend gedaan als de rest en had op een gegeven moment luid gesnoven toen ze de details van de zaak uit de doeken had gedaan.

Beledigingen vinden ze doodnormaal. Inzicht in het internationale recht is veel minder vanzelfsprekend.

Regina Ceder kijkt naar buiten en strekt haar benen uit onder de bestuurdersstoel. Hoewel ze vrijwel de hele dag binnen heeft gezeten, is haar lichte broek bijna grijs van de luchtvervuiling.

Het verkeer is zoals altijd druk en lawaaierig, en ze weet dat het minstens een uur duurt voor ze bij het vliegveld zijn. Het vliegtuig naar Parijs, dat haar naar Stockholm zal brengen, vertrekt om halfacht, inchecken een uur van tevoren. Ze kijkt op haar horloge en beseft dat het bijna onmogelijk is er op tijd te zijn. Maar waarschijnlijk zal de diplomatenpas haar helpen. In het ergste geval kunnen ze het vliegtuig laten wachten. Dat is wel vaker gebeurd.

Geclaxonneer van een vrachtwagen die vlak naast haar passeert, rukt haar uit haar overpeinzingen.

'*A gauche!*' schreeuwt ze tegen de chauffeur, die net op dat moment op de kruising de verkeerde kant op wil rijden. Abrupt slaat hij vlak voordat het verkeerslicht op rood springt links af.

Shit, denkt ze. Hij weet de weg niet, hoewel hij de route al wel honderd keer heeft gereden.

Na een halfuur neemt de drukte af en de chauffeur rijdt de hoofdweg op die haar naar de Olifantenpoort ruim tien kilometer verderop zal brengen, stenen zuilen van vier witte olifanten op hun achterpoten die de in- en uitgang van het internationale vliegveld van Abidjan vormen.

Ze is volledig uitgeput.

De afgelopen week is een ramp geweest, maar ze heeft haar hoofd hooggehouden en zich voorbeeldig gedragen. Zich methodisch door stapels bureaucratie heen geworsteld, schimpscheuten van loopjongens en andere ondergeschikten verdragen – kortom, het nóg een maand hier volgehouden. Nu ze kan ontspannen overvalt de vermoeidheid haar als een dikke deken van tropische slaap.

Vijf jaar...

Regina Ceder zucht luid. Vijf jaar met onmogelijke mensen, een gebrek aan respect en professionaliteit, algehele incompetentie en pure domheid. Nee, verdorie, na oud en nieuw hou ik ermee op, denkt ze. Als het allemaal meezit, is de baan in Brussel van mij.

Bij een reclamebord voor geïmporteerde tandpasta stoppen ze voor rood. Het verkeer zit opnieuw vast en ze blijven een poosje staan, omringd door rode taxi's.

Gapend bekijkt ze het reclamebord aan de overkant van de straat. Voor een rode achtergrond staat een glimlachende blonde vrouw in een roze jurk, die een gestreepte tube tandpasta vasthoudt. Onder het bord heeft een kleine jongen een tafeltje met drie vogelkooien neergezet en in zijn handen heeft hij twee fladderende kippen, die hij standvastig aan de voorbijgangers probeert te verkopen.

Op hetzelfde moment dat een grote, zwarte vogel voor het reclamebord opvliegt en op de stang met de schijnwerpers gaat zitten, voelt ze haar mobieltje in de zak van haar colbertje trillen.

Ze ziet dat het haar moeders nummer is en ze wordt meteen ongerust.

Er is iets gebeurd, weet ze instinctief.

Het is alsof alles stilstaat.

De chauffeur zet de radio aan. Nieuws in het Frans. De telefoon in haar hand, het reclamebord met de glimlachende vrouw en de jongen die kippen verkoopt. Het wordt allemaal een momentopname die ze nooit zal vergeten.

De stem aan de andere kant van de lijn zegt dat haar zoon is overleden.

Een ongeluk in het zwembad.

De jongen en het reclamebord verdwijnen achter toeterende taxi's en de chauffeur draait zich om en kijkt haar aan. '*Pourquoi tu pleures?*'

Hij vraagt waarom ze huilt.

Ze staart zonder antwoord te geven naar buiten.

Heeft de verklarende woorden niet.

De Sista Styvernstrappen

Het toeval is een verzuimbare factor wanneer het om ernstige delicten gaat. Een feit waar Jeanette Kihlberg maar al te vertrouwd mee is na jarenlang allerlei gecompliceerde moorden te hebben onderzocht.

Toen Charlotte Silfverberg vertelde dat Victoria Bergman, dochter van verkrachter Bengt Bergman, op dezelfde school had gezeten als zij, begreep Jeanette meteen dat het geen samenloop van omstandigheden kon zijn.

Voor de portiek van het appartement van de familie Silfverberg aan de Glasbruksgränd vraagt ze of Hurtig een lift wil – het regent tenslotte –, maar hij zegt dat hij het korte stuk naar de metro net zo lief loopt.

'Bovendien zou het maar zo kunnen dat deze ouwe brik vóór Slussen al uit elkaar valt.' Hij wijst grijnzend naar haar rode, roestige Audi, groet en loopt in de richting van de Sista Styvernstrappen. Zij springt in de auto en voordat ze start, sms't ze Johan dat ze over een kwartiertje thuis is.

Onderweg naar huis denkt Jeanette aan het vreemde gesprek dat ze een paar weken terug met Victoria Bergman heeft gevoerd. Jeanette had de vrouw opgebeld in de hoop dat ze hen bij de zaak van de dode jongens kon helpen, omdat haar vader in diverse andere onderzoeken naar verkrachtingen en seksueel misbruik van kinderen voorkwam. Maar Victoria was afwijzend geweest en had gezegd dat ze al twintig jaar geen contact meer met haar ouders had.

Het is weliswaar alweer een tijdje geleden dat dat gesprek plaatsvond, maar Jeanette herinnert zich dat Victoria een verbitterde indruk had gemaakt en had geïnsinueerd dat haar vader ook haar had misbruikt. Eén ding staat als een paal boven water: ze moeten haar zien te vinden.

Het gaat harder regenen, het zicht is slecht en bij Blåsut staan drie auto's langs de kant van de weg. Eentje heeft behoorlijk wat deuken en Jeanette neemt aan dat er een kettingbotsing heeft plaatsgevonden. Er staan ook een brandweerauto en een surveillancewagen met zwaailicht. Een collega van de verkeerspolitie regelt het verkeer, dat langzamer gaat rijden omdat er maar één rijstrook beschikbaar is, en ze beseft dat ze minstens twintig minuten later thuis zal zijn dan gepland.

Hoe pak ik het aan met Johan, denkt ze. Is het misschien toch tijd om contact op te nemen met het Bureau Kinder- en Jeugdpsychiatrie?

En waarom laat Åke niets van zich horen? Hij zou misschien een tijdje een deel van de verantwoordelijkheid over kunnen nemen. Maar zoals gebruikelijk is hij waarschijnlijk druk bezig zijn dromen te verwezenlijken en heeft hij geen tijd voor iemand anders dan zichzelf.

Nooit toereikend, denkt ze. Ondertussen staat ze helemaal stil, vijftig meter voor de afrit naar Gamla Enskede.

De rij voor het buffet in het restaurant van het politiebureau is misschien niet de meest geschikte plek om de vraag naar voren te brengen, maar omdat Jeanette weet dat politiechef Dennis Billing zelden beschikbaar is, maakt ze van de gelegenheid gebruik.

'Wat kun je vertellen over je voorganger, Gert Berglind?'

Billing lijkt het een vervelende vraag te vinden en Jeanette heeft de indruk dat ze een gevoelige snaar heeft geraakt. 'Je hebt toch jarenlang direct onder hem gewerkt,' voegt ze eraan toe. 'Ik was toen nog gewoon politiemedewerker en ik kwam hem vrijwel nooit tegen.'

'Een betweter,' zegt hij na een tijdje. Hij keert haar de rug toe en schept aardappelpuree op. Ze verwacht een vervolg, maar als dat niet komt, tikt ze hem op zijn schouder.

'Een betweter? Wat bedoel je daarmee?'

Dennis Billing schept nog meer eten op. Een paar gehaktballetjes, roomsaus, augurk en als laatste vossenbessensaus. 'Meer academicus dan agent,' gaat hij verder. 'Onder ons gezegd een slechte chef, die er zelden was als hij nodig was. Veel te veel dingen ernaast. Bestuurtje hier en bestuurtje daar, en dan nog allerlei lezingen.'

'Lezingen?'

Hij schraapt zijn keel. 'Inderdaad... Zullen we gaan zitten?'

Hij kiest een tafeltje achter in het restaurant en Jeanette begrijpt dat de politiechef om de een of andere reden het gesprek in afzondering wil voortzetten.

'Actief in de Rotary en allerlei stichtingen,' zegt hij tussen de happen door. 'Goede tempelier en religieus, om niet te zeggen overdreven vroom. Gaf her en der in het land lezingen over ethische vraagstukken. Ik heb hem een paar keer horen spreken en ik moet toegeven dat hij boeiend vertelde, al bleken het bij nader inzien alleen maar holle frasen. Maar zo gaat dat, nietwaar? Mensen willen alleen maar bevestigd krijgen wat ze al weten.' Hij grijnst en hoewel Jeanette moeite heeft met zijn cynische toon, is ze geneigd het met hem eens te zijn.

'Stichtingen, zei je? Weet je nog welke?'

Billing schudt zijn hoofd terwijl hij een gehaktballetje van de roomsaus naar de vossenbessensaus laat rollen. 'Iets religieus, geloof ik. Zijn milde imago was legendarisch, maar onder ons gezegd en gezwegen, geloof ik niet dat hij zo vroom was als hij deed voorkomen.'

Jeanette spitst haar oren. 'Oké, ik luister.'

Dennis Billing legt zijn bestek neer en neemt een slok van zijn alcoholvrije biertje. 'Ik vertel je dit in vertrouwen en ik wil niet dat je er al te veel conclusies aan verbindt, al vermoed ik dat je dat wel zult doen, omdat je je nog steeds bezighoudt met Karl Lundström.'

Oeps, denkt Jeanette en ze probeert er onaangedaan uit te zien terwijl ze het in haar buik voelt kriebelen. 'Lundström? Die is dood. Waarom zou ik me met hem bezighouden?'

Hij leunt achterover in zijn stoel en glimlacht naar haar. 'Ik merk het aan je. Je kunt die immigrantenjongens niet loslaten, en dat is misschien ook niet zo gek. Het is prima zolang je werk er niet onder lijdt, maar ik ga op mijn strepen staan zodra ik ontdek dat je iets achter mijn rug om doet.'

Jeanette glimlacht terug. 'Maak je geen zorgen. Ik heb al meer dan genoeg te doen. Maar wat heeft Berglind met Lundström te maken?'

'Die waren bevriend,' zegt Billing. 'Ze kenden elkaar via het werk dat Berglind voor een van die stichtingen deed, en ik weet dat ze een paar keer per jaar een bijeenkomst in Denemarken hadden. In een of ander dorp op Jutland.'

Jeanette voelt dat haar hart sneller gaat kloppen. Als het om de stichting gaat waar zij aan denkt, zijn ze misschien iets op het spoor.

'Achteraf gezien,' gaat Billing verder, 'nu we weten wat Lundström uitspookte, vermoed ik dat de geruchten die over Berglind de ronde deden wellicht een kern van waarheid bevatten.'

'Geruchten?' Jeanette probeert haar vragen zo kort mogelijk te houden, omdat ze bang is dat haar stem verraadt hoe opgewonden ze is.

Billing knikt. 'Er werd gefluisterd dat hij prostituees bezocht en diverse vrouwelijke collega's zeiden dat hij avances had gemaakt, hen zelfs had lastiggevallen. Maar het leidde allemaal nergens toe en toen overleed hij plotseling. Een hartaanval, een mooie begrafenis en in een handomdraai was hij een held, omdat hij de basis zou hebben gelegd voor het nieuwe, ethisch bewuste politiewezen. Dankzij hem zouden het racisme en het seksisme uit het korps zijn verdreven, maar jij en ik weten dat dat lariekoek is.'

Jeanette knikt terug. Ze vindt Billing opeens best aardig. Zo'n persoonlijk gesprek hebben ze nog nooit gehad. 'Gingen ze privé ook met elkaar om? Berglind en Lundström dus.'

'Dat wilde ik nog zeggen... Berglind had een foto op het prikbord in zijn kantoor hangen, die een paar dagen voordat Lundström over de verkrachting in het hotel werd verhoord is weggehaald. Hoe heette dat meisje ook alweer? Wedin?'

'Wendin. Ulrika Wendin.'

'O ja. Het was een vakantiefoto van Berglind en Lundström, allebei met een enorme vis. De een of andere zeesafari in Thailand. Toen ik hem erop wees dat het ongepast was dat hij het meisje verhoorde, zei hij dat hij Lundström slechts oppervlakkig kende. Hij wist dat hij wraakbaar was, maar hij deed er alles aan dat te verbergen. De vakantiefoto ging op in rook en Lundström was opeens niet meer dan een vage kennis.'

Dennis Billing verbaast Jeanette.

Waarom vertelt hij dit, denkt ze. Als hij niet wil dat ik verderga met Lundström, Wendin en de geseponeerde zaken is daar toch zeker geen reden voor?

Of is het zo simpel dat hij zo'n hekel aan zijn voorganger heeft dat hij zelfs zes jaar na diens dood nog wil dat iemand hem aan de kaak stelt?

'Dank je voor het interessante gesprek,' zegt Jeanette.

De stichting, denkt ze. Dat moet haast wel dezelfde zijn die Lundström, Dürer en Bergman hebben gefinancierd. Sihtunum i Diasporan.

Svavelsö

Jonathan Ceder was op de rand van het zwembad uitgegleden en op zijn hoofd terechtgekomen. Voordat hij bewusteloos was geraakt, was hij in het water gevallen. Zijn longen hadden vol water gezeten en er was geconstateerd dat hij door verdrinking om het leven was gekomen.

Beatrice Ceder, de oma van Jonathan Ceder, vervloekt zichzelf omdat ze hem in zijn eentje in het zwembad heeft laten spelen en ondertussen een kopje koffie in de cafetaria van het zwembad is gaan drinken. Haar dochter Regina bellen om te vertellen dat haar zoon is overleden, is het moeilijkste wat ze ooit heeft moeten doen.

Ze herinnert zich Jonathans tranen toen ze op het vliegveld van Abidjan afscheid van Regina hadden genomen. Hij was Regina's enige kind en haar alles geweest. Beatrice Ceder schenkt nog een glas whisky in en kijkt naar buiten.

De nacht buiten de villa in Svavelsö in Åkersberga is koud en zwart. De mist is langs de weg op komen zetten en heeft zich via het grasveld verder gegeten; de contouren van haar auto twintig meter verderop zijn nauwelijks nog te onderscheiden.

Nu zijn alleen Regina en zij er nog. Jonathan is er niet meer en dat is haar schuld.

Ze had nog geen week op hem kunnen passen.

Ze kijkt naar de rode schommel die aan een van de bomen in de tuin heen en weer beweegt en begrijpt niet wat haar bezielde toen ze die voor hem ophing. Wat moet een knul van dertien met een schommel? Schommels zijn voor kleine kinderen.

Ze is een slechte oma geweest. Een oma die haar enige kleinkind niet vaak genoeg heeft gezien. Hij was haar ontgroeid. In haar beleving was hij nog altijd zes of zeven, en ze zagen elkaar hoogstens twee keer per jaar, meestal met Kerstmis of oud en nieuw, of zoals laatst, toen ze hen in Abidjan had bezocht. Ze weet niet of Jonathan eigenlijk wel met haar mee had gewild naar Zweden. Het was echter maar voor een weekje; daarna zou Regina komen en zouden ze met z'n drietjes twee weken naar Lanzarote gaan.

Nu gaat dat niet door. Regina Ceder landt om middernacht op Arlanda en Beatrice zal over ruim een uur bij de gate op haar dochter staan te wachten zonder dat ze weet wat ze moet zeggen.

Wat kun je zeggen?

Sorry, het is mijn schuld? Ik had niet... Ik had hem niet... Hij was altijd zo voorzichtig...

Waarom was er niemand in het zwembad die hem kon redden, denkt de oma van Jonathan Ceder.

Niemand had gezien wat er was gebeurd. Maar toen zijzelf naar de cafetaria was gegaan, waren er minstens drie kinderen in het water geweest en bovendien had er een vrouw op een van de ligstoelen langs de rand van het bad gezeten.

Toen ze de politie over de vrouw had verteld, hadden ze daar geen aandacht aan besteed.

Beatrice Ceder heeft bijna tien jaar niet gerookt, maar nu steekt ze een sigaret op. Het was het eerste wat ze had gedaan toen ze wist wat er met haar kleinkind was gebeurd: een pakje bij de kiosk in het zwembad kopen. Tien jaar geleden, toen de artsen hadden verteld dat Regina's man aan longkanker zou sterven, had ze hetzelfde gedaan. Destijds had ze de sigaretten bij de kiosk in het Karolinska-ziekenhuis gekocht.

Ze kijkt op de keukenklok. Bijna elf uur.

Het geluid van de slinger doet haar denken aan de tijd die doortikt, wat er ook gebeurt.

Een dood kind betekent in dat verband niets.

De verpletterde moeder die ze over een uur zal zien ook niet, en zijzelf evenmin.

De taxi komt over een kwartier. Wat moet ze zeggen als de chauffeur vraagt waar ze naartoe gaat? Ja, ze zal liegen en net doen alsof ze met haar dochter en haar kleinkind op vakantie gaat naar Lanzarote. Dan zal dat wat had kunnen zijn in elk geval bestaan voor de vreemde die haar rijdt. Voor de vreemde zal ze alleen maar een blije oma zijn, die twee weken in de zon in het vooruitzicht heeft.

Ik moet pakken, denkt ze. Mijn koffer en mijn handbagage.

Ze dooft haar sigaret en gaat naar boven.

Slipjes, badpak, toilettas en zonnebrandolie. Handdoek, paspoort, drie pocketboeken en kleren. Topjes, twee rokken en een lange broek voor het geval de avonden daar koud zijn.

Beatrice Ceder geeft het op, gaat op bed zitten en laat haar tranen de vrije loop.

Kronoberg

Fredrika Grünewald is om het leven gebracht door iemand die ze kent, denkt Jeanette Kihlberg. We moeten in elk geval van die hypothese uitgaan.

Op het lichaam van de vrouw hadden ze geen tekenen gevonden die erop wezen dat ze zich had verdedigd, en haar schamele hut had eruitgezien zoals te verwachten viel. Aan de moord was geen strijd voorafgegaan en Fredrika Grünewald had de moordenaar dus binnengelaten, waarna die haar had overrompeld. Grünewalds fysieke conditie was bovendien slecht geweest. Hoewel ze maar veertig was geworden, hadden de ontberingen van de laatste tien jaar als dakloze hun sporen achtergelaten.

Volgens Ivo Andrić waren haar leverwaarden zo slecht dat ze vermoedelijk niet langer dan twee jaar te leven had gehad en de moordenaar had zich dus onnodige moeite getroost.

Als Hurtig echter gelijk had en het een daad uit wraak was, dan was het doden van Fredrika niet het belangrijkste geweest, maar het vernederen en kwellen. En daar was de moordenaar volledig in geslaagd.

Uit preliminaire informatie bleek dat de doodsstrijd een halfuur tot een uur had geduurd. Uiteindelijk was de pianosnaar zo diep in haar hals gedrongen dat haar hoofd alleen nog dankzij de nekwervels en een paar pezen aan haar lichaam vastzat.

Verder hadden ze sporen van lijm rond haar mond aangetroffen en Ivo Andrić vermoedde dat die van gewoon duct-tape afkomstig waren. Het verklaarde waarom de moord had kunnen plaatsvinden zonder dat iemand geschreeuw of geroep had gehoord.

Verder waren er de niet oninteressante waarnemingen van de forensisch arts over details van de werkwijze. Volgens Ivo Andrić was er in de uitvoering van de moord sprake van een anomalie.

Jeanette pakt het sectierapport erbij.

'Als het om één moordenaar gaat, dan is die fysiek sterk of heeft onder invloed van adrenaline gehandeld. De moordenaar is er bovendien erg goed in beide handen simultaan te gebruiken.'

Madeleine Silfverberg, denkt Jeanette. Maar was zij sterk genoeg en waarom zou zij Fredrika Grünewald iets aan willen doen?

Ze leest verder.

'Het kan ook om twee daders gaan, wat waarschijnlijker lijkt. Eén persoon wurgt het slachtoffer en de ander houdt haar hoofd stil en stopt de ontlasting in haar mond.'

Twee mensen?

Jeanette Kihlberg bladert in de getuigenverklaringen die haar zijn toegestuurd. Het was niet makkelijk geweest om de mensen uit de bergholte onder de St.-Johanneskerk te verhoren. De meesten waren niet erg mededeelzaam geweest en van de mensen die wel een getuigenverklaring hadden willen afleggen, hadden ze het merendeel vanwege drugs- en alcoholmisbruik of een psychische stoornis als ongeloofwaardig moeten beschouwen.

Het enige wat Jeanette de moeite waard heeft gevonden om nader te onderzoeken, is dat diverse getuigen op het tijdstip van de moord ene Börje samen met een onbekende vrouw de bergholte in hebben zien komen. De politie heeft al een opsporingsbericht naar Börje laten uitgaan, maar dat heeft nog niets opgeleverd.

Over de vrouw waren de getuigen vaag geweest. Iemand was er zeker van dat ze een hoofddeksel had gedragen; anderen hadden het over zowel blond als donker haar. De leeftijd van de vrouw lag volgens de verzamelde getuigenverklaringen ergens tussen de twintig en de vijfenveertig, en ten aanzien van haar lengte en lichaamsbouw bestond dezelfde variatie.

Een vrouw, denkt Jeanette. Het lijkt onwaarschijnlijk. Ze heeft nog nooit eerder meegemaakt dat een vrouw dit soort geplande, wrede moorden uitvoert.

Twee moordenaars? Een vrouw met een man als medeplichtige?

Jeanette komt meteen tot de slotsom dat dat een veel betere verklaring is. Maar ze is ervan overtuigd dat die Börje niet medeplichtig is. Al jarenlang een bekende in de crypten en volgens de getuigen niet bepaald een gewelddadig type. Hoewel de meeste mensen voor geld bijna overal toe bereid zijn, wijst ze de mogelijkheid dat hij is ingehuurd om bij de moord te assisteren van de hand. Dit soort beestachtigheid is iets voor volbloedpsychopaten. Nee, de man had ongetwijfeld een paar honderdjes gekregen om de moordenaar de weg te wijzen naar Fredrika Grünewald en was daarna weer vertrokken om het geld op te drinken.

Als Jeanette door de gang naar de kamer van Jens Hurtig loopt, stelt ze zichzelf een retorische vraag.

Gaat het om dezelfde moordenaar als in de zaak van de in stukken gesneden financieel deskundige Silfverberg?

Niet onmogelijk, stelt ze vast, terwijl ze zonder kloppen naar binnen gaat.

Jens Hurtig staat bij het raam en kijkt peinzend. Dan draait hij zich om, loopt om het bureau heen en ploft neer op de stoel.

'Zeg, ik ben helemaal vergeten je te bedanken voor je hulp met de computer en de game,' zegt ze en ze glimlacht naar hem. 'Johan is in de zevende hemel.'

Hij grijnst terug en wuift afwerend. 'Dus hij vindt het leuk?'

'Ja, hij gaat er helemaal in op.'

'Mooi zo.'

Ze kijken elkaar in stilte aan.

'Wat zeiden ze in Denemarken?' vraagt ze vervolgens. 'Over Madeleine Silfverberg dus.'

'Mijn Deens is niet zo goed.' Hij glimlacht. 'Ik heb gesproken met een arts van de instelling waar ze na het onderzoek in de verkrachtingszaak is geplaatst en in de jaren dat ze daar werd behandeld, bleef ze volhouden dat Peo Silfverberg zich aan haar had vergrepen. Bovendien zouden er meer mannen bij betrokken zijn geweest en was alles met instemming van haar moeder Charlotte gebeurd.'

'Maar niemand geloofde haar?'

'Nee, ze werd als een psychotisch meisje met ernstige waanbeelden beschouwd en kreeg zware medicijnen.'

'Is ze daar nog steeds?'

'Nee, ze is twee jaar geleden ontslagen en schijnbaar naar Frankrijk verhuisd.' Hij zoekt tussen zijn papieren. 'Naar een plek die Blaron heet. Ik heb Schwarz en Åhlund gevraagd dat na te gaan, maar ik denk dat we haar kunnen vergeten.'

'Mogelijk, maar ik vind wel dat we haar moeten checken.'

'Vooral omdat ze ambidexter is.'

'Ja, wat was dat? Waarom heb je nooit verteld dat jij dat bent?'

Hurtig grijnst. 'Ik ben linkshandig geboren en op school was ik de enige die dat was. De andere kids plaagden me en noemden me gehandicapt. Daarom heb ik geleerd mijn rechterhand te gebruiken en kan ik tegenwoordig met zowel rechts als links schrijven.'

Jeanette denkt aan alle onbezonnen dingen die ze zelf heeft gezegd, zich niet bewust van de gevolgen. Ze knikt. 'Maar om terug te komen op Madeleine Silfverberg, heb je de arts gevraagd of ze gewelddadig kan zijn?'

'Uiteraard heb ik dat gevraagd, maar hij zei dat ze in het ziekenhuis alleen zichzelf had verwond.'

'Ja, dat gebeurt wel vaker,' zucht Jeanette en ze denkt aan Ulrika Wendin en Linnea Lundström.

'Shit, ik ben alle ellende waar we in moeten graven zo beu.'

Jeanette merkt dat hij een onhandige poging doet om zijn Norrlandse accent te verbergen. Meestal lukt dat hem goed, maar als hij geëmotioneerd is, denkt hij er niet aan en kun je horen waar hij vandaan komt.

Ze kijken elkaar over het bureau aan en Jeanette herkent de plotselinge machteloosheid van Hurtig.

'We mogen het niet opgeven, Jens,' probeert ze troostend, maar ze hoort hoe knullig het klinkt.

Hij recht zijn rug en probeert een glimlachje op zijn gezicht te toveren.

'Laten we samenvatten wat we hebben,' begint Jeanette. 'Twee doden. Peo Silfverberg en Fredrika Grünewald. De moorden zijn buitengewoon wreed. Charlotte Silfverberg was klasgenote van Grünewald en de wereld is klein genoeg om ervan uit te kunnen gaan dat we te maken hebben met een tweevoudige moordenaar. Eventueel met twee moordenaars.'

Hurtig kijkt weifelend. 'Je zei eventueel. Hoe zeker ben je ervan dat het om twee moordenaars gaat? Bedoel je dat we daarvan kunnen uitgaan?'

'Nee, maar we moeten het tijdens het onderzoek wel in ons achterhoofd houden. Denk aan wat Charlotte Silfverberg over de vernederingsrite op het internaat heeft gezegd.'

Hurtig knikt. 'Victoria Bergman.'

'Haar moeten we uiteraard vinden, maar niet alleen dat. Wat zei Charlotte Silfverberg verder nog?'

Hij kijkt door het raam naar buiten en er verspreidt zich een matte glimlach over zijn gezicht als hij doorheeft wat Jeanette bedoelt. 'Ik snap het. De twee andere meisjes die de rite moesten ondergaan, de meisjes die van school gingen. Silfverberg wist hun namen niet meer.'

'Ik wil dat je contact opneemt met de school in Sigtuna en ze vraagt de klassenlijsten van het desbetreffende jaar op te sturen. Het liefst ook de jaarboeken, als dat mogelijk is. We hebben een aantal interessante namen. Fredrika Grünewald en Charlotte Silfverberg. De twee vriendinnen Henrietta Nordlund en Regina Ceder. Maar bovenal ben ik benieuwd naar de verdwenen Victoria Bergman. Hoe ziet ze eruit? Heb jij daar nooit over nagedacht?'

'Jawel,' antwoordt hij, maar Jeanette kan aan hem zien dat dat niet waar is.

'Het zou buitengewoon interessant zijn om te horen wat Regina Ceder en Henrietta Nordlund over Victoria Bergman en Fredrika Grünewald te vertellen hebben, en ook over Charlotte Silfverberg trouwens. Vanmiddag wil ik een overleg met het hele team, zodat we de taken kunnen verdelen.'

Hurtig knikt weer en Jeanette heeft de indruk dat hij niet helemaal zichzelf is. Hij lijkt in gedachten met iets anders bezig. 'Hoor je me?'

'Ja, hoor.' Hij schraapt zijn keel.

'Er is nog een factor waar we rekening mee moeten houden voordat we verdergaan, maar daar gaan we het vanmiddag niet over hebben, begrijp je?' De aandacht in Hurtigs ogen keert terug en hij gebaart dat ze door moet praten. 'We hebben Bengt Bergman, Viggo Dürer en Karl Lundström. Omdat ze net als Per-Ola Silfverberg lid waren van de stichting Sihtunum i Diasporan heeft die er mogelijk ook mee te maken. Daarnaast heeft Billing me tijdens de lunch iets interessants verteld. Oud-politiechef Gert Berglind kende Karl Lundström.'

Nu wordt Hurtig echt wakker. 'Wat bedoel je daarmee? Gingen ze privé met elkaar om?'

'Ja, en niet alleen dat. Ze kenden elkaar via een stichting. Iedere gek kan uitrekenen om welke stichting het gaat. Gecompliceerd geval, nietwaar?'

'Ja, dat kun je wel zeggen.' De betrokken Hurtig is terug en Jeanette glimlacht opgewekt naar hem.

'Zeg,' gaat ze verder, 'ik heb gemerkt dat je ergens over piekert en volgens mij maak je je niet alleen zorgen over je werk. Is er iets gebeurd?'

'Tja,' zegt hij. 'Het is waarschijnlijk niet ernstig. Vooral stom eigenlijk.'

'Wat is er gebeurd?'

'Het gaat weer om mijn vader. Timmeren en vioolspelen zullen in de toekomst nog moeilijker voor hem worden.'

Het is niet waar, denkt Jeanette.

'Ik zal het kort houden, want we hebben veel te doen. In de eerste plaats heeft hij na het ongeluk met de cirkelzaag de verkeerde medicijnen gekregen. Het goede nieuws is dat het ziekenhuis het zelf bij de inspectie heeft gemeld en dat hij een schadevergoeding krijgt; het slechte is dat hij koudvuur heeft gekregen en dat zijn vingers eraf moeten. Daarnaast heeft hij een Ferrari GF tegen zijn hoofd gekregen.'

Jeanette zit met open mond te luisteren.

'Ik zie dat je niet weet wat een Ferrari GF is. Dat is mijn vaders grasmaaier, een vrij groot ding.'

Het is dat Hurtig glimlacht, anders zou Jeanette hebben gedacht dat het heel slecht was afgelopen.

'Wat is er gebeurd?'

'Tja... Toen hij een paar takken uit de rotorbladen wilde weghalen, zette hij een klos onder het apparaat, ging eronder liggen om beter te kunnen zien en toen viel die klos natuurlijk om. De buurman moest zijn hoofdhuid weer aan elkaar naaien nadat mijn moeder zijn haar eraf had geschoren. Vijftien hechtingen midden op zijn hoofd.'

Jeanette is met stomheid geslagen en het enige waar ze aan kan denken zijn twee namen, Jacques Tati en het klunzige tv-personage Carl Gunnar Papphammar.

'Het komt altijd weer goed met hem.' Hurtig wuift afwerend met zijn hand. 'Wat zal ik doen als ik contact heb opgenomen met de school in Sigtuna? Ons overleg is pas over een paar uur.'

'Fredrika Grünewald. Ga haar verleden maar uitzoeken. Probeer erachter te komen waarom ze op straat is beland en ga dan terug in de tijd. Graag met zo veel mogelijk namen. We gaan uit van het wraakmotief en zoeken iemand in haar omgeving. Mensen die ze heeft gekwetst of die op de een of andere manier nog een appeltje met haar te schillen hadden.'

'Mensen als zij hebben overal wel vijanden, denk ik. Upper class, gekonkel, geritsel en lege vennootschapen. Gaan over lijken en verraden hun vrienden voor een goede deal.'

'Wat een vooroordelen, Jens! Bovendien weet ik dat je socialist bent.' Ze lacht luid en maakt aanstalten om te vertrekken.

'Communist,' zegt Hurtig.

'Hè?'

'Ja, ik ben communist. Dat is heel wat anders.'

De onreine delen

laten zich aanraken en je moet oppassen voor handen van vreemden of handen die geld aanbieden om te mogen voelen. De enige handen die Gao Lian mogen aanraken zijn die van de blonde vrouw.

Ze kamt zijn haar, dat inmiddels lang is geworden. Hij vindt ook dat het lichter is geworden en misschien komt dat doordat hij zoveel tijd in het donker heeft doorgebracht. Alsof de herinnering aan het licht in zijn hoofd is opgeslagen en zijn haar als zonnestralen heeft gekleurd.

Op dit moment is het helemaal wit in de kamer en zijn ogen kunnen niet goed zien. Ze heeft de deur open laten staan en een teil met water naar binnen gebracht om hem te wassen. Hij geniet van haar aanraking.

Terwijl ze hem afdroogt, is vanuit de hal gerinkel te horen.

de handen

plunderen als je niet op je hoede bent en ze heeft hem geleerd ze volledig onder controle te houden. Alles wat ze doen moet een betekenis hebben.

Hij oefent zijn handen door te tekenen.

Als hij de wereld in zich kan vangen, als hij die naar binnen kan laten komen en daarna via zijn handen weer naar buiten kan laten gaan, hoeft hij nooit meer ergens bang voor te zijn. Dan heeft hij de macht de wereld te veranderen.

de voeten

gaan naar verboden plaatsen. Dat weet hij, omdat hij haar een keer heeft verlaten om in de stad buiten de kamer rond te kijken. Dat was verkeerd geweest en dat begrijpt hij nu. Daar is niets wat goed is. De wereld buiten zijn kamer is slecht en daarom beschermt zij hem ertegen.

De stad had zo schoon en mooi geleken, maar nu weet hij dat er onder de grond en in het water millennia aan stof van menselijke kadavers ligt en dat er in de huizen en binnen in de levenden alleen maar dood is.

Als het hart ziek wordt, wordt het hele lichaam ziek en ga je dood.

Gao Lian uit Wuhan denkt aan het zwart in de harten van de mensen. Hij weet dat het kwaad zich daar als een zwarte vlek manifesteert en dat er zeven wegen zijn die daarheen leiden.

Eerst twee wegen, daarna nog twee en dan drie.

Twee, twee, drie. Hetzelfde jaar waarin zijn geboorteplaats Wuhan werd gesticht. Het jaar 223.

De eerste weg naar de zwarte vlek loopt vanaf de tong die liegt en roddelt en de tweede gaat via de ogen die het verbodene zien.

De derde weg gaat door de slakkenhuizen die naar de leugens luisteren en de vierde loopt vanaf de maag die de leugens verteert.

De vijfde weg gaat via de onreine delen die zich laten aanraken, de zesde via de handen die plunderen en de zevende vanaf de voeten die naar verboden plaatsen gaan.

Er wordt gezegd dat de mens in het moment van sterven alles mag zien wat zich in het hart bevindt en Gao vraagt zich af wat hijzelf te zien zal krijgen.

Vogels, misschien.

Een hand die troost.

Hij tekent en schrijft. Legt het ene papier op het andere. Het werk maakt hem kalm en hij vergeet zijn angst voor de zwarte vlek.

Opnieuw is het gerinkel te horen.

Gamla Enskede

Alles houdt op de een of andere manier verband met elkaar, denkt Jeanette Kihlberg als ze met de lift afdaalt naar de garage onder het politiebureau en naar haar auto loopt om naar huis te gaan. Hoewel haar werkdag er formeel op zit, blijft ze in gedachten bezig met alle vreemde dingen en merkwaardige toevalligheden.

Twee meisjes, Madeleine Silfverberg en Linnea Lundström. Hun respectievelijke vaders, Per-Ola Silfverberg en Karl Lundström. Beiden verdacht van pedofilie. Lundström bovendien van de verkrachting van Ulrika Wendin. En de echtgenote van een van hen, Charlotte Silfverberg, en de vermoorde Fredrika Grünewald hebben in Sigtuna bij elkaar in de klas gezeten.

Ze rijdt naar de uitgang en zwaait naar de man van de beveiliging. Hij zwaait terug en doet de slagboom omhoog. Het felle zonlicht verblindt haar en één kort moment ziet ze niets.

Een gemeenschappelijke advocaat, Viggo Dürer, die ook Bengt Bergman als cliënt had. Bergmans verdwenen dochter, Victoria, heeft in Sigtuna op school gezeten.

De ondertussen overleden politiechef Gert Berglind, die zowel Silfverberg als Lundström heeft verhoord. Allemaal mannen die verbonden waren aan dezelfde stichting. Officier van justitie Von Kwist? Nee, denkt Jeanette, hij is er niet bij betrokken. Hij is slechts een nuttige idioot.

Per-Ola Silfverberg en Fredrika Grünewald vermoord. Misschien door dezelfde persoon.

Karl Lundström overleden in het ziekenhuis en Bengt Bergman samen met zijn vrouw omgekomen bij een brand. Dat laatste lijkt een ongeluk, het eerste het gevolg van ziekte.

Wanneer Jeanette Kihlberg de Söderledstunnel in rijdt, beseft ze opeens dat ze al een paar dagen niets van Sofia heeft gehoord. Het onderzoek is een intensieve fase in gegaan, en bovendien kost het haar veel energie om te begrijpen wat er met Johan aan de hand is.

Als ze voor het huis heeft geparkeerd en de auto uit stapt, begrijpt Jeanette dat ze hulp nodig heeft. Ze voelt een dringende behoefte aan een openhartig, persoonlijk gesprek met iemand die ze vertrouwt. Sofia is op dit moment de enige die aan die criteria voldoet.

De wind waait door de bladeren van de grote berk en strijkt langs de muur van het huis. Het is een onbetrouwbare, vochtige wind en Jeanette haalt diep adem. Snuift alsof ze aan een bloem ruikt. Als het maar niet nog meer gaat regenen, denkt ze en ze kijkt naar de met uitlaatgassen vervuilde rode avondlucht in het westen.

De villa is leeg en verlaten. Op de keukentafel ligt een briefje van Johan. Hij blijft bij David slapen vanwege een LAN-party.

Een LAN-party, denkt ze. Ze weet zeker dat hij haar op een bepaald moment heeft uitgelegd wat het is. Is ze zo'n slechte moeder dat ze zelfs niet weet wat haar zoon voor hobby's heeft? Waarschijnlijk is het iets met computers.

Om haar slechte geweten te sussen gaat ze naar de kelder en vult de wasmachine, waarna ze terugkeert naar de keuken en aan de slag gaat met de afwas.

Als ze klaar is en het aanrecht blinkend schoon is, schenkt ze een glas bier in en gaat aan de keukentafel zitten.

Hoewel ze haar best doet om zich te ontspannen, alle problemen te vergeten die met de scheiding te maken hebben en vooral niet met haar werk bezig te zijn, kan ze de gedachten toch niet weghouden.

In de loop van de dag hebben Hurtig en zij alles doorgenomen wat ze weten. Of niet weten.

In eerste instantie hadden ze de stopgezette zaak van de dode jongens.

Hurtigs onderzoek onder de artsen die mensen zonder papieren behandelen had niets opgeleverd en Jeanettes contacten bij de UNHCR in Genève hadden ook geen informatie over de identiteit van de jongens gehad.

Daarna de dood van Per-Ola Silfverberg, een van de wreedste moorden die ze ooit hebben gezien.

Volkomen absurd dat iemand een gewone verfroller heeft gebruikt. En alsof dat nog niet genoeg was de terechtstelling van Fredrika Grünewald onder de St.-Johanneskerk. Ze hadden behoorlijk wat op hun bordje liggen.

Hurtig was ontmoedigd geraakt en Jeanettes aarzelende pogingen om hem een hart onder de riem te steken waren vruchteloos gebleven. Ze had hem ter afsluiting gevraagd hoe het met de school in Sigtuna ging, maar hij had zijn hoofd geschud en gezegd dat hij op antwoord wachtte.

Stomme Sigtuna-snobs, denkt ze en ze drinkt haar bier op.

Ze pakt de telefoon en toetst het nummer van Sofia Zetterlund in. De telefoon gaat tien keer over voordat Sofia opneemt. Haar stem klinkt hees en geforceerd.

'Hallo, hoe gaat het?' Jeanette leunt tegen de muur. 'Je klinkt verkouden.'

Het duurt lang voordat Sofia antwoord geeft. Dan schraapt ze haar keel en zucht. 'Nee, dat denk ik niet. Ik ben helemaal gezond.'

Jeanette is verbaasd. Ze herkent Sofia's toonhoogte niet.

'Heb je even tijd om te kletsen?'

Weer een lange stilte van Sofia. 'Ik weet het niet,' zegt ze uiteindelijk. 'Is het belangrijk?'

Jeanette vraagt zich af of ze wel op een geschikt moment belt, maar besluit een luchtige toon aan te slaan in de hoop dat Sofia dan wat toeschietelijker wordt. 'Ach, belangrijk,' lacht ze. 'Åke en Johan, zoals altijd. Gedoe. Ik wil gewoon even met iemand praten. Ik vond het de vorige keer erg gezellig, trouwens. Hoe gaat het met je-weet-wel?'

'Ik-weet-wel? Wat bedoel je?'

Het klinkt alsof Sofia haar neus ophaalt, maar Jeanette gaat ervan uit dat ze dat verkeerd heeft gehoord. 'Waar we het de vorige keer bij mij thuis over hadden. Het daderprofiel.'

Er komt geen antwoord. Jeanette heeft de indruk dat Sofia een stoel over de vloer schuift. Daarna het geluid van een glas dat op tafel wordt gezet.

'Hallo?' probeert ze. 'Ben je er nog?'

Het is nog een paar tellen stil voordat Sofia antwoordt. Haar stem is nu veel dichterbij en Jeanette kan haar ademhaling horen.

Sofia praat sneller.

'In nog geen minuut tijd heb je vijf vragen gesteld,' begint ze. 'Hallo, hoe gaat het? Heb je even tijd om te kletsen? Hoe gaat het met je-weet-wel? Hallo? Ben je er nog?' Sofia zucht en gaat verder. 'Dit zijn de antwoorden.

Goed. Ik weet het niet. Ik ben nog niet begonnen. Ook hallo. Natuurlijk ben ik er nog, waar zou ik anders zijn?'

Jeanette weet niet hoe ze moet reageren. Is Sofia dronken?

'Sorry als ik stoor... We kunnen ook een andere keer praten.' Ze lacht onzeker. 'Heb je gedronken?'

Nu verdwijnt Sofia weer. Er weerklinkt gerammel, alsof ze de hoorn op tafel heeft gelegd. Daarna is het geluid te horen van lichte voetstappen en een deur die dicht wordt gedaan.

'Hallo?'

'Ja, hallo. Sorry.'

Sofia giechelt en Jeanette ademt uit.

'Nam je me in de maling?'

Nog een zucht van Sofia. 'Weer drie vragen. Heb je gedronken? Hallo? Nam je me in de maling? Antwoord: Nee. Ook hallo. Nee.'

'Je bent dronken,' lacht Jeanette. 'Stoor ik je?'

De stem is overdreven diep en autoritair. 'Vraag negen; het antwoord is ja.'

Ze neemt me in de maling, denkt Jeanette. 'Zullen we wat afspreken?'

'Ja, graag. Ik moet hier alleen even doorheen. Wat dacht je van morgenavond?'

'Prima.'

Als ze hebben opgehangen, gaat Jeanette naar de keuken en pakt nog een biertje uit de koelkast. Ze gaat op de bank zitten en opent de fles met behulp van haar aansteker.

Ze weet al enige tijd dat Sofia een gecompliceerde vrouw is, maar dit slaat werkelijk alles. Jeanette moet opnieuw tegenover zichzelf toegeven dat ze een ongezonde fascinatie voor Sofia Zetterlund heeft.

Het zal tijd kosten om je te leren kennen, Sofia, denkt Jeanette en ze neemt een grote slok bier.

Maar ik zal het verdorie wel proberen.

Het Zeeppaleis

Sofia zit met de telefoon op schoot. Ze staat op en zwalkt naar de keuken om nog een fles wijn te pakken. Ze zet de fles op tafel en pakt de kurkentrekker. Bij de tweede poging gaat de kurk stuk en ze duwt hem met haar duim de fles in, waarna ze weer naar de woonkamer gaat.

Haar keel voelt droog en ze drinkt een paar grote slokken, zo uit de fles. Buiten is het donker en ze ziet haar eigen spiegelbeeld in het raam.

'Je bent een verbitterde, oude hoer,' zegt ze tegen zichzelf. 'Je bent een vieze, oude verslaafde hoer. Het is helemaal niet gek dat niemand je wil hebben. Ik zou mezelf niet willen hebben.'

Ze gaat op de vloer zitten. Ze voelt de zelfverachting en haat vanbinnen kriebelen en weet niet hoe ze ermee om moet gaan.

Als Sofia de volgende dag om acht uur bij de praktijk arriveert, heeft ze spijt van de twee flessen wijn die ze de avond tevoren soldaat heeft gemaakt.

Ze had de controle verloren en toen had Jeanette Kihlberg gebeld. Dat weet ze nog. Maar daarna?

Sofia herinnert zich niet meer wat ze heeft gezegd, maar ze heeft het gevoel dat Jeanette beledigd was. Victoria had het woord gevoerd, maar wat had ze gezegd?

En wat was er daarna gebeurd?

Toen ze van huis vertrok, had ze gezien dat haar schoenen weer vies waren en dat haar jas nat was van de regen.

Sofia houdt haar rechterwijsvinger voor haar gezicht en maakt er een pendelbeweging mee, heen en weer, van rechts naar links, terwijl ze haar vinger met haar ogen volgt.

Ze mompelt wat voor zich uit en laat de beelden van de vorige avond uit haar onderbewuste naar boven sijpelen.

Langzaam, stukje bij beetje, komt de herinnering aan het gesprek terug.

Victoria had met Jeanette gesproken en was onbeleefd geweest.

Sofia beseft dat haar persoonlijkheid uit gelijke delen masochisme en dissociatie bestaat. Ze blijft zichzelf kwellen door de eigenschappen van haar kwelgeest aan te nemen en zo haar eigen hel opnieuw te beleven.

Maar tegelijk dissocieert ze, leidt ze haar eigen hel af.

Er is ook nog een andere dimensie van Victoria. Soms is het alsof ze Sofia beter begrijpt dan Sofia zelf.

Ze wil het allemaal aan Jeanette vertellen. Haar laten zien wie ze is.

Sofia verzinkt in een grijze duisternis waarin tijd niet bestaat en de wereld rondom stilstaat. Geen geluiden, geen bewegingen. Alleen rust.

In deze volkomen stilte is de hartslag een heimachine die met regelmatige tussenpozen in haar hoofd weergalmt. Het kraakt in de synapsen, het tikt in de hersenen en het bloed dat door haar lichaam wordt getransporteerd is een hete stroom woede.

Tegelijk hoort ze het geluid van het genezingsproces.

Achter haar gesloten oogleden ziet ze dat de wonden zich samentrekken. De scherpe randen sluiten zich om het bonkende, pulserende verleden. Sofia wrijft in haar ogen, gaat staan en loopt naar het raam om wat frisse lucht binnen te laten.

Ze voelt het in haar borst jeuken. Iets is aan het genezen.

Sofia besluit aan de slag te gaan met wat Jeanette haar heeft gevraagd. Een daderprofiel opstellen.

Als ze aan het bureau gaat zitten, doet ze haar schoenen uit en ziet ze dat haar kousen gekleurd zijn door bloed.

Gamla Enskede

Jeanette komt Johan in de deuropening tegen. Hij gaat bij een vriendje slapen, gamen en films kijken. Ze zegt vermanend dat hij op tijd naar bed moet gaan.

Hij pakt zijn fiets en loopt over het grindpad weg. Als hij om de hoek is verdwenen, gaat ze naar binnen en ziet hem door het woonkamerraam op zijn fiets springen en de straat uit trappen.

Jeanette zucht van opluchting. Eindelijk alleen.

Ze is gelukkig, en bij de gedachte dat Sofia straks komt, voelt ze zich vol verwachting, bijna zondig.

Ze gaat naar de keuken en schenkt een beetje whisky in. Heft het glas en drinkt langzaam. Laat het gele vocht langs haar tong en keelholte glijden en branden. Ze slikt langzaam, voelt haar gehemelte gloeien en de warmte in haar borst.

Ze neemt het glas mee naar boven als ze gaat douchen.

Na de douche wikkelt ze zich in een groot badlaken en kijkt in de spiegel. Ze opent het badkamerkastje en pakt haar make-uptasje, dat onder het stof zit.

Voorzichtig tekent ze haar wenkbrauwen bij.

Lippenstift is lastiger. Een beetje scharlaken komt te hoog terecht. Ze veegt het af met de handdoek en begint opnieuw. Als ze klaar is, dept ze haar lippen met een stukje wc-papier.

Zorgvuldig strijkt ze even later haar rok glad en wrijft over haar heupen. Dit is haar avond.

Om kwart over zeven belt ze Johan om te horen of alles goed is. Hij antwoordt kortaf en net zo stroef als hij de laatste tijd steeds doet.

Als Jeanette zegt dat ze van hem houdt, antwoordt hij alleen maar: 'Ja, ja', en legt dan de hoorn erop.

Opeens voelt ze zich heel eenzaam.

Alles is stil, alleen het zwakke gerommel van de wasmachine in de kelder is te horen. Ze denkt aan Sofia en hun laatste gesprek. Sofia had anders geklonken, bijna afwijzend, en Jeanette besluit haar te bellen om te vragen of ze nog steeds wil komen.

Tot haar opluchting klinkt Sofia blij als ze zegt dat ze onderweg is.

Sofia kijkt geschokt en schatert het dan uit. 'Meen je dat nou?'

Ze zitten tegenover elkaar aan de keukentafel en Jeanette heeft net een fles wijn opengetrokken. Ze kan de zoete whiskysmaak nog steeds op haar tong proeven.

'Martin? Noemde ik hem Martin?' In eerste instantie kijkt Sofia geamuseerd, maar haar glimlach sterft snel weg. 'Paniekangst,' zegt ze dan. 'Dat geldt ook voor Johan, denk ik. Hij kreeg een paniekaanval toen hij zag dat je die fles tegen je hoofd kreeg.'

'Een trauma, bedoel je? Maar hoe verklaar je dat hij zich er niets van herinnert?'

'Een trauma leidt tot gaten in het geheugen. Meestal omvat zo'n hiaat ook het ogenblik waarop het trauma plaatsvindt. Een motorrijder die van de weg af rijdt, weet vaak niets meer van het moment voor het ongeluk. Soms gaat het zelfs om uren.'

Jeanette begrijpt het. Paniekangst, een tiener met hormonen. Alles heeft kennelijk een chemische verklaring.

'En de nieuwe zaken?' Sofia ziet er nieuwsgierig uit. 'Vertel me hoever jullie zijn. Wat hebben jullie?'

Het kost Jeanette twintig minuten om de laatste twee zaken uit de doeken te doen. Ze vertelt uitvoerig en gedetailleerd, zonder ook maar één keer te worden onderbroken. Jeanette ziet dat Sofia aandachtig luistert en medelevend knikt.

'Het eerste wat me opvalt bij Fredrika Grünewald,' zegt Sofia als Jeanette is uitgesproken, 'is dat er fecaliën voorkomen. Poep dus.'

'En...?'

'Dat lijkt symbolisch. Bijna ritueel. Alsof de dader iets probeert te zeggen.'

Jeanette herinnert zich de bloemen die ze naast de dode vrouw in de tent hebben gevonden.

Ook Karl Lundström had gele bloemen gekregen, maar dat kon natuurlijk toeval zijn.

'Hebben jullie een verdachte?' vraagt Sofia.

'Nee, nog niets concreets,' begint Jeanette, 'maar er is een verband met een advocaat die Viggo Dürer heet, dat we nu nader onderzoeken. Lundström, Silfverberg en Dürer hebben alle drie een connectie met een organisatie die zich Sihtunum i Diasporan noemt.'

Sofia kijkt verbijsterd en Jeanette meent iets in haar ogen te zien.

Een reactie. Nauwelijks merkbaar, maar wel aanwezig.

'Ik heb onlangs een merkwaardig telefoontje gehad,' zegt Sofia en Jeanette ziet dat ze aarzelt of ze alles zal vertellen.

'Hoezo was dat merkwaardig?'

'Officier van justitie Kenneth von Kwist belde me op en gaf te kennen dat Karl Lundström zou hebben gelogen. Dat alles onder invloed van medicijnen zou zijn verzonnen.'

'O, shit. En toen wilde hij jouw mening weten?'

'Ja, maar ik snapte niet waar hij naartoe wilde.'

'Dat is niet zo moeilijk. Hij is bang voor zijn hachje. Hij had zich ervan moeten vergewissen dat Lundström geen medicijnen slikte toen hij werd verhoord. Als hij dat over het hoofd heeft gezien, is hij de klos.'

'Volgens mij heb ik iets stoms gedaan.'

'Hoe bedoel je?'

'Ik heb de naam laten vallen van een man die zich volgens Linnea aan haar heeft vergrepen en ik had het gevoel dat hij die herkende. Hij viel opeens helemaal stil.'

'Mag ik weten over wie het gaat?'

'Je hebt zijn naam zojuist genoemd. Viggo Dürer.'

In minder dan een nanoseconde begrijpt Jeanette waarom officier van justitie Kenneth von Kwist zo merkwaardig had geklonken. Ze weet niet of ze leedvermaak moet voelen, omdat Dürer een vuile klootzak is, of verdriet, omdat hij kennelijk een klein meisje heeft misbruikt.

Ze vermant zich voordat ze verdergaat. 'Ik durf er wat onder te verwedden dat Von Kwist zal proberen dit in de doofpot te stoppen. Het zou zeer schadelijk voor hem zijn als uitkwam dat hij met pedofielen en verkrachters omgaat, en dan druk ik me nog zacht uit.'

Jeanette reikt naar de fles wijn.

'Wie is die Von Kwist eigenlijk?' Sofia houdt haar lege glas op en Jeanette schenkt het weer vol.

'Hij werkt al meer dan twintig jaar bij het Openbaar Ministerie, en niet alleen in de zaak-Ulrika Wendin is het vooronderzoek gestrand. En dat hij voor ons werkt, betekent dat hij niet de slimste leerling van de klas was.'

Jeanette lacht en als ze Sofia's vragende blik ziet, legt ze het uit. 'Het is geen geheim dat de minst begaafde juristen bij de politie, een deurwaarderskantoor of de sociale verzekeringsbank belanden.'

'Hoe komt dat?'

'Simpel. Ze zijn niet begaafd genoeg om bedrijfsjurist voor een grote exportonderneming te worden, of slim genoeg om een eigen advocatenkantoor te hebben met een salaris dat minstens twee keer zo hoog is. Von Kwist droomt er waarschijnlijk van topadvocaat in strafzaken te worden, maar dat zal nooit gebeuren, omdat hij veel te gestoord is.'

Jeanette denkt aan haar hoogste baas, de regionaal hoofdcommissaris van Stockholm, een van de meest bekende politiemensen van het land. Een man die nooit beschikbaar is voor serieuze discussies over criminaliteit, maar zich wel graag in de boulevardbladen laat zien en in dure kleren naar galapremières gaat.

'Als je Viggo Dürer wilt pakken, kan ik helpen met bewijsmateriaal,' zegt Sofia terwijl ze met de nagel van haar wijsvinger tegen haar glas tikt. 'Linnea heeft me een brief laten zien waarin Karl Lundström in bedekte termen te kennen geeft dat Dürer zich aan haar heeft vergrepen. En Annette Lundström heeft me een paar tekeningen laten fotograferen die Linnea heeft gemaakt toen ze klein was. Scènes die misbruik afbeelden. Ik heb het allemaal bij me. Wil je het zien?'

Jeanette knikt zwijgend terwijl Sofia haar handtas pakt en haar de drie foto's van Linnea's tekeningen en de kopie van de brief van Karl Lundström toont.

'Dank je,' zegt ze. 'Dit komt zeker van pas. Maar ik ben bang dat het eerder aanwijzingen zijn dan bewijsmateriaal.'

'Ik begrijp het,' zegt Sofia.

Ze zitten een tijdje in stilte voordat Sofia verdergaat. 'Behalve Von Kwist en Dürer... Zijn er nog meer namen?'

Jeanette denkt na. 'Ja, er is nog een naam die steeds terugkomt.'

'En die is?'

'Bengt Bergman.'

Sofia schrikt. 'Bengt Bergman?'

'Er is aangifte tegen hem gedaan wegens seksueel misbruik van twee kinderen. Een jongen en een meisje uit Eritrea. Kinderen zonder papieren, die niet bestaan. De zaak is geseponeerd. Ondertekend door Kenneth von Kwist. Bergmans advocaat heette Viggo Dürer. Zie je het verband?'

Jeanette leunt achterover op de bank en neemt een grote slok wijn. 'Er is nog een Bergman. Ze heette Victoria Bergman en ze is de dochter van Bengt Bergman.'

'Heette?'

'Ja. Zo'n twintig jaar geleden hield ze op te bestaan. Na november 1988 is er niets. Toch heb ik haar aan de telefoon gehad en ze was niet bepaald discreet over de relatie met haar vader. Volgens mij heeft hij haar misbruikt en is ze daarom verdwenen. Het enige spoor dat we hebben is het nummer van een mobieltje, dat sinds kort is opgeheven. Bengt Bergman en zijn vrouw Birgitta zijn er ook niet meer. Zij zijn onlangs bij een brand om het leven gekomen. Poef, en weg waren ze.'

Sofia glimlacht onzeker. 'Sorry, maar ik snap er niets van.'

'Afwezigheid van bestaan,' zegt Jeanette. 'De gemeenschappelijke noemer voor de families Bergman en Lundström is de afwezigheid van bestaan. Hun geschiedenis is in de doofpot gestopt. En ik denk dat zowel Dürer als Von Kwist daar actief bij betrokken is geweest.'

'En Ulrika Wendin?'

'Ja, haar ken je. Zeven jaar geleden verkracht door een aantal mannen, onder wie Karl Lundström, in een hotelkamer. Ze hebben haar een verdovingsmiddel ingespoten. De zaak is geseponeerd door Kenneth von Kwist. Weer een doofpotverhaal.'

'Een verdovingsmiddel. Zoals bij de dode jongens?'

'We weten niet of het hetzelfde verdovingsmiddel was. Er heeft geen medisch onderzoek plaatsgevonden.'

Sofia kijkt geïrriteerd. 'Waarom niet?'

'Omdat Ulrika twee weken heeft gewacht voordat ze aangifte tegen Lundström deed.'

Sofia kijkt nadenkend en Jeanette begrijpt dat ze iets met zichzelf overlegt, dus ze wacht af.

'Het zou kunnen dat Viggo Dürer haar probeert om te kopen,' zegt Sofia na een tijdje.

'Waarom denk je dat?'

'Toen ze bij me was, had ze een nieuwe palmtop en ook aardig wat geld in haar zak. Ze liet toevallig een paar briefjes van vijfhonderd op de vloer vallen. Bovendien viel haar blik op een foto van Viggo Dürer die ik had uitgeprint en op mijn bureau had gelegd. Toen ze die zag, deinsde ze terug en toen ik haar vroeg of ze wist wie hij was, ontkende ze dat, maar ik ben er vrij zeker van dat ze loog.'

Gamla Enskede

Het villagebied in Gamla Enskede werd in het begin van de vorige eeuw aangelegd om gewone mensen in de gelegenheid te stellen om voor dezelfde prijs als een tweekamerappartement in de binnenstad een huis met twee slaapkamers, een keuken, een kelder en een tuin te kopen.

Het is vroeg in de avond en de wolken pakken zich dreigend samen. Een grijze duisternis daalt over het voorstadje neer en de grote groene esdoorn wordt zwart. De lage mist boven het grasveld is bijna staalgrijs.

Ze weet wie je bent.

Nee. Hou op. Ze kan het niet weten. Dat is onmogelijk.

Sofia wil het tegenover zichzelf niet toegeven, maar ergens vermoedt ze dat Jeanette Kihlberg een verborgen reden heeft om haar bij de zaak te betrekken.

Sofia Zetterlund slikt. Het voelt alsof er een droge onrijpe appel halverwege haar keel zit.

Jeanette Kihlberg laat het laatste beetje van de wijn in haar glas ronddraaien voordat ze het naar haar lippen brengt en opdrinkt. 'Volgens mij is Victoria Bergman de sleutel,' zegt ze. 'Als we haar vinden, lossen we de zaak op.'

Rustig blijven. Doorgaan met ademhalen.

Sofia Zetterlund zucht diep. 'Waarom denk je dat?'

'Het is gewoon een gevoel,' zegt Jeanette en ze krabt op haar hoofd. 'Bengt Bergman heeft voor Sida gewerkt, onder andere in Sierra Leone, heb ik begrepen. De familie Bergman heeft daar in de tweede helft van de jaren tachtig een tijdje gewoond, wat ook weer zo toevallig is.'

'Nu snap ik je niet.'

Jeanette lacht. 'Victoria Bergman is vroeger in Sierra Leone geweest en Samuel Bai kwam uit Sierra Leone. En ik besef opeens dat jij daar ook bent geweest. Wat is de wereld toch klein!'

Wat bedoelt ze? Zinspeelt ze ergens op?

'Misschien,' zegt Sofia nadenkend. Inwendig dreunt de onrust.

'Van de mensen die we nagaan, kennen een of meer de moordenaar. Karl Lundström, Viggo Dürer, Silfverberg. Iemand van de familie Bergman of Lundström. De moordenaar kan iemand buiten die constellatie zijn, maar ook erbinnen. Willekeurig wie. Maar ik denk dat Victoria Bergman weet wie de moordenaar is.'

'Waar baseer je die stelling op?'

Jeanette lacht weer. 'Instinct.'

'Instinct?'

'Ja, het bloed van drie politiegeneraties stroomt door mijn lichaam. Mijn instinct heeft het zelden mis en in deze zaak klopt het stevig zodra ik aan Victoria Bergman denk. Noem het mijn politieader, zo je wilt.'

'Ik heb een eerste poging gedaan om een psychologisch profiel van de dader te maken. Wil je het zien?' Sofia reikt naar haar tas, maar Jeanette onderbreekt haar.

'Graag, maar ik wil eerst horen wat je over Linnea Lundström te vertellen hebt.'

'Ik heb haar onlangs nog gezien. Voor therapie. En ik denk zoals gezegd dat ze door meer mensen dan alleen haar vader is misbruikt.'

Jeanette kijkt haar onderzoekend aan. 'En je gelooft haar?'

'Absoluut.' Sofia denkt na. Voelt dat het moment daar is, dat ze zichzelf kan blootgeven en delen van zichzelf kan onthullen die ze eerder verborgen heeft gehouden. 'Toen ik jong was, ben ik zelf ook in therapie geweest en ik weet hoe bevrijdend het kan zijn om alles te vertellen. Om zonder voorbehoud en zonder onderbroken te worden alles te mogen vertellen wat je hebt meegemaakt, terwijl iemand alleen maar luistert. Iemand die misschien niet hetzelfde heeft meegemaakt, maar die veel tijd en geld heeft geïnvesteerd om de menselijke psyche te leren begrijpen, en die je verhaal serieus neemt, die er voor je is en die analyseert, al is het maar een tekening of een brief, en die conclusies kan trekken en niet alleen kijkt welk medicijn geschikt is, en die niet noodzakelijkerwijs op zoek gaat naar schuldigen en zondebokken, zelfs al...'

'Hallo!' Jeanette onderbreekt haar. 'Wat gebeurt er, Sofia?'

'Hè?' Sofia doet haar ogen open en ziet Jeanette tegenover zich zitten.

'Je was even weg.' Jeanette steekt haar handen over de tafel uit en pakt die van Sofia beet. Streelt ze voorzichtig. 'Vind je het moeilijk om erover te praten?'

Sofia voelt haar ogen heet worden; de tranen dringen zich op en ze wil eraan toegeven. Maar het moment is voorbij en ze schudt haar hoofd.

'Nee. Wat ik probeerde te zeggen, is dat ik denk dat Viggo Dürer erbij betrokken is.'

'Ja, dat zou wel het een en ander verklaren.' Jeanette pauzeert even en lijkt op haar woorden te zuigen.

Wacht af, laat haar verdergaan.

'Ga verder.' Sofia hoort haar eigen stem alsof ze naast zichzelf staat. Ze weet wat Jeanette gaat zeggen.

'Peo Silfverberg heeft in Denemarken gewoond. Viggo Dürer ook. Dürer verdedigt Silfverberg als die ervan wordt verdacht zijn pleegdochter te hebben misbruikt. Hij verdedigt Lundström als die op zijn beurt wordt verdacht van de verkrachting van Ulrika Wendin.'

'Pleegdochter?' Het kost Sofia moeite om te ademen. Ze reikt naar haar wijnglas om niet te laten blijken dat ze opgewonden is en brengt het naar haar mond. Ze ziet dat haar hand beeft.

Ze heet Madeleine, is blond en vindt het lekker als je haar op haar buikje kietelt.

Schreeuwde en huilde toen ze haar met een bloedonderzoek op de wereld verwelkomden.

Het handje dat in een reflex je wijsvinger beetgrijpt.

Verleden

Ze hoefde zich niet in te spannen, omdat de verhalen vanzelf kwamen, en soms was het alsof ze de waarheid voor was. Ze kon over iets liegen, wat vervolgens daadwerkelijk gebeurde. Ze vond dat ze een bijzondere kracht had. Alsof ze haar omgeving kon sturen door te liegen en zo haar zin te krijgen.

Het geld is voldoende voor de hele reis van Kopenhagen naar Stockholm en de speeldoos uit de achttiende eeuw die ze uit de boerderij in Struer heeft gestolen, geeft ze aan een dronkaard voor het centraal station. Het is kwart over acht in de ochtend wanneer Victoria Bergman op het Gullmarsplan in de bus naar Tyresö stapt, helemaal achterin gaat zitten en het dagboek openslaat.

De weg is slecht vanwege alle wegwerkzaamheden en de buschauffeur rijdt veel te hard, waardoor het lastig is om te schrijven. De letters worden verwrongen.

Ze laat zich daarom maar opslokken door haar eerdere aantekeningen over de gesprekken met de oude psycholoog. Ze heeft alles in haar dagboek opgeschreven, elk gesprek dat ze hebben gehad. Ze stopt haar pen in haar tas en begint te lezen.

3 maart.

De Ogen begrijpen me en het voelt veilig. We praten over incubatie. Dat betekent het wachten op iets, en misschien is mijn incubatietijd gauw voorbij?

Wacht ik erop ziek te worden?

De Ogen vragen me naar Solace en ik vertel dat ze uit de kledingkast is vertrokken. We delen tegenwoordig het bed. De stank van de sauna is haar daarheen gevolgd. Ben ik al ziek? Ik vertel dat de incubatietijd in Sierra Leone is begonnen. Ik heb de ziekte daarvandaan meegenomen, maar ik raakte die niet kwijt toen we thuiskwamen.

De infectie leefde in mij voort en maakte me gek.

Zijn infectie.

Victoria geeft er de voorkeur aan de psycholoog niet bij haar naam te noemen. Ze vindt het prettig om aan de ogen van de oude vrouw te denken, die haar een veilig gevoel geven. De therapeut is die ogen, daarom heet ze zo. In die ogen kan Victoria ook zichzelf zijn.

10 maart.

Ik heb de Ogen verteld hoe de winterochtend vonkt. Zwart asfalt en witte bossen, bomen als stekelige skeletten. Zwart en wit en berken gekleed in vorst. Zwarte sparren gebogen onder verse sneeuw en een wit licht achter een bewolkte hemel. Alles is zwart en wit!

De bus stopt bij een halte, de chauffeur stapt uit en doet aan de achterkant een klep open. Kennelijk is er iets mis. Ze maakt van de gelegenheid gebruik, pakt haar pen weer en begint te schrijven.

25 mei.

Duitsland en Denemarken horen bij elkaar. Noord-Friesland, Sleeswijk-Holstein. Verkracht door Duitse jongens tijdens het Roskilde Festival en daarna door een Deens moffenjong. Twee landen in rood, wit en zwart. Arenden vliegen over de platte akkers, poepen op de grijze lappendekens en landen op Helgoland, een Noord-Fries eiland waar de ratten naartoe vluchtten toen Dracula de pest naar Bremen bracht. Het eiland ziet eruit als de Deense vlag, de klippen zijn roestrood, de zee schuimt wit.

De bus start weer. 'Excuses voor de onderbreking. We gaan verder richting Tyresö.'

Tijdens de resterende twintig minuten van de rit kan Victoria het dagboek helemaal uitlezen. Als ze uitstapt, gaat ze op het houten bankje bij de bushalte zitten en schrijft verder.

BB van babybuikje. BB is Bengt Bergman en als je de letter B voor een spiegel houdt wordt het een acht.

Acht is het getal van Hitler omdat de H de achtste letter van het alfabet is. Nu is het 1988. Achtentachtig.

Heil Hitler!

Heil Helgoland!

Heil Bergman!

Ze zoekt haar spullen bij elkaar en loopt over de weg naar het huis van de Ogen.

De woonkamer van de villa op Tyresö is licht en de zon schijnt door de witte tulen gordijnen, die voor de open deur naar het terras langzaam heen en weer deinen in de wind. Buiten is het gekwetter van vogels te horen, meeuwen die krijsen en een buurman die het gazon maait.

Ze ligt op haar rug op een door de zon verwarmde stoffen bank en de oude vrouw zit tegenover haar.

Absolutie. Victoria's incubatietijd is voorbij. Die heeft nooit bestaan. De ziekte daarentegen is niet ingebeeld geweest; die heeft altijd in haar gezeten en eindelijk kan ze erover vertellen.

Ze zal alles vertellen, en het is alsof dat wat moet worden gezegd eindeloos is.

Victoria Bergman zal sterven.

Eerst vertelt ze over de interrailvakantie van een jaar geleden. Over een naamloze man in Parijs in een kamer met vloerbedekking op de muren, kakkerlakken op het plafond en lekkende leidingen. Over een viersterrenhotel aan de strandpromenade in Nice. Over de man die naast haar lag, vastgoedmakelaar was en naar zweet rook. Over Zürich, maar ze herinnert zich niets van de stad, alleen vallende sneeuw en nachtclubs, een man die ze op een bankje in een park heeft afgetrokken.

Ze vertelt de Ogen dat ze ervan overtuigd is dat uiterlijke pijn innerlijke pijn kan wegvagen. De oude vrouw onderbreekt haar niet en laat haar vrijelijk praten. Als ze na moet denken, zitten ze in stilte bij elkaar terwijl de oude vrouw aantekeningen maakt. De gordijnen deinen in de windvlagen en ze geeft Victoria koffie en cake. Het is voor het eerst sinds haar vertrek uit Kopenhagen dat ze iets eet.

Victoria vertelt over een man die Nikos heette en die ze vorig jaar heeft ontmoet toen ze in Griekenland waren. Ze herinnert zich zijn dure Rolex aan de verkeerde pols en de bijna zwarte nagel van zijn linkerwijsvinger. Hij had naar knoflook en aftershave geroken, maar ze weet niet meer hoe hij eruitzag of hoe hij klonk.

Ze probeert eerlijk te zijn als ze praat. Maar als ze vertelt over wat er in Griekenland is gebeurd, wordt het moeilijk om zakelijk te blijven. Ze hoort zelf hoe gestoord het allemaal klinkt.

Ze was in Nikos' huis wakker geworden en naar de keuken gegaan om een glas water te drinken.

'Hannah en Jessica zitten aan de keukentafel een schreeuwen dat ik mezelf beter in de hand moet houden. Dat ik stink, dat ik afgekloven nagels heb die pijn doen, dat ik vetkwabben en spataders heb. En dat ik gemeen ben geweest tegen Nikos.' Victoria pauzeert en kijkt de therapeut aan. De oude vrouw glimlacht naar haar, net als anders, maar haar ogen doen niet mee; die kijken bezorgd. Ze zet haar bril af en legt die op de salontafel.

'Zeiden ze dat echt?'

Victoria knikt. 'Hannah en Jessica zijn eigenlijk niet twee personen,' zegt ze. Het is alsof ze zichzelf opeens begrijpt. 'Het zijn drie personen.'

De therapeut kijkt haar geïnteresseerd aan.

'Drie personen,' gaat Victoria verder. 'Een die werkt, die plichtsgetrouw is en... ja, gehoorzaam en moreel. En een die analyseert, verstandig is en begrijpt wat ik moet doen om me beter te voelen. Dan is er nog een die tegen me zanikt, een zeurkous. Zij geeft me een slecht geweten door me eraan te herinneren wat ik heb gedaan.'

'Een werker, een analyticus en een zeurkous. Bedoel je dat Hannah en Jessica twee personen zijn die verschillende eigenschappen hebben?'

'Mm-mm,' antwoordt Victoria. 'Het zijn twee personen die drie personen zijn.' Ze lacht onzeker. 'Klinkt dat warrig?'

'Nee, hoor. Ik geloof dat ik je wel begrijp.'

De vrouw is even stil; daarna vraagt ze Victoria of ze Solace wil beschrijven.

Victoria denkt na, maar vermoedt dat ze geen goed antwoord heeft. 'Ik had haar nodig,' zegt ze ten slotte.

'En Nikos? Wil je over hem vertellen?'

Victoria lacht even. 'Hij wilde met me trouwen. Belachelijk, hè?'

De vrouw zit zwijgend in de stoel, verandert van houding en leunt achterover. Ze lijkt na te denken over wat ze zal zeggen.

Victoria voelt zich opeens slaperig en verveeld. Ze ziet de kinderen van de buren in de tuin met een vlieger spelen; een rode driehoek zweeft heen en weer in de lucht.

Het is niet meer zo makkelijk om te vertellen, maar ze wil het wel. De woorden voelen traag en gekunsteld, ze moet haar best doen om niet te liegen. Ze schaamt zich tegenover de Ogen.

'Ik wilde hem kwellen,' zegt ze na een poos, en precies op dat moment komt er een grote rust over haar.

Victoria moet grijnzen, maar als ze ziet dat oude vrouw helemaal niet geamuseerd lijkt, slaat ze haar hand voor haar mond om de glimlach te verbergen. Ze schaamt zich weer en moet haar best doen om de stem terug te vinden die haar helpt haar verhaal te vertellen.

Als de psycholoog even later de kamer uit gaat omdat ze naar de wc moet, kan Victoria de neiging om te kijken wat ze heeft opgeschreven niet onderdrukken en zodra ze alleen is, slaat ze het notitieboek open.

Overgangsobject.

Afrikaans fetisjmasker, symbool voor Solace.

De stoffen hond, Zwervertje, symbool voor een veilige hechting in de kindertijd.

Wie? Niet haar vader of moeder. Mogelijk een familielid of een vriendje of vriendinnetje. Waarschijnlijk een volwassene. Tante Elsa?

Gaten in haar geheugen. Doet denken aan DIS/MPS.

Ze begrijpt het niet en wordt al snel onderbroken door voetstappen in de hal.

'Wat is een overgangsobject?' Victoria is teleurgesteld omdat de therapeut dingen opschrijft waar ze het niet over hebben gehad.

De oude vrouw gaat weer zitten. 'Een overgangsobject,' zegt ze, 'is een voorwerp dat iets of iemand vertegenwoordigt waarvan je moeilijk afscheid kunt nemen.'

'Zoals?' antwoordt Veronica snel.

'Bij afwezigheid van de moeder kan een troostlap of een knuffeldier het kind troosten omdat het voorwerp de aanwezigheid van de moeder symboliseert. Als ze afwezig is, neemt het voorwerp haar plaats in en helpt het kind om zelfstandiger en minder afhankelijk van de moeder te worden.'

Victoria begrijpt het nog steeds niet. Ze is geen kind, ze is een volwassene.

Mist ze Solace? Was het houten masker een overgangsobject?

Waar Zwervertje, de kleine hond van echt konijnenbont, vandaan komt, weet ze niet.

'Wat zijn DIS en MPS?'

De oude vrouw glimlacht. Victoria vindt haar verdrietig kijken. 'Ik begrijp dat je in mijn notitieboek hebt gekeken. Wat daar in staat zijn geen absolute waarheden.' Ze knikt naar het notitieboek, dat op tafel ligt. 'Dat zijn slechts mijn overpeinzingen bij onze gesprekken.'

'Maar wat betekenen DIS en MPS?'

'Dat betekent dat iemand verscheidene autonome persoonlijkheden in zich heeft. Het is...' Ze stopt en kijkt ernstig. 'Het is geen diagnose van jou,' gaat ze dan verder. 'Ik wil dat je dat begrijpt. Zie het eerder als een persoonlijkheidstrek.'

'Wat bedoelt u?'

'DIS staat voor dissociatieve identiteitsstoornis. Een logische zelfverdediging, een manier van de hersenen om met moeilijke dingen om te gaan. Je ontwikkelt verschillende persoonlijkheden, die zelfstandig handelen, gescheiden van elkaar, om optimaal met verschillende situaties om te gaan.'

Wat betekent dat, denkt Victoria. Autonoom, dissociatief, gescheiden en zelfstandig?

Is ze van zichzelf gescheiden en zelfstandig door anderen die zich in haar bevinden?

Dat klinkt gewoon te absurd.

'Sorry,' zegt Victoria. 'Kunnen we later verdergaan? Ik moet even rusten.'

Ze valt op de bank in slaap en wordt pas uren later wakker. Dan is het buiten nog licht, de gordijnen bewegen niet meer, het licht is bleker en het is stil. De oude vrouw zit in de fauteuil te breien.

Victoria vraagt de therapeut naar Solace. Is zij echt? De oude vrouw zegt dat ze een adoptie kan zijn, maar wat bedoelt ze daarmee?

Hannah en Jessica bestaan echt, dat zijn haar oude klasgenoten uit Sigtuna, maar ze bestaan ook in haar en het zijn de Werker, de Analyticus en de Zeurkous.

Solace bestaat ook in het echt, maar zij is een meisje dat in Freetown in Sierra Leone woont en eigenlijk heel anders heet. En Solace Aim Nut bestaat tegelijkertijd in Victoria en zij is de Helper.

Zelf is ze het Reptiel, dat alleen doet wat het wil, en de Slaapwandelaar, die het leven voorbij ziet gaan zonder daar iets aan te doen. Het Reptiel eet en slaapt en de Slaapwandelaar staat overal buiten en kijkt naar wat de andere delen van Victoria doen, zonder in te grijpen. Ze vindt de Slaapwandelaar het minst leuk, maar ze weet ook dat het degene is die de grootste kans heeft om te overleven, en dat deel moet ze cultiveren. De andere moeten worden afgepeld.

Dan is er nog het Kraaienmeisje, en Victoria weet dat dat deel van haar niet weg te krijgen is.

Het Kraaienmeisje valt niet te controleren.

Op maandag gaan ze naar Nacka. De therapeut heeft een medisch onderzoek geregeld, waarbij vastgesteld moet worden dat Victoria als kind seksueel is misbruikt. Ze heeft niet de wens aangifte tegen haar vader te doen, maar de therapeut zegt dat de arts dat waarschijnlijk wel zal doen.

Vermoedelijk zullen ze haar ook voor een grondiger onderzoek doorsturen naar de Rijksdienst voor Gerechtelijke Geneeskunde in Solna.

Victoria heeft aan de vrouw uitgelegd waarom ze geen aangifte wil doen. Voor haar is Bengt Bergman dood en ze zou het ook niet aankunnen om hem in de rechtszaal tegen te komen. Ze wil om andere redenen haar letsels laten documenteren.

Ze wil opnieuw beginnen, een nieuwe identiteit, een nieuwe naam en een nieuw leven krijgen.

De therapeut zegt dat ze een nieuwe identiteit kan krijgen als daar voldoende redenen voor zijn. Daarom moeten ze naar het ziekenhuis.

Wanneer ze de parkeerplaats bij het ziekenhuis in Nacka op draaien, is Victoria haar nieuwe toekomst al aan het plannen.

De vorige toekomst heeft nooit bestaan, omdat Bengt Bergman haar die heeft ontnomen.

Maar nu krijgt ze een kans om opnieuw te beginnen. Ze zal een nieuwe naam en een beschermd persoonsnummer krijgen, ze zal zich keurig gedragen, een opleiding volgen en in een andere stad werk gaan zoeken.

Ze zal geld verdienen, zich weten te redden, misschien trouwen en kinderen krijgen.

Normaal zijn, als ieder ander.

Gamla Enskede

Jeanette en Sofia zitten in de woonkamer.

Gamla Enskede is donker en vrijwel stil, alleen de stemmen van wat jongelui op straat zijn te horen. Vanaf het woonkamerraam van de buren dringt een blauwgrijs schijnsel door de magere, bladloze, bijna tragische kamperfoeliehaag heen dat onthult dat ze televisie aan het kijken zijn, net als de meeste mensen op dit tijdstip.

Jeanette staat op, gaat naar het raam en trekt de jaloezieën omlaag, draait zich om, loopt een rondje om de bank en neemt naast Sofia plaats.

Ze wacht in stilte af. Sofia mag bepalen of ze verder praten over hun werk, wat immers het voorwendsel voor haar bezoek was, of dat ze het over privédingen gaan hebben.

Over wat er tussen hen staat te gebeuren.

Sofia leek wat afwezig, maar herinnert Jeanette nu aan het daderprofiel. 'Zullen we ernaar kijken?' vraagt ze. Ze buigt zich over de leuning van de bank en pakt een notitieblok uit haar tas. 'Daarom ben ik tenslotte hier.'

'Oké,' antwoordt Jeanette. Ze is teleurgesteld dat Sofia ervoor heeft gekozen om over het werk te praten.

Maar de avond is nog jong, denkt ze. En Johan logeert bij een vriendje. We hebben alle tijd. Ze leunt achterover en luistert.

'Veel duidt erop dat we met een persoon te maken hebben die aan de eisen voor de diagnose borderline voldoet.' Sofia bladert in het blok alsof ze iets zoekt.

'Hoe uit zich dat?'

'Hij ervaart een onduidelijke grens tussen zichzelf en anderen.'

'Ongeveer zoals bij schizofrenie?'

Jeanette weet heel goed wat borderline inhoudt, maar ze wil graag Sofia's uitleg horen.

'Nee, nee, helemaal niet. Dat is iets heel anders. Dit is iemand die in termen van of-of denkt, hij heeft de hele wereld opgedeeld in zwart en wit. Goed en kwaad. Vrienden en vijanden.'

'Je bedoelt dat de mensen die geen vrienden van hem zijn automatisch zijn vijanden worden. Ongeveer wat George W. Bush zei voordat hij Irak binnenviel?' zegt Jeanette met een glimlach.

'Ja, zo ongeveer,' antwoordt Sofia en ze glimlacht terug.

'Wat kun je zeggen over de wreedheid van de moorden?'

'Je moet de daad, of het delict, als een eigen taal zien. Als een uitdrukking ergens van.'

'En?' Jeanette denkt aan wat ze heeft gezien.

'Nou, de dader ensceneert zijn eigen innerlijke drama buiten zichzelf en we moeten erachter zien te komen wat deze persoon met zijn ogenschijnlijk irrationele daden probeert te zeggen.'

'Dan is het makkelijker om een gewone dief te begrijpen. Iemand die steelt omdat hij geld voor drugs nodig heeft.'

'Zeker weten. Ook in deze zaak valt veel te interpreteren, maar sommige dingen verbijsteren me wel.'

'Zoals?'

'Om te beginnen denk ik dat de moorden gepland zijn.'

'Daar ben ik ook van overtuigd.'

'Anderzijds wijst het overmatige geweld erop dat de moorden tijdens een vlaag van woede hebben plaatsgevonden.'

'Waar kan het dan om gaan? Macht?'

'Absoluut. Een sterke behoefte om te domineren en de volledige controle over iemand anders te hebben. De slachtoffers zijn zorgvuldig geselecteerd, maar tegelijk willekeurig gekozen. Jonge jongens zonder identiteit.'

'Dat lijkt heel sadistisch. Wat kun je daarover zeggen?'

'Dat de moordenaar een intense bevrediging ervaart als hij zijn slachtoffer verwondt. Hij geniet ervan de machteloosheid en de hulpeloosheid van het slachtoffer te zien. Misschien raakt hij zelfs seksueel opgewonden. Een echte sadist kan alleen zo seksueel genot ervaren. Soms wordt het slachtoffer gevangengenomen en vindt het misbruik over een lange periode plaats. Het is niet ongebruikelijk dat het slachtoffer vervolgens wordt vermoord. Dergelijke daden zijn meestal zorgvuldig gepland en niet het resultaat van een plotselinge vlaag van woede.'

'Maar waarom zoveel geweld?'

'Zoals ik al zei, ervaren sommige daders het als bevredigend om mensen pijn te doen. Het kan een noodzakelijk voorspel voor andere vormen van seksualiteit zijn.'

'En het balsemen van de jongen die we bij Danvikstull hebben gevonden?'

'Volgens mij is dat een experiment. Een ingeving van het moment.'

'Maar hoe is iemand zo geworden?'

'Op die vraag zijn er net zoveel antwoorden als er daders zijn, en trouwens ook psychologen. En dat bedoel ik in het algemeen, niet specifiek met betrekking tot de moorden op deze immigrantenjongens.'

'Wat denk jij?'

'Ik denk dat dit gedrag ontstaat door vroege storingen tijdens de persoonlijkheidsontwikkeling die zijn veroorzaakt door regelmatige fysieke en psychische mishandeling.'

'Dus het slachtoffer wordt zelf dader?'

'Ja. Gewoonlijk is de dader opgegroeid onder zeer autoritaire omstandigheden met gewelddadige tendensen en een passieve, inschikkelijke moeder. Als kind heeft hij mogelijk voortdurend de dreiging van een echtscheiding gevoeld en daar de schuld van op zich genomen. Hij heeft al vroeg geleerd om te liegen om slaag te vermijden, hij heeft tussenbeide moeten komen om een van beide ouders te beschermen of hij heeft in zeer vernederende situaties voor een van zijn ouders moeten zorgen. In plaats van zelf getroost te worden, moest hij een van zijn ouders troosten. Hij is misschien getuige geweest van dramatische zelfmoordpogingen. Hij is al vroeg gaan ruziën, drinken en stelen, zonder dat volwassenen daarop reageerden. Hij heeft zich, kortom, altijd ongewenst en tot last gevoeld.'

'Jij denkt dus dat alle daders een afschuwelijke jeugd hebben gehad?'

'Ik denk hetzelfde als Alice Miller.'

'Als wie?'

'Dat was een psycholoog die van mening was dat het absoluut onmogelijk is dat iemand die in een omgeving van oprechtheid, respect en warmte is opgegroeid de wil zou kunnen voelen om zwakkeren te kwellen en voor de rest van hun leven te beschadigen.'

'Daar zit iets in. Maar ik ben niet overtuigd.'

'Nee, ik twijfel ook wel eens. Er is een aantoonbaar verband tussen de overproductie van mannelijke geslachtshormonen en de neiging om seksuele vergrijpen te begaan. Ik heb net een onderzoek gelezen dat is gebaseerd op studies van chemische castratie waarbij de gecastreerden niet in hun vroegere gedrag terugvielen. Fysiek en seksueel geweld tegen vrouwen en kinderen kun je ook zien als een manier waarop de man zijn mannelijkheid uit. Via het geweld krijgt hij de macht en controle waar de traditionele sekse- en machtsstructuren van de samenleving hem recht op geven.'

'Moeilijk.'

'Bovendien is er een verband tussen maatschappelijke normen en mate van perversie. Simpel gezegd komt het erop neer dat hoe groter de dubbele moraal in een samenleving is, des te beter de voedingsbodem is voor grensoverschrijdingen.'

Jeanette heeft het gevoel dat ze met een encyclopedie praat.

Koude feiten en glasheldere verklaringen volgen elkaar op.

'Oké, als we het dan toch in het algemeen over dit soort daders hebben, kunnen we misschien teruggaan naar Karl en Linnea Lundström,' probeert Jeanette. 'Kan iemand die tijdens zijn jeugd seksueel is misbruikt daar totaal geen herinneringen aan hebben?'

Sofia heeft geen bedenktijd nodig. Het antwoord komt meteen.

'Ja. Zowel de klinische praktijk als geheugenonderzoek wijst erop dat sterk traumatische gebeurtenissen in de jeugd opgeslagen kunnen zijn zonder dat je erbij kunt. Vanuit een juridisch perspectief ontstaan er problemen als dergelijke herinneringen tot aangifte bij de politie leiden, omdat dan moet worden onderzocht of het vermeende misbruik ook daadwerkelijk heeft plaatsgevonden. De tragische mogelijkheid dat een onschuldige voor een dergelijke handeling wordt aangeklaagd en veroordeeld mag echter niet worden genegeerd.'

Jeanette neemt Sofia's tempo over en heeft de volgende vraag al geformuleerd. 'En kan een kind er in een verhoorsituatie toe worden verleid om over misbruik te vertellen dat niet heeft plaatsgevonden?'

Sofia kijkt haar ernstig aan. 'Het is voor kinderen soms moeilijk om tijdsaspecten te beoordelen, bijvoorbeeld wanneer iets is gebeurd of hoe vaak iets is gebeurd. Ze hebben het idee dat ze niets te vertellen hebben wat de volwassenen niet al weten en ze zijn eerder geneigd seksuele details weg te laten dan er uitvoerig verslag van te doen. Onze herinneringen houden nauw verband met onze gewaarwordingen of onze percepties. Dus wat we zien, horen en voelen.'

'Kun je me een voorbeeld geven?'

'Een klinisch voorbeeld is een tiener die de geur van haar vriendjes zaadvloeistof ruikt en begrijpt dat dit niet haar eerste contact met die lucht is. De ervaring zet een proces in gang waarin zij zich het misbruik door haar vader zal herinneren.'

'En hoe verklaar je het dat Karl Lundström pedofiel is geworden?'

'Sommige mensen kunnen de woorden wel uitspreken, maar ze hebben geen taal. Er zijn mensen die het woord "empathie" kunnen uitspreken en spellen, maar voor wie het geen kwalitatieve betekenis heeft. Wie de woorden uitsluitend kan uitspreken, is in staat om de meest verschrikkelijke dingen te doen.'

'Maar hoe heeft hij het verborgen kunnen houden?'

'In een incestgezin zijn de grenzen tussen volwassenen en kinderen onduidelijk en vaag. Alle behoeften worden binnen het gezin bevredigd. De dochter wisselt vaak van rol met de moeder en vervangt haar bijvoorbeeld in de keuken, maar ook in bed. Het gezin doet alles samen en aan de buitenkant lijkt het ideaal te functioneren. De relaties zijn echter ernstig verstoord en het kind moet in de behoeften van de ouders voorzien. Vaak neemt het kind meer verantwoordelijkheid voor de ouders dan omgekeerd. Het gezin leeft geïsoleerd, hoewel het een oppervlakkig sociaal leven kan hebben. Om bemoeienis te voorkomen verhuist het gezin af en toe naar een andere plaats. Karl Lundström was ongetwijfeld zelf een slachtoffer. En om Miller te citeren: het is tragisch wanneer je je eigen kind slaat om niet te hoeven denken aan wat je eigen ouders hebben gedaan.'

'Wat denk je dat er met Linnea gaat gebeuren?'

'Minstens vijftig procent van de vrouwen die het slachtoffer zijn van incest heeft geprobeerd zelfmoord te plegen, vaak al in de tienertijd.'

'Dan heb ik ook een citaat. "Er zijn vele manieren om te huilen: luid, stilletjes of helemaal niet."'

'Wie heeft dat gezegd?'

'Dat weet ik niet meer.'

'En wat doen we nu?'

Zonder dat Jeanette heeft gemerkt hoe het in zijn werk is gegaan, heeft Sofia haar arm om haar heen geslagen en nu Sofia zich naar voren buigt en haar kust, is dat slechts een verlenging van de omhelzing.

Jeanette voelt dezelfde kriebels in haar buik als de vorige keren dat ze fysiek dicht bij elkaar waren.

Ze wil meer. Ze wil Sofia helemaal ervaren.

'Johan logeert bij een vriendje en jij hebt gedronken. Wil je blijven slapen?'

'Ja,' antwoordt Sofia. Ze pakt Jeanette bij de hand en trekt haar omhoog van de bank.

Kronoberg

Stockholm kan een weerzinwekkende ervaring zijn. De onverzoenlijke wind is vijandig guur, de kilte dringt overal binnen en het is vrijwel onmogelijk je ertegen te verweren.

Tijdens het winterhalfjaar is het donker als de inwoners van de stad wakker worden en naar hun werk gaan, en het is donker als ze 's avonds weer huiswaarts keren. Maandenlang leiden mensen hun leven in een compact, verstikkend gebrek aan licht, in afwachting van het verlossende voorjaar. Ze sluiten zich af, kruipen weg in hun eigen privésfeer, vermijden onnodig oogcontact met hun medemensen en met behulp van iPods, mp3-spelers of mobieltjes schermen ze zich af tegen alles wat storend kan zijn.

In de metro is het angstaanjagend stil en elk hinderend geluid of hard gesprek wordt gevolgd door vijandige blikken of botte opmerkingen. Voor een buitenstaander moet de koninklijke hoofdstad op een spookstad lijken, waar zelfs de zon niet voldoende energie heeft om zijn stralen door de staalgrijze lucht heen te laten dringen en, al is het maar voor een uur, op de godvergeten mensen te schijnen.

Aan de andere kant kan Stockholm in herfsttooi ongelooflijk mooi zijn. Langs de kade bij het Söder Mälarstrand liggen de woonboten rustig; ze wiebelen even op de boeggolven en schommelen stoïcijns op de deining die wordt veroorzaakt door ordinaire motorboten, waterscooters, chique motorzeiljachten die op Skeppsholmen thuishoren of witte veerboten die op weg zijn naar Drottningholm en de Vikingstad op Björkö. Het heldere, schone water omarmt de grijze en roestrode steile klippen op de eilanden in het centrum van de stad en de bomen buigen door in gevlekte patronen van geel, rood en groen.

Als Jeanette Kihlberg naar haar werk gaat, is de lucht voor het eerst in weken hoog en helderblauw, en ze maakt een lange omweg over de kades langs de oever van het Mälaren.

Ze verkeert in een roes.

De nacht is fantastisch geweest en ze heeft het gevoel dat ze Sofia's geur ruikt, alsof Sofia nog altijd vlak bij haar is.

Bijna elektriserend, denkt Jeanette.

Alsof Sofia's aanraking haar met energie oplaadt. Een fel fonkelende rode polsslag.

Ze hadden tot een uur of vier afwisselend gepraat en gevreeën. Toen had Jeanette, bezweet en hijgend, met een lach gezegd dat ze zich net een pas verliefde tiener voelde, maar dat ze ook aan de volgende dag moesten denken.

Ze was als een kind zo veilig op Sofia's arm in slaap gevallen.

Als Jeanette Jens Hurtigs kamer binnenloopt, zit hij zijn dienstwapen schoon te maken. Een Sigsauer, negen millimeter. Hij kijkt niet vrolijk.

'Wapenonderhoud?' grijnst Jeanette.

'Lach jij maar,' moppert hij. 'Jij moet vanmiddag ook schieten. Heb je de memo niet gelezen?' Hij duwt het magazijn in het wapen, vergrendelt het en stopt het terug in de holster.

'Nee, niet gezien. Vanmiddag?'

'Yep, jij en ik op de schietbaan om drie uur.'

'Dan mag je het mijne ook doen. Jij kunt dat stukken beter dan ik.' Ze staat op, loopt snel naar haar eigen kamer en pakt het pistool, dat ze in de la van haar bureau bewaart.

'Wat weten we over Fredrika Grünewald?' vraagt Jeanette als ze Hurtig het wapen aangeeft.

'Ze is hier in Stockholm geboren,' zegt hij terloops, terwijl hij het foedraal opent en het pistool eruit haalt. 'Haar ouders wonen in Stocksund en hebben de afgelopen negen jaar geen contact met haar gehad.'

Vaardig haalt hij haar dienstwapen uit elkaar voordat hij verdergaat. 'Zij was er klaarblijkelijk verantwoordelijk voor dat ze het grootste deel van het familievermogen door speculaties zijn kwijtgeraakt.'

'Hoe heeft ze dat gedaan?'

'Zonder medeweten van haar ouders heeft ze alles wat ze hadden, zo'n veertig miljoen kronen, in een paar nieuwe bedrijven gepompt. Herinner je je wardrobe.com nog?'

Jeanette denkt na. 'Vagelijk. Was dat niet zo'n IT-bedrijfje dat eerst de hemel in werd geprezen en vervolgens op de beurs kelderde?'

Hurtig knikt, doet wat wapenvet op een doek en begint het pistool te poetsen. 'Inderdaad. Volgens het bedrijfsplan zouden ze via internet kleren verkopen, maar ze eindigden met een miljoenenschuld. De familie Grünewald was een van de zwaarst getroffen investeerders.'

'En dat was allemaal Fredrika's schuld?'

'Volgens haar ouders wel, en ik weet het niet. Hoe dan ook lijken ze op dit moment niets tekort te komen. Ze wonen nog altijd in hun villa en de auto's op de oprit zijn per stuk ook wel een miljoen kronen waard.'

'Hadden ze een reden om Fredrika kwijt te willen?'

'Ik denk het niet. Na de beursval heeft zij het contact met haar ouders verbroken. Zij denken dat ze dat deed omdat ze zich schaamde.'

'Waar leefde ze van? Ik bedoel, ze leek over geld te beschikken, hoewel ze dakloos was.'

'Haar vader zei dat hij ondanks alles medelijden met haar had en elke maand vijftienduizend kronen naar haar overmaakte. Dus dat zal de verklaring zijn.'

'Niets vreemds dus.'

'Nee, niet voor zover ik kan zien. Een geborgen jeugd. Goede cijfers en toen middelbaar onderwijs op een internaat.'

'Geen man of kinderen?'

Met een afwezige uitdrukking op zijn gezicht poetst hij verder en Jeanette vermoedt dat hij het wapenonderhoud als meditatief ervaart. 'Geen kinderen,' gaat hij verder, 'en volgens haar ouders had ze geen relatie. Niet voor zover zij wisten in elk geval.'

'Ik ben misschien conservatief, maar ik vind het toch een beetje merkwaardig. In alle jaren moet er toch wel een man zijn geweest.'

'Misschien was ze lesbisch en wilde ze dat niet tegen haar ouders zeggen. In die kringen zijn ze nogal bekrompen.' Hij zet het pistool weer in elkaar en legt het wapen dan op het bureau.

'Dat is inderdaad een mogelijkheid, maar geen motief om haar te vermoorden, wel?' Jeanette kijkt Hurtig aan en ziet even die schelmse blik in zijn ogen die hij altijd krijgt als hij nog een troef achter de hand heeft. Er is altijd iets wat hij tot het laatst bewaart en dan terloops zegt.

'Oké. Wat hou je voor me achter? Ik ken je.' Ze glimlacht naar hem.

'Drie keer raden wie bij Fredrika Grünewald in de klas zat.' Hij trekt de la van zijn bureau open en pakt er een stapel papieren uit, legt die op zijn schoot en kijkt nonchalant uit het raam.

'Daar heb ik wel zo'n vermoeden van. Zeg op!'

Hij geeft haar wat pagina's uit de stapel aan. 'Dit zijn de lijsten met leerlingen die tegelijk met Fredrika op het Sigtuna Lyceum zaten.'

'Ja, maar wie is het dan? Iemand die ook in onze papieren voorkomt?' Ze pakt de lijsten aan en begint te bladeren.

'Annette Lundström.'

'Annette Lundström?' Jeanette Kihlberg kijkt vragend naar Hurtig, die om haar verbaasde blik moet glimlachen.

Het is alsof iemand een raam opent en nieuwe, frisse lucht binnenlaat.

Buiten schijnt de zon als Jeanette in de stapel papieren begint te lezen die ze van Hurtig heeft gekregen.

Het zijn de klassenlijsten van de jaren dat Charlotte Silfverberg, Annette Lundström, Henrietta Nordlund, Fredrika Grünewald en Victoria Bergman op het Sigtuna Lyceum zaten.

Haar ogen glijden over de namen van de leerlingen en ze ziet dat Annette Lundström in die tijd dezelfde achternaam had. Dat betekent dat Karl en zij haar achternaam hebben gekozen toen ze trouwden, denkt ze.

Annette en Fredrika hebben dus bij elkaar in de klas gezeten.

Annette is blond en diverse mensen uit de bergholte onder de St.-Johanneskerk hebben in hun getuigenverklaring aangegeven een mooie blonde vrouw bij Fredrika te hebben gezien.

Börje, de man die de vrouw de weg heeft gewezen en haar hopelijk kan identificeren, is echter nog steeds onvindbaar.

Zal ze Annette Lundström voor een verhoor laten komen? Haar alibi controleren en misschien een getuigenconfrontatie houden? Maar dan weet Annette dat ze wordt verdacht en dat zal het verdere onderzoek bemoeilijken. Iedere willekeurige advocaat zou haar net zo snel vrij krijgen als je het woord 'dakloze' kunt zeggen.

Nee, het is beter om af te wachten en Annette in het ongewisse te laten, in elk geval tot Börje opduikt. Maar ze kan Annette natuurlijk wel laten komen onder het voorwendsel dat ze over het misbruik van Linnea wil praten.

Ze zou kunnen doen alsof Lars Mikkelsen haar dat heeft gevraagd. Omdat hij het te druk heeft met andere zaken en Jeanettes hulp goed kan gebruiken. Dat zou moeten kunnen lukken.

Zo moet het maar, denkt ze, niet wetend dat haar enthousiasme de oplossing van de zaak eerder zal vertragen dan versnellen en een aantal mensen indirect onnodig leed zal berokkenen.

De schietoefening gaat matig. Jeanettes resultaat is bijna onvoldoende, maar Hurtig doet het uitstekend en schiet onberispelijk.

Hij lacht naar haar en zegt dat hij blij is dat ze zelden of nooit hun dienstwapen hoeven te gebruiken. Het zou voor alle betrokkenen levensgevaarlijk zijn als Jeanette er tijdens een schotenwisseling bij was.

Het Klara sjö

Kenneth von Kwist wrijft met zijn handen over zijn gezicht. Een klein probleem is nu een groot probleem geworden. Misschien zelfs onoplosbaar.

Het is eindelijk tot hem doorgedrongen dat hij zich schuldig heeft gemaakt aan een hele reeks vergissingen.

Hij is een idioot geweest, omdat hij altijd heeft klaargestaan voor Peo Silfverberg en Karl Lundström. Hij is ook een idioot geweest omdat hij door de jaren heen altijd zelfzuchtig zijn carrière voor ogen heeft gehouden en loopjongen voor anderen is geweest. En wat heeft hij daarvoor teruggekregen?

Wat als Karl Lundström en Peo Silfverberg wel schuldig waren? Kenneth von Kwist krijgt steeds sterker het vermoeden dat dat het geval is.

Toen de vroegere politiechef Gert Berglind nog de leiding had, was alles heel simpel geweest. Iedereen kende elkaar en je hoefde alleen maar met de juiste mensen om te gaan om de beste zaken toebedeeld te krijgen en een stap hoger op de carrièreladder te komen.

Lundström en Silfverberg waren goed bevriend geweest met zowel Gert Berglind als advocaat Viggo Dürer.

Sinds Dennis Billing de functie van Berglind heeft overgenomen, verloopt de samenwerking met de politie niet zo soepel.

Wat Kihlberg betreft heeft Von Kwist in elk geval een goed doordacht plan om hun relatie te verbeteren en tegelijk haar aandacht af te leiden, in elk geval tijdelijk, zodat hij alle tijd heeft om het probleem met Viggo Dürer en de familie Lundström uit te zoeken.

Twee vliegen in één klap, denkt hij. Het is tijd om zijn vergissingen te herstellen.

Op het politiebureau is het bepaald geen geheim meer dat Jeanette Kihlberg, met haar collega Jens Hurtig in haar kielzog, een privéonderzoek is gestart naar de geseponeerde zaken rond de vermoorde immigrantenjongens, en dat gerucht heeft officier van justitie Kenneth von Kwist ook bereikt.

Hij weet ook dat er een officieus onderzoek plaatsvindt naar de dochter van Bengt Bergman, dat alle documenten over Victoria Bergman geheim zijn en dat Kihlberg ze tevergeefs bij de rechtbank in Nacka heeft opgevraagd.

Maar dat is zijn troef, want hij weet hoe hij aan die informatie kan komen en waar hij die voor zal gebruiken.

Als hij het nummer van zijn collega bij de rechtbank in Nacka intoetst, is zijn stemming beter dan in lange tijd het geval is geweest. Zijn idee is net zo geniaal als simpel. Het is erop gebaseerd dat een juridische uitzondering altijd mogelijk is zolang alle partijen er hun mond over houden. Dat betekent dat de collega in Nacka zal zwijgen als het graf en dat Jeanette Kihlberg uit dankbaarheid zijn voeten zal kussen.

Vijf minuten later leunt Kenneth von Kwist tevreden achterover, vouwt zijn handen achter zijn hoofd en legt zijn voeten op zijn bureau. Zo, denkt hij. Nu Ulrika Wendin en Linnea Lundström nog.

Wat hebben zij aan de politie en de psycholoog verteld?

Hij moet toegeven dat hij geen flauw idee heeft, in elk geval niet wat Ulrika Wendin betreft. Linnea Lundström heeft kennelijk iets compromitterends gezegd over Viggo Dürer. Hij weet niet wat, maar hij vreest het ergste.

'Rotmeid,' moppert de officier van justitie, denkend aan Ulrika Wendin. Hij weet dat de jonge vrouw zowel Jeanette Kihlberg als Sofia Zetterlund heeft ontmoet en daarmee informeel contractbreuk heeft gepleegd. De vijftigduizend kronen die haar de mond hadden moeten snoeren, waren kennelijk niet genoeg geweest.

Ze moeten Ulrika Wendin confronteren en haar laten inzien met welke machten ze te maken heeft. Dat moet Viggo maar regelen, denkt hij en hij haalt zijn voeten van het bureau, trekt zijn pak goed en gaat rechtop zitten.

De officier zoekt iets op in zijn telefoonboek en als hij het heeft gevonden toetst hij het nummer in van zijn oude kennis. Op de een of andere manier moeten ze Ulrika Wendin en Linnea Lundström tot zwijgen zien te brengen.

Koste wat het kost.

Het Greta Garbos torg

De voormalige zelfstandig ondernemer Ralf Börje Persson, grondlegger van een bouwbedrijf dat zijn naam droeg, is al vier jaar dakloos. Zijn levenslot is niet anders dan dat van vele anderen. Het was allemaal begonnen met een florerende onderneming, veel goede contracten, een nieuwe woning, een nieuwe auto en nog meer werk. Hij had een mooie vrouw en een dochter gehad, op wie hij bijzonder trots was. Het leven was een feest geweest. Maar toen de concurrentie harder was geworden, criminele bendes hun entree in de bouwwereld hadden gemaakt en goedkope zwarte arbeidskrachten uit Polen en de Baltische staten zich hadden aangeboden, was het bergafwaarts gegaan. Het geld was niet zo snel binnengestroomd als voor die tijd en de stapel onbetaalde rekeningen was op het laatst zo hoog geworden dat hij de auto en het huis niet langer had kunnen houden.

Uiteindelijk was zijn vrouw met hun dochter bij hem weggegaan, en Börje was in zijn uppie in een kleine eenkamerflat in Hagsätra beland.

De telefoon, die vroeger roodgloeiend had gestaan, was stil gebleven en de mensen die hij ooit zijn vrienden had genoemd, waren verdwenen of wilden simpelweg niets meer met hem te maken hebben.

Op een avond, vier jaar geleden, was Börje boodschappen gaan doen en nooit meer teruggekeerd. Wat aanvankelijk een rondje om het plein in Hagsätra had moeten worden, was een wandeling geworden die nog steeds voortduurde.

Nu staat hij voor de staatsslijterij aan de Folkungagatan. Het is een paar minuten na tienen en in zijn hand heeft hij een donkerpaarse plastic tas met zes biertjes. Norrlands Guld met een alcoholpercentage van zeven. Hij opent het eerste blikje, zegt tegen zichzelf dat dit de laatste keer is dat dit zijn ontbijt is en dat hij zijn leven weer zal oppakken zodra hij niet meer trilt. Eén biertje om zijn evenwicht te hervinden is alles wat hij nodig heeft. En net als iedereen die zichzelf voor de gek houdt, voelt ook hij de behoefte om zichzelf vooraf te belonen. Hij is wel een biertje waard. Nu hij een nieuwe start gaat maken.

De belofte wordt op hetzelfde moment dat die wordt uitgesproken ingelost.

Zodra hij het biertje op heeft en zijn leven iets makkelijker is geworden, zal hij met de metro naar het politiebureau aan de Bergsgatan gaan om te vertellen wat er in de bergholte onder de St.-Johanneskerk is gebeurd.

Vanzelfsprekend heeft hij de aanplakbiljetten van de kranten over de moord op de Gravin gezien en even vanzelfsprekend heeft hij begrepen dat hij de moordenaar de weg heeft gewezen. Maar kan het echt zo zijn dat de blonde vrouw, niet veel ouder dan zijn eigen dochter, de beestachtige executie van zijn ongelukszuster heeft uitgevoerd? Daar lijkt het helaas wel op. Zo jong en al zo vervuld van haat.

Het bier is lauw, maar het vervult zijn functie en hij slaat het blikje in één langgerekte teug achterover.

Langzaam loopt hij in oostelijke richting. Bij het restaurant Bröderna Olssons gaat hij rechts de Södermannagatan in, waarna hij verder loopt naar het plein bij Katarina Södra, de school waar Greta Garbo in haar jeugd op heeft gezeten.

Het cirkelvormige plein dat naar de schuwe actrice is vernoemd, is bestraat en aan de rand van de cirkel staan haagbeuken en witte paardenkastanjes.

Ralf Börje Persson vindt een bankje in de schaduw, gaat zitten en denkt na over wat hij tegen de politie zal zeggen.

Want hoe je het wendt of keert, hij is de enige die de moordenaar van Fredrika Grünewald heeft gezien. Dat besef is ondertussen tot hem doorgedrongen.

Hij kan de jas van de vrouw beschrijven.

Vertellen over haar donkere stem. Over haar ongewone dialect.

Over haar blauwe ogen, die er veel ouder uitzagen.

Nadat hij alle kranten heeft gelezen die over de moord hebben geschreven, weet hij dat het onderzoek wordt geleid door Jeanette Kihlberg en dat hij bij de receptie van het politiebureau naar haar moet vragen. Maar hij beeft. In zijn jaren op straat heeft hij een sterke politieparanoia ontwikkeld.

Misschien is het beter om een brief te schrijven en die naar de politie te sturen?

Hij haalt zijn agenda uit zijn binnenzak, scheurt er een blanco velletje uit en legt dat boven op de leren omslag. Hij pakt een pen uit zijn jaszak en piekert over wat hij zal schrijven. Hoe moet hij zijn bericht formuleren en wat kan belangrijk zijn?

De vrouw had hem geld gegeven als dank dat hij haar de weg had gewezen in de bergholte. Toen ze haar portemonnee had gepakt, had hij iets gezien wat zijn aandacht had getrokken en als hij zelf bij de politie had gezeten en een moord had onderzocht, zou hij dat een uitermate belangrijke waarneming hebben gevonden, om de doodeenvoudige reden dat het aantal verdachten er een stuk kleiner door werd.

Hij schrijft iets op het papiertje, genoeg om verkeerde interpretaties te voorkomen.

Ralf Börje Persson buigt zich voorover om nog een blikje bier te pakken. Hij voelt zijn maag tegen zijn riem spannen, hij rekt zich uit en kan net een hoekje van de plastic tas grijpen. Op hetzelfde moment voelt hij een steek in zijn borst.

Een felle flits voor zijn ogen. Hij valt opzij, van het bankje af, en belandt op zijn rug. Het briefje zit nog altijd in zijn hand geklemd.

De kou van de grond verspreidt zich door zijn hoofd en botst met de warmte van de roes. Hij huivert en daarna explodeert alles.

Het is alsof er een trein zijn hoofd binnendendert.

Kronoberg

Annette Lundström doorziet de leugen niet en komt een dag later al naar het bureau.

Ze had wel verbaasd en afwachtend geklonken toen Jeanette haar belde om te vragen of ze bereid was tot een aanvullend gesprek over de relatie van Karl Lundström met hun dochter, Linnea.

Jeanette begroet de vrouw en trekt een stoel bij.

'Koffie?'

Annette Lundström schudt haar hoofd en gaat zitten.

Het valt Jeanette op dat ze gestrest lijkt.

'Is het onderzoek niet gestaakt nu Karl dood is? En waarom is Mikkelsen niet...?'

'Ik zal het u uitleggen,' onderbreekt Jeanette haar. 'Ik ben gebeld door Sofia Zetterlund. U weet wel, de psycholoog die Linnea behandelt.'

'Uiteraard. Linnea was een paar dagen geleden bij haar en daarvoor is ze bij ons op bezoek geweest.'

'Sofia Zetterlund is bij jullie thuis geweest?'

'Ja. We hebben wat gepraat en een paar tekeningen bekeken die Linnea heeft gemaakt.'

'Ja, ja. Natuurlijk. Als onderdeel van de therapie, neem ik aan.' Jeanette denkt na. Ze had eigenlijk willen wachten met haar vragen over Fredrika Grünewald en Annettes relatie met haar, maar plotseling lijkt dit er toch het juiste moment voor.

'Ik wilde het ook over een andere zaak met u hebben. In hoeverre kent u Fredrika Grünewald?' vraagt ze en ze slaat Annettes reactie aandachtig gade.

Annette Lundström fronst haar voorhoofd en schudt haar hoofd.

'Fredrika?' vraagt ze. Haar verbazing lijkt oprecht.

'Ja, Fredrika. Uw oude klasgenoot van Sigtuna,' verduidelijkt Jeanette.

'Wat is er met haar? Wat heeft zij met Karl en Linnea te maken?' Annette Lundström leunt achterover en slaat opstandig haar armen over elkaar.

Jeanette knikt en wacht tot de vrouw uit zichzelf verdergaat.

'Tja, wat zal ik zeggen? We hebben drie jaar bij elkaar in de klas gezeten en daarna hebben we elkaar niet meer gezien.'

'Nooit meer?'

'Nee, niet dat ik me kan herinneren. Vorig jaar hadden we een reünie, maar daar was ze niet bij en ik heb geen idee...' Ze zwijgt.

'Als ik u goed begrijp, weet u ook niet waar ze zich tegenwoordig bevindt?'

'Nee, geen idee. Zou dat moeten?'

'Het hangt ervan af of u de kranten leest. Wat kunt u over haar vertellen?'

'Hoe bedoelt u? Hoe ze op de middelbare school was? Dat is vijfentwintig jaar geleden.'

'Probeer het maar gewoon,' moedigt Jeanette haar aan. 'Wilt u bij nader inzien misschien toch niet een kopje koffie?'

Annette Lundström knikt en Jeanette vraagt Hurtig via de interne telefoon het te regelen.

'We gingen niet echt veel met elkaar om. We hoorden bij verschillende groepjes en Fredrika was altijd in de buurt van de meiden die populair waren. De stoere meiden, als u begrijpt wat ik bedoel.'

Jeanette knikt om te bevestigen dat ze het begrijpt en gebaart dat Annette verder kan gaan.

'Zoals ik het me herinner, speelde Fredrika de baas over een clubje jaknikkers.' Annette valt stil en kijkt nadenkend als Jeanette een notitieblok pakt om de namen op te schrijven.

'Is dit een verhoor?'

'Nee, nee, helemaal niet, maar ik kan uw hulp goed gebruiken en...'

Hurtig stapt zonder te kloppen de kamer binnen en zet twee kopjes dampende koffie op het bureau.

'Dank je. Zijn de jaarboeken er al?'

'Morgenvroeg op je bureau.'

Jeanette ziet dat hij chagrijnig is en begrijpt dat hij het niet leuk vindt om als loopjongen te moeten fungeren.

'U wilt weten wat ik van Fredrika Grünewald vind!' briest Annette als Hurtig de deur achter zich heeft dichtgedaan. 'Fredrika was een gemeen kreng dat altijd haar zin kreeg en ze had een kleine hofhouding van trouwe lakeien, die allemaal deden wat zij wilde!' Ze ziet er opeens agressief uit.

'Weet u nog hoe ze heetten, die lakeien?' Jeanette giet wat melk in haar kopje en geeft het pak aan Annette.

'Ze kwamen en gingen, maar de trouwste waren Regina, Henrietta en Charlotte.'

Annette Lundström schenkt melk in haar koffie, pakt een lepeltje en begint te roeren.

'Weet u nog wat hun achternamen waren?'

'Even denken. Henrietta Nordlund en Charlotte...' Annette neemt een slok koffie en kijkt naar het plafond. 'Het was een gewone naam. Hansson, Larsson of Karlsson. Nee, ik weet het niet meer.'

'En Regina? Kunt u zich herinneren hoe zij heette?' Jeanette buigt zich over het bureau naar voren. Ze wil niet te veel aandringen, maar ze heeft sterk het gevoel dat het belangrijk is.

'Ceder!' zegt Annette en voor het eerst sinds haar komst glimlacht ze. 'Zo was het. Regina Ceder...'

Terwijl ze naar haar papier kijkt, vraagt Jeanette zogenaamd terloops: 'U zei net dat Fredrika een gemeen kreng was. Wat bedoelde u daarmee?'

Ze kijkt Annette met een schuin oog aan en probeert haar reactie te peilen, maar de vrouw vertrekt geen spier.

'Ik herinner me niets speciaals, maar die meiden waren vals en je was altijd bang het slachtoffer van hun streken te worden.'

'Hun streken? Dat klinkt niet heel ernstig, vind ik.'

'Nee, meestal was het dat ook niet. Ze zijn eigenlijk maar één keer echt over de schreef gegaan.'

'Wat deden ze toen?'

'Er waren wat nieuwe meisjes, ik weet niet meer hoe ze heetten, die ontgroend zouden worden en dat liep uit de hand. Maar ik weet geen details.' Annette Lundström zwijgt, kijkt naar buiten en fatsoeneert haar haar. 'Waarom stelt u al deze vragen over Fredrika eigenlijk?'

'Omdat ze dood is, vermoord, en we haar leven in kaart proberen te brengen.'

Annette Lundström lijkt helemaal perplex. 'Vermoord? Maar dat is afschuwelijk! Wie zou zoiets nou doen?' zegt ze. Op hetzelfde moment krijgt haar blik iets aarzelends.

Jeanette krijgt het besliste gevoel dat Annette meer weet dan ze kwijt wil, maar laat haar na nog een paar vragen gaan.

De vrouw die opneemt, klinkt moe.

'Met het huis van de familie Ceder. U spreekt met Beatrice Ceder.'

Jeanette heeft de indruk dat de vrouw lalt alsof ze dronken is of sterke medicijnen heeft geslikt.

'Hallo, u spreekt met Jeanette Kihlberg. Ik ben op zoek naar Regina Ceder.'

Het is een paar seconden stil voordat de vrouw weer iets zegt.

'Regina is helaas op reis, maar misschien kan ik u helpen? Waar gaat het over?'

Op de achtergrond is het geruis te horen van een tv of een radio in combinatie met het geluid van iets waarvan Jeanette aanneemt dat het een grasmaaier is.

'Zoals gezegd heet ik Jeanette Kihlberg en ik ben hoofdinspecteur bij de politie in Stockholm. Ik wil graag in contact komen met Regina Ceder. Wanneer komt ze terug?'

'Regina is in Frankrijk om bij te komen. Ze heeft het zwaar sinds haar zoon is verongelukt...' De vrouw snottert en Jeanette hoort dat ze haar neus snuit.

'Gecondoleerd. Is het onlangs gebeurd?'

'Ja. Hij... Jonathan... is verdronken...' De vrouw raakt van haar stuk en Jeanette wacht op het vervolg.

'Maar daar belt u toch niet voor? Wat wilt u?'

Jeanette haalt diep adem voordat ze verdergaat. 'Eigenlijk wilde ik met Regina spreken, maar nu zij er niet is... Klopt het dat Regina op het Sigtuna Lyceum heeft gezeten?'

'Jazeker. Dat heeft iedereen in onze familie. Het is een zeer chique en roemrijke school.'

'Dat heb ik begrepen, ja.' Jeanette vraagt zich af of de vrouw haar onnodig sarcastische toon heeft opgemerkt. 'Het is me ook ter ore gekomen dat er tijdens Regina's derde jaar iets is gebeurd wat helemaal niet zo leuk was.'

'O, en wat heeft u dan gehoord?'

Jeanette krijgt de indruk dat de vrouw zich heeft herpakt. 'Daar had ik het met Regina over willen hebben, maar misschien kunt u me helpen?'

'Ik neem aan dat u doelt op dat voorval met die meisjes? Die streek van Fredrika Grünewald?'

'Inderdaad. Wat is er toen eigenlijk gebeurd?'

'Het was weerzinwekkend en had nooit in de doofpot gestopt mogen worden. Maar als ik het goed heb begrepen, was Fredrika's vader goed bevriend met de rector, en bovendien was hij een van de belangrijkste geldschieters van de school. Ik denk dat het daarom zo is gelopen.' Beatrice Ceder zucht. 'Maar dat weet u waarschijnlijk al wel.'

'Uiteraard,' liegt Jeanette, 'maar ik zou toch graag van u horen wat er is gebeurd. Als u dat aankunt, natuurlijk.' Jeanette buigt zich over het bureau naar voren en zet de recorder aan.

Wat Beatrice Ceder te vertellen heeft, is een verhaal van vernedering. Over jonge tienermeisjes die, daartoe aangezet door een despotisch leider, elkaar hebben opgejut om dingen te doen die ze anders nooit zouden hebben gedaan. Tijdens de eerste week van het nieuwe schooljaar hadden Fredrika Grünewald en haar kompanen drie meisjes een bijzonder onsmakelijke ontgroening laten ondergaan. Gehuld in donkere pijen en zelfgemaakte varkensmaskers hadden ze de drie meisjes naar een gereedschapsschuur gevoerd en ijskoud water over hen heen gegoten.

'Mijn Regina deed in eerste instantie mee, maar wat er daarna gebeurde was helemaal Fredrika Grünewalds idee.'

'Wat gebeurde er daarna dan?'

De stem van Beatrice Ceder trilt. 'Ze moesten hondenpoep eten.'

Jeanette voelt zich leeg worden vanbinnen. 'Momentje... Wát zegt u?'

Het is even stil.

'Uitwerpselen,' zegt de vrouw met vastere stem. 'Ik word al misselijk bij de gedachte alleen.'

Jeanette voelt dat haar hersenen gereset, geüpgraded en opnieuw opgestart worden.

Hondenpoep. Daar had Charlotte Silfverberg met geen woord over gerept. Maar dat was misschien ook niet zo vreemd.

'Vertelt u verder. Ik luister.'

'Ja, veel meer valt er eigenlijk niet te zeggen. Twee van de meisjes zijn flauwgevallen en de derde heeft er kennelijk van gegeten en vervolgens overgegeven.'

Beatrice Ceder vertelt verder en Jeanette luistert walgend.

Victoria Bergman, denkt ze. En twee andere meisjes, nu nog naamloos.

'Fredrika Grünewald, Henrietta Nordlund en Charlotte Hansson kregen er samen met mijn Regina de schuld van.' Beatrice zucht diep. 'Maar er waren meer meisjes bij betrokken en Regina was niet de aanvoerster.'

'Zei u dat Charlottes achternaam Hansson was?'

'Jazeker. Maar tegenwoordig heet ze anders. Ze is zo'n vijftien, twintig jaar geleden getrouwd...' De vrouw valt stil.

'Ja?'

'Mijn god, dat ik daar niet aan heb gedacht!'

'Wat?'

'Ze is getrouwd met Silfverberg, de man die onlangs is vermoord. Dat is toch bizar...'

'En Henrietta?' onderbreekt Jeanette haar om niet op die zaak in te hoeven gaan.

Het antwoord komt snel, als in het voorbijgaan.

'Die is getrouwd met een man die Viggo Dürer heet,' zegt Beatrice Ceder. 'Maar zij is vorig jaar bij een auto-ongeluk in Skåne omgekomen. De andere bestuurder is gewoon doorgereden.'

Twee nieuwtjes tegelijk, denkt Jeanette.

Opnieuw Dürer.

Die Henrietta was dus zijn overleden vrouw.

De puzzelstukjes beginnen op hun plek te vallen en het beeld wordt langzaam maar zeker duidelijk.

Jeanette is ervan overtuigd dat de moordenaar van Per-Ola Silfverberg en Fredrika Grünewald zich in de constellatie van mensen bevindt die nu met twee nieuwe namen is aangevuld. Ze kijkt op haar notitieblok.

Charlotte Hansson, tegenwoordig Charlotte Silfverberg.

Gehuwd met/weduwe van Per-Ola Silfverberg.

Henrietta Nordlund, later Dürer.

Gehuwd met Viggo Dürer. Dood.

Fredrika, Regina, Henrietta en Charlotte. Een fraai clubje rotmeiden, denkt ze.

Dan het belangrijkste.

'Weet u nog hoe de meisjes heetten die die ontgroening moesten ondergaan?'

'Nee, helaas... Het is zo lang geleden.'

Voordat ze het gesprek beëindigen belooft Beatrice Ceder haar te bellen als haar nog iets te binnen schiet. Ook zal ze haar dochter Regina vragen of ze zodra ze terug is van vakantie contact opneemt met Jeanette.

Jeanette legt de telefoon neer en zet de recorder uit. Dan gaat de deur open en steekt Hurtig zijn hoofd naar binnen. 'Stoor ik?' Hij kijkt ernstig.

'Helemaal niet.' Jeanette draait haar stoel naar hem om.

'Hoe belangrijk is de laatste getuige in een moordonderzoek?' vraagt hij.

'Hoe bedoel je?'

'Börje Persson, de man die in de bergholte is gesignaleerd voordat Fredrika Grünewald vermoord werd aangetroffen, is overleden.'

'Hè?'

'Een hartinfarct. Vanochtend. Het Söder-ziekenhuis belde toen ze erachter kwamen dat hij werd gezocht. Kennelijk had hij een papiertje in zijn hand geklemd, dus ik heb Åhlund en Schwarz gestuurd om dat op te halen. Ze zijn net terug.'

'Wat voor papiertje?'

Hurtig komt de kamer binnen en loopt naar het bureau. 'Dit papiertje.' Hij legt een velletje voor haar neer dat uit een agenda is gescheurd.

Een keurig handschrift.

Aan Jeanette Kihlberg, politie Stockholm.

Ik denk te weten wie Fredrika Grünewald, ook wel de Gravin genoemd, onder de St.-Johanneskerk heeft vermoord.

Ik beroep me echter op het recht anoniem te blijven, omdat ik niet graag met de politie van doen heb.

Degene die u zoekt, is een vrouw met lang, blond haar, die op het tijdstip van de moord een blauwe jas droeg. Ze is van gemiddelde lengte, heeft blauwe ogen en een slank postuur.

Verder vind ik het zinloos om meer woorden aan haar uiterlijk te besteden, omdat een dergelijke beschrijving op persoonlijke oordelen in plaats van feiten zou zijn gebaseerd.

Ze had echter een speciaal kenmerk, dat voor u van belang kan zijn.

Ze mist haar rechterringvinger.

Vita bergen

Vergeven is groots, denkt ze. Maar begrijpen zonder te vergeven is nog veel groter.

Wanneer je niet alleen het waarom kunt zien, maar ook de reeks gebeurtenissen kunt begrijpen die tot het uiteindelijke zieke leiden, is dat duizelingwekkend. Sommigen noemen het erfzonde, anderen predestinatie, maar eigenlijk is het slechts een ijskoude, onsentimentele consequentie.

Een lawine, of de kringen in het water van een gegooide steen. Een gespannen staaldraad over het donkerste deel van het fietspad, of een overhaast woord en een oorvijg in het vuur van het moment.

Soms gaat het om een weloverwogen, bewuste daad waarbij de consequentie slechts één parameter is en de eigen bevrediging een andere. In de gevoelloze toestand, waarin empathie niet meer is dan een woord, acht letters zonder inhoud, nader je het kwaad.

Je wijst alle menselijkheid af en wordt een wild dier. Je stem wordt donkerder, je bewegingspatroon verandert en je blik wordt doods.

Ze loopt onrustig door de woonkamer heen en weer, gaat vervolgens naar de badkamer en pakt het doosje met kalmeringstabletten uit het kastje. Ze vult het tandenborstelglas met water, neemt twee paroxetine-pillen en spoelt ze met een heftige hoofdbeweging weg. Nog even en het is voorbij, denkt ze. Jeanette Kihlberg weet dat Victoria Bergman een moordenaar is.

'Nee, dat weet ze niet,' zegt ze dan met luide stem. 'En Victoria Bergman bestaat niet.' Maar het heeft geen zin te huichelen. De stem is er en die is sterker dan ooit.

... eigenlijk is het als je ogen sluiten, je adem inhouden en net doen alsof het er niet is, net zoals de kou er wel is maar door de deur wordt buitengesloten, en je kunt in de knusse kelderkamer met lambrisering lekker op de bank kruipen met popcorn en limonade die Rose's Lime heet en eigenlijk gemengd moet worden met sterkedrank...

Ze loopt de woonkamer weer uit en gaat naar de keuken. Voor haar ogen flikkert het als bij een beginnende migraine.

Het rode lampje brandt en geeft aan dat de kleine memorecorder nog altijd in de opnamestand staat.

Ze houdt het apparaat voor zich, haar handen trillen, ze is kletsnat van het zweet en staat als het ware van buitenaf naar zichzelf bij de tafel te kijken.

... maar het werkt als je er wat suiker doorheen roert en tegen je vriendjes zegt dat echte limonade zo hoort te smaken, ook al weet je dat zij weten dat je liegt en dat er een dag komt waarop je ervoor zult boeten. Maar op het moment zelf maakt dat niet uit omdat het gezellig is en er schijnt een goede film op de tv te zijn en iedereen is tevreden en blij dat de oorlog niet hier is maar in het donkere Afrika. En het eten staat op tafel, ook al smaakt het een beetje vreemd als je er goed over nadenkt, maar dat kun je beter niet doen omdat je dan pijn in je buik krijgt en dertig kilometer naar de Spoedeisende Hulp moet rijden...

Sofia heeft het gevoel dat ze zich op twee plekken tegelijk bevindt.

Staand bij de tafel en in het hoofd van het meisje. In haar weergalmt de donkere eentonige stem en tegelijk stuitert de resonantie tussen de muren van de keuken heen en weer.

... omdat je dan pijn in je buik krijgt en dertig kilometer naar de Spoedeisende Hulp moet rijden, waar ze toch niets kunnen vinden en je weer naar huis sturen op de achterbank van een koude auto. Je bent een schijterd die geen pit heeft, maar die zich zo nodig moet aanstellen als er bezoek is, en nu heeft je drankje te lang gestaan en de gasten vragen zich misschien af wat er gaande is, maar dat is ook precies wat je wilt. Wat is hier in vredesnaam gaande als een kind steeds zo'n verschrikkelijke buikpijn heeft en aan één stuk door krijst tot iemand de auto voorrijdt en je belooft dat je gauw terug bent, omdat dit meestal van voorbijgaande aard is, en ze is een beetje nerveus en gespannen maar feest gerust door, het gaat vanzelf over, net zoals verstopping overgaat met een beetje vijgenolie...

Tijdens het werk om Victoria Bergman te begrijpen hadden de opgenomen monologen als een katalysator gefungeerd, maar nu is het omgekeerd.

De herinneringen bevatten verklaringen en antwoorden. Ze zijn een handboek, een gebruiksaanwijzing voor het bestaan.

... daarna is alles goed en het feest kan verdergaan met gitaren en violen en verdomd veel hallo's, klappen op je kont en kijk niet zo chagrijnig, dan een late maaltijd ter afsluiting als de zon opgaat achter de plee van Sjöblom en de snoeken in de baaien spelen en het mes dat je in je hand houdt scherp is. Iedereen schreeuwt en vraagt wat dat stomme kind uitspookt als je je in je armen snijdt zodat het bloed rood en gezond stroomt en je iets kunt voelen wat meer betekent dan een geweldig record bij verspringen, waarbij de enige tegenstander drie jaar jonger was en een hazenlip had hoewel hij dat niet wist en zei dat het zo hoorde, en omdat je wist dat hij wist dat de limonade geen limonade was maar met sterkedrank gemengd moet worden, hield je je mond en sprong je alsof je leven ervan afhing, terwijl je eigenlijk gewoon mee moest doen aan de spelletjes waar de grote mensen graag naar keken als de kleintjes schattig en zo verrekte goed en veelbelovend waren...

Sofia wordt onderbroken door een geluid van de straat en de stem verdwijnt. Ze voelt zich slaapdronken, zet de recorder uit en kijkt om zich heen.

Een lege, frommelige strip paroxetine op de keukentafel en de vloer is vies, vol modderige voetsporen. Ze gaat staan, loopt naar de hal en ziet dat haar schoenen vochtig en vuil zijn van aarde en grind.

Ze is dus weer buiten geweest.

Eenmaal terug in de keuken ziet ze dat iemand, waarschijnlijk zijzelf, voor vijf mensen heeft gedekt en dat er bovendien een tafelschikking is.

Ze buigt zich voorover en leest wat er op de kaartjes staat. Links moet Solace zitten, naast Hannah, en aan de andere kant heeft Sofia Jessica als tafeldame. Aan het hoofdeind heeft ze Victoria geplaatst.

Hannah en Jessica, denkt ze. Wat hebben zij hier te zoeken? Hannah en Jessica, die ze niet meer heeft gezien sinds ze hen ruim twintig jaar geleden in de trein bij Parijs achterliet.

Sofia zijgt neer op de vloer en merkt dat ze een zwarte stift vasthoudt. Ze gaat op haar zij liggen en kijkt naar het witte plafond. Vagelijk hoort ze de telefoon in de hal rinkelen, maar ze is niet van plan op te nemen en sluit haar ogen.

Het laatste wat ze doet voordat het gebulder in haar hoofd alle andere geluiden verdringt, is de recorder weer aanzetten.

... veelbelovend waren, ingenieur of onderzoeker zouden worden en zeker niet achter de kassa bij de coöperatieve Konsum-supermarkt zouden belanden, want daar deden alleen communisten hun boodschappen, dus dan kon je beter met de auto naar de Ica-supermarkt, want daar winkelden de mensen die correct en niet rood stemden, die smaak en verfijning hadden. Zonder goedkope rommel aan de muren die ze bij IKEA hadden gekocht, maar met echte tekeningen en schilderijen die heel moeilijk waren om te maken, want kunst betekende dat het verdomd ingewikkeld was om te achterhalen hoe het was gemaakt, het was niet gewoon maar wat verf op een doek kwakken zoals die Amerikaan deed, die bovendien al rokend over het schilderij liep en uitlegde hoe geniaal hij was. Maar dat was hij toch echt niet, hij was een opgeblazen kikker die de wortel was van al het kwaad, want hij vond het prima om plezier te maken en met verf te gooien, te roken, te zuipen en erop los te leven, misschien zonder geld te zitten, te zeggen dat vrouwen zelfstandig moeten zijn en voor zichzelf moeten kunnen opkomen, en het niet leuk te vinden om je dochter te neuken zoals de Zweed in Kopenhagen deed...

Daarna duisternis en stilte. Het gebulder houdt op en ze is rustig, ze mag uitrusten terwijl de pillen beginnen te werken.

Ze zakt steeds dieper in de slaap weg en de herinneringen van Victoria komen in golvende flarden, eerst als geluiden en geuren en daarna als beelden.

Het laatste wat ze ziet voordat haar bewustzijn uiteindelijk wordt gedoofd is een meisje in een rode jas dat op een strand in Denemarken staat, en nu begrijpt ze wie het meisje is.

Kronoberg

'De moordenaar mist haar rechterringvinger,' herhaalt Jeanette en ze stuurt de man die Ralf Börje Persson heette een stil, postuum bedankje.

'Niet helemaal onbelangrijk.' Hurtig grijnst.

'Het is doorslaggevend,' zegt Jeanette en ze glimlacht terug. 'Het is alleen tragisch dat een van de beste aanwijzingen afkomstig is van een getuige die we niet kunnen ondervragen. Misschien is dit zowel het laatste als het belangrijkste wat Börje in zijn leven heeft gedaan.'

'En wat doen wij nu?' Hij kijkt op zijn horloge.

'We gaan door. Billing heeft me wat mensen van de Politieacademie gegeven die de klassenlijsten van Sigtuna doornemen, alle jaargangen. Ze zijn al aan het bellen met voormalige leerlingen en leraren, en vanavond hoop ik vooral drie namen te weten te komen.'

Hij kijkt nadenkend. 'Ik snap het, je hebt het over de slachtoffers van de ontgroening. Victoria Bergman en de twee andere meisjes, die verdwenen.'

'Inderdaad. Verder moet er nog een telefoontje worden gepleegd. Dat is het belangrijkste en dat laat ik aan jou over, Hurtig.' Ze geeft hem de telefoon aan. 'Na alles wat Beatrice Ceder heeft verteld, zal het niet echt moeilijk zijn om te achterhalen hoe de vrouwen heten. Hun namen staan niet op de klassenlijsten omdat ze na twee weken alweer van school gingen, maar er is iemand die zeker weet wie het zijn, en nu heb ik het niet over Victoria Bergman.'

'En wie is Beatrice Ceder?'

Ze ziet dat het allemaal een beetje te vlug gaat voor Hurtig.

Hij had haar kamer hoogstens een halfuur verlaten en in de tussentijd had zij zowel met Annette Lundström gesproken als met Beactrice Ceder, de moeder van Regina.

'Dat komt straks. Degene die jij moet bellen was vroeger de rector van de school, ze is tegenwoordig met pensioen en woont in Uppsala. Ze was blijkbaar op de hoogte van wat er destijds is gebeurd en heeft er actief aan meegewerkt de zaak in de doofpot te stoppen. Ze kan ons hoe dan ook aan de namen helpen; als ze zich die niet herinnert, kan ze ons helpen de aanvraagformulieren te vinden. Bel jij haar maar. Ik ben kapot en mijn suikerspiegel is veel te laag, dus ik ga koffie en iets zoets in het restaurant halen. Wil jij ook iets?'

'Nee, dank je.' Hurtig lacht. 'Je bent goed op dreef, zeg. Ik bel de rector. Ga jij ondertussen maar koffie drinken.'

Jeanette koopt een punt prinsessentaart en een grote kop koffie.

In de lift naar boven brengt ze haar bloedsuiker alvast wat omhoog door het marsepein van de taart op te eten. Ze ziet dat het al vrij laat is en dat ze misschien niet op tijd thuis is om voor Johan te koken.

Als ze haar kamer weer binnenstapt, legt Hurtig net de hoorn op de haak.

'En? Hoe ging het? Wat zei ze?'

'De meisjes heetten Hannah Östlund en Jessica Friberg. Hun persoons-gegevens komen in de loop van de avond.'

'Goed gedaan, Hurtig. Denk je dat een van hen een ringvinger mist?'

'Friberg, Östlund of Bergman? Waarom niet Madeleine Silfverberg?'

Jeanette kijkt hem geamuseerd aan. 'Zij heeft misschien een motief voor de moord op haar stiefvader, maar ik zie geen direct verband met Fredrika Grünewald, behalve dat die op dezelfde school heeft gezeten als Charlotte Silfverberg.'

'Oké. Maar dat is niet genoeg. Wat zei Beatrice Ceder verder nog?'

'Dat Henrietta Nordlund getrouwd was met advocaat Viggo Dürer. Ze is vorig jaar overleden. Aangereden door iemand die is doorgereden. Ik wil dat je daar bij de politie in Skåne navraag naar doet en me laat weten wat zij zeggen.'

Hurtig zwijgt en knikt alleen.

'En lest best... Tijdens de ontgroeningsrite in Sigtuna hebben Hannah Östlund, Jessica Friberg en Victoria Bergman hondenpoep voorgescho-teld gekregen door Fredrika Grünewald. Moet ik nog meer zeggen?'

Hij ademt uit en lijkt opeens heel moe. 'Nee, dank je, dat is voorlopig wel genoeg.'

Het is een lange dag geweest, die nog niet voorbij is, en de uitdrukking op Hurtigs gezicht ontroert haar een beetje.

Het maakt niet uit hoe uitgeput hij is, denkt ze. Hij zal nooit opgeven.

'Hoe gaat het eigenlijk met je vader?'

'Met mijn vader?' Hurtig wrijft in zijn ogen en kijkt geamuseerd. 'Ja, behalve het incident met de grasmaaier hebben ze nu een paar vingers van zijn rechterhand geamputeerd. Hij wordt op dit moment behandeld met bloedzuigers.'

'Met bloedzuigers?'

'Ja, die voorkomen dat het bloed na een amputatie gaat stollen. En die kleine weldoeners zijn erin geslaagd een van zijn vingers te redden. Drie keer raden welke.'

Nu is het Jeanettes beurt om het gesprek niet helemaal te kunnen volgen.

Hurtig grijnst en gaapt tegelijk, en beantwoordt nog voordat Jeanette iets kan zeggen zijn eigen vraag.

'Ze hebben zijn rechterringvinger gered.'

Gamla Enskede

Jeanette Kihlberg heeft haar werk letterlijk mee naar huis genomen.

Ze heeft de persoonsgegevens van Hannah Östlund en Jessica Friberg uit haar hoofd geleerd, evenals de getuigenverklaringen waarover de aspiranten in de loop van de avond hebben gerapporteerd, en als ze door de deur van de villa aan de Enskedevägen naar binnen stapt, is ze zo doodop dat ze in eerste instantie de etensgeuren vanuit de keuken niet ruikt.

Hannah en Jessica, denkt ze. Twee schuwe meisjes, die niemand zich nog goed kan herinneren.

En dan Victoria Bergman, die iedereen kent, maar die niemand echt heeft gekend.

Morgen, wanneer zoals afgesproken de jaarboeken komen, heeft ze hopelijk een gezicht van Victoria Bergman. Het meisje met de hoogste cijfers voor alle vakken behalve gedrag.

Ze trekt haar jack uit, stapt de keuken in en ziet dat het aanrecht, dat ze vanochtend blinkend schoon heeft achtergelaten, zich nu in een toestand bevindt die nog het meest op een ware chaos lijkt. Er hangt een zwakke nevel in de woonkamer die erop wijst dat er iets is aangebrand. Op de keukentafel liggen een geopende doos vissticks en de restanten van een krop sla.

'Johan? Ben je thuis?' Ze kijkt in de hal en ziet dat er licht brandt in zijn kamer.

Ze maakt zich weer zorgen om hem.

Volgens zijn klassenleraar heeft hij de afgelopen week van diverse lessen gespijbeld en de uren dat hij er wel was, is hij afwezig en ongeïnteresseerd geweest. Somber en introvert.

Hij heeft bovendien een paar keer met een klasgenoot gevochten, iets wat nog nooit eerder is voorgekomen.

Als ze weer naar de hal gaat, struikelt ze bijna over de tas die ze de vorige dag bij zich heeft gehad naar de schietoefening.

Shit, denkt ze. Haar dienstpistool zit erin en het is een doodzonde dat niet in de wapenkast op te bergen.

Op het ergste voorbereid doet ze snel de tas open en haalt de wapenkist eruit.

Het pistool ligt op zijn plek en met bonkend hart voelt ze eraan. IJskoud.

Ze telt de munitie. Het klopt tot op de kogel en ze kan opgelucht ademhalen, maar ze scheldt zichzelf toch nog een keer uit.

Stomme sloddervos. Volkomen gestoorde levensgevaarlijke sloddervos. Onvergeeflijk.

Gisteravond was ze net als vandaag kapot geweest toen ze thuiskwam en ze had de tas in de hal neergezet en hem daarna volledig vergeten. Vanochtend had ze haast gehad en er niet op gelet.

Dit mag domweg niet gebeuren, denkt ze. Ze neemt de kist onder haar arm, gaat naar de werkkamer, opent de kast onder de boekenplanken en bergt haar dienstwapen op.

Daarna loopt ze via de hal naar Johans kamer.

'Klop, klop,' zegt ze. Ze opent de deur op een kier en ziet dat hij met zijn rug naar haar toe op zijn bed ligt. 'Hoe gaat het, lieverd?' Ze loopt naar hem toe en gaat op de rand van het bed zitten.

'Ik heb eten voor je gekookt,' mompelt hij. 'Het staat in de woonkamer.'

Ze wrijft hem over zijn rug, draait zich om en ziet door de deuropening dat hij de tafel heeft gedekt. Ze geeft hem een lichte kus op zijn voorhoofd en gaat kijken wat hij heeft gemaakt.

Op tafel staat een bord met aangebrande vissticks, macaroni en een paar blaadjes sla, zorgvuldig neergelegd met een behoorlijke dot ketchup. Het bestek ligt op een servet naast het bord en er staat een glas wijn, dat tot de helft is gevuld. Johan heeft ook een waxinelichtje aangestoken.

Ze weet even niet hoe ze moet reageren.

Hij heeft voor haar gekookt, dat is nog nooit eerder gebeurd, en hij heeft er bovendien veel tijd en energie in gestoken.

Wat kan mij de troep in de keuken ook schelen, denkt ze. Hij heeft dit gedaan om mij een plezier te doen.

'Johan?'

Geen reactie.

'Wat ben ik hier blij mee! Kom je niet ook een hapje eten?'

'Ik heb al gegeten,' roept hij geïrriteerd vanuit zijn kamer.

Ze is opeens duizelig en dood- en doodmoe. Ze begrijpt het niet. Als hij haar een plezier wil doen, waarom wijst hij haar dan af? 'Johan?' herhaalt ze.

Het blijft stil. Ze neemt aan dat hij beledigd is omdat ze laat is en ze kijkt op haar horloge. Ze zou om halfnegen thuis zijn, het is nu tien over negen.

Ze gaat in de deuropening staan en kijkt naar binnen. 'Sorry dat ik zo laat ben, het was druk onderweg...'

Mijn god, denkt ze. Kan ik niets beters verzinnen?

Dan gaat ze even op het bed zitten, tot ze ontdekt dat Johan in slaap is gevallen. Ze doet het licht uit, sluit voorzichtig de deur en gaat terug naar de woonkamer. Als ze de gedekte tafel weer ziet, barst ze bijna in tranen uit.

Ze begint te eten. Het is natuurlijk koud, maar het smaakt niet zo beroerd als het eruitziet. Ze neemt een slok wijn, schraapt het merendeel van de ketchup van de blaadjes sla, neemt een paar happen van de macaroni en de aangebrande vissticks en beseft algauw dat ze uitgehongerd is.

Lieve Johan, denkt ze.

Na afloop ruimt ze de tafel af, maakt de keuken schoon en gaat op de bank zitten. Ze krijgt een inval en belt Åke op, maar zijn telefoon staat uit. Als ze hem via Alexandra Kowalska probeert te bereiken, slaat de voicemail aan. Ze heeft geen zin om tot in detail Johans problemen aan haar uit te leggen en daarom vraagt ze Alexandra alleen om tegen Åke te zeggen dat hij haar zo spoedig mogelijk moet bellen.

Ze hoopt dat er iets luchtigs op de tv is waar ze bij kan ontspannen, maar ontdekt al vlug dat ze alleen de kanalen kan ontvangen die via zendmasten uitzenden.

Nadat ze langs twee deprimerende documentaires op de zenders van svt en een idioot amusementsprogramma op tv4 is gezapt, realiseert ze zich dat ze de rekening van de tv-aanbieder niet heeft betaald.

Ze zucht als ze zich herinnert hoe Åke en zij 's avonds vaak voor de buis hingen, chips aten en om een slechte film lachten, maar dat is op dit moment niet bepaald een periode in haar leven die ze mist. Het was een inhoudsloos wachten op iets beters geweest, een gevoelsarm bestaan dat onherroepelijk de ene avond na de andere had opgeslokt, avonden die vervolgens maanden en jaren waren geworden.

Het leven is veel te kostbaar om weggegooid te worden terwijl je wacht tot er iets gebeurt. Tot er zich iets aandient wat je wegvoert en verder brengt.

Ze weet niet meer waar ze destijds op heeft gehoopt of van heeft gedroomd.

Åke had erover gefantaseerd hoe zijn toekomstige successen hun de mogelijkheid zouden geven om hun gemeenschappelijke dromen te verwezenlijken. Hij had gezegd dat ze dan met haar werk bij de politie kon stoppen en hij was boos geworden toen ze daartegen in had gebracht dat dat haar leven was en dat alle geld van de wereld daar geen verandering in kon brengen. Haar idee dat dromen dromen moesten blijven om niet te verdwijnen had Åke afgewezen als quasi-intellectueel tijdschriftgelul.

Na die ruzie hadden ze een paar dagen niet met elkaar gesproken en die periode was misschien niet doorslaggevend geweest, maar wel het begin van het einde.

Vita bergen

Sofia wordt op de vloer van de woonkamer wakker. Buiten is het donker en ze ziet dat het even na zevenen is, maar ze heeft geen idee of het ochtend of avond is.

Als ze overeind is gekomen en naar de hal loopt, ziet ze dat iemand met viltstift op de spiegel heeft geschreven. In een kinderlijk handschrift staat er UNA KAM O! en Sofia herkent de iele hanenpoten van Solace meteen. Het Afrikaanse dienstmeisje had nooit goed leren schrijven.

Una kam o, denkt Sofia. Het is Krio en ze begrijpt de woorden. Solace vraagt om hulp.

Terwijl ze de tekst met haar mouw wegveegt, ziet ze lager op de spiegel nog iets anders staan, met dezelfde viltschrift in blokletters geschreven, een minimaal, bijna ziekelijk keurig handschrift.

FAM. SILFVERBERG, DUNTZFELTS ALLÉ, HELLERUP, KOPENHAGEN.

Ze gaat naar de keuken en ziet dat er vijf gebruikte borden en evenveel glazen op tafel staan.

Er staan twee volle zakken met afval voor het aanrecht en ze graait tussen de rommel om een idee te krijgen van wat er is gegeten. Drie zakken chips, vijf chocoladerepen, twee dozen met varkenskarbonades, drie grote flessen frisdrank, een gegrilde kip en vier pakken ijs.

Ze proeft de smaak van braaksel en brengt het niet op om in de andere afvalzak te kijken, omdat ze weet wat daarin zit.

Haar middenrif doet pijn en voelt verkrampt, maar geleidelijk zakt haar duizeligheid. Ze besluit om op te ruimen en te verdringen wat er is gebeurd. Dat ze is ontspoord en zich te buiten is gegaan aan eten en snoep.

Ze pakt een halfvolle fles wijn en gaat naar de koelkast. Ze blijft staan als ze de briefjes, krantenknipsels, reclamefolders en aantekeningen van zichzelf ziet die op de deur zijn geplakt. Het zijn er honderden, laag op laag, vastgezet met magneten en plakband.

Een groot artikel over de zaak-Natascha Kampusch, het meisje dat acht jaar in een kelder gevangen is gehouden in de buurt van het Oostenrijkse Wenen.

Een gedetailleerde tekening van de verborgen kamer die Wolfgang Priklopil voor haar had gebouwd.

Rechts een boodschappenlijstje in haar eigen handschrift. Piepschuim. Vloerlijm. Duct-tape. Zeildoek. Rubberen wieltjes. Een haak. Elektriciteitssnoer. Spijkers. Schroeven.

Links een afbeelding van een taser.

Een stroomstootwapen.

Diverse aantekeningen zijn ondertekend met *unsocial mate*.

Asociale kameraad.

Langzaam laat ze zich op de grond zakken.

Kronoberg

Als Jeanette Kihlberg Johan naar school brengt, lijkt hij in een goede bui en ze vindt het niet verstandig om over de gebeurtenis de avond ervoor door te blijven zeuren. Ze heeft bij het ontbijt opnieuw gezegd hoe fijn het was geweest dat hij voor haar had gekookt en hij heeft haar een klein glimlachje geschonken. Dat moet maar voldoende zijn.

Als ze op het politiebureau op Kungsholmen is en de auto in de garage heeft geparkeerd, belt ze Åke en deze keer neemt hij op.

'Met mij,' zegt ze uit gewoonte.

'Hè?' Åke klinkt verbaasd en Jeanette beseft dat zij niet langer de vanzelfsprekende 'mij' in zijn leven is. De enige die dat tegenwoordig kan zeggen is Alexandra Kowalska.

'Met mij, Jeanette,' zegt ze, terwijl ze uitstapt. 'Op papier nog altijd je vrouw, omdat we samen een minderjarig kind hebben en daarom een proeftijd van een halfjaar in acht moeten nemen. Maar je bent ons misschien vergeten? Je zoon heet Johan en het gaat hartstikke slecht met hem.' Ze smijt het portier veel te hard dicht, sluit de auto af en loopt naar de liften.

'Sorry.' Åke klinkt mild. 'Maar ik was bezig en nam op zonder te kijken wie er belde. Het was niet mijn bedoeling onverschillig te klinken. Ik denk elke dag aan Johan en jou.'

'Je kunt gewoon bellen, hoor,' zegt ze en ze drukt op het knopje van de lift. 'Ik heb je nieuwe vrouw gebeld en een boodschap op haar voicemail ingesproken. Heeft ze je dat niet verteld?'

'Alexandra? Nee, daar heeft ze niets over gezegd. Dat zal ze wel vergeten zijn. Hoe gaat het met jullie? Gaat het goed met jou?'

'Met mij kan het niet beter. Ik heb een nieuwe minnaar die tien jaar jonger is dan ik, maar met je zoon gaat het niet zo goed. Bovendien ben ik bang dat de auto het elk moment zal begeven en ik heb geen geld om hem te laten maken.' Ze voelt de bekende bitterheid over zich heen spoelen.

De lift komt met een felle *ping* naar beneden, de deur glijdt open en ze stapt naar binnen.

'Ik heb net een paar schilderijen verkocht, dus ik kan wel wat geld naar je overmaken.'

'Dat is heel aardig van je. Al zijn die schilderijen eigenlijk voor de helft van mij. Ik bedoel, ik heb door de jaren heen altijd de verf en de doeken betaald en dankzij mij kon jij thuisblijven en je ontwikkelen.'

'Shit, wat ben jij toch onmogelijk, Jeanette. Met jou valt niet te praten. Ik probeer aardig te zijn en dan...'

'Oké, oké, oké.' Jeanette onderbreekt hem. 'Ik ben een pathetische bittere trut geworden. Sorry. Ik ben blij voor jou en het gaat echt goed met me. Ik begrijp alleen niet waarom het op deze manier moet. Alexandra kan me geen bal schelen, ik ken haar niet en ik wil haar ook niet kennen, maar met jou ligt het anders. Wij zijn twintig jaar bij elkaar geweest en ik dacht dat ik wel een beetje meer respect had verdiend.'

'Ik heb toch sorry gezegd? Voor mij was het allemaal ook niet zo makkelijk. Wat had ik dan moeten doen?'

'Ja, ja, je hebt het ongetwijfeld naar beste kunnen aangepakt,' zegt ze chagrijnig en ze stapt de lift uit.

'We komen morgen thuis. Ik kan Johan van school halen als je dat goedvindt. Hij kan bij ons slapen, als je dat wat ontlast.'

Ontlast, denkt Jeanette. Ziet hij het zo?

'Zouden jullie niet een maand wegblijven?'

'Onze plannen zijn veranderd. We breken Boston af omdat er iets belangrijks in Stockholm is opgedoken. Ik leg het je later wel uit. Maar we zijn slechts een paar dagen in de stad, daarna gaan we weer naar Krakau.'

'Ik moet nu ophangen, maar als jij Johan nu eens belde om hem te zeggen dat je hem mist. En dat jullie hem morgen komen halen.'

'Tuurlijk. Dat beloof ik.'

Ze hangen op en Jeanette stopt de telefoon in haar tas, loopt naar de koffieautomaat en maakt een kopje koffie, dat ze meeneemt naar haar kamer.

Het eerste wat ze ziet als ze de deur opendoet, is dat er een dik pakket op haar bureau ligt. Ze gaat naar binnen, sluit de deur en gaat zitten. Ze nipt van de hete koffie voordat ze het pakket pakt en openmaakt.

Drie jaarboeken van het Sigtuna Lyceum.

Na een paar minuten vindt ze haar.

Victoria Bergman.

Ze leest wat er onder de foto staat, volgt de regel met jonge, aanstaande leerlingen in identieke schooluniformen met haar vinger en constateert dat Victoria Bergman uiterst rechts van de middelste rij staat, een beetje kleiner is dan de rest en er iets kinderlijker uitziet.

Het meisje is smal en blond, en heeft waarschijnlijk blauwe ogen. Het eerste wat Jeanette opvalt, is dat ze heel ernstig kijkt en, in tegenstelling tot de andere meisjes, geen borsten heeft.

Het kleine, ernstige meisje heeft iets bekends.

Er is iets in haar blik wat Jeanette herkent.

Het frappeert haar ook hoe alledaags het meisje eruitziet. Om de een of andere reden had ze dat helemaal niet verwacht. Doordat ze geen make-up draagt, lijkt ze bijna grijs in vergelijking met de andere tieners op de foto, die allemaal hun best hebben gedaan om zo goed mogelijk voor de dag te komen. Bovendien is Victoria de enige die niet glimlacht.

Jeanette slaat het volgende boek open, dat van het jaar erna, en vindt de naam van Victoria Bergman op de lijst van afwezigen. Dat geldt ook voor het laatste jaar en het jonge meisje staat evenmin op een van de vele foto's van feesten en verenigingsactiviteiten.

Jeanette krijgt het gevoel dat Victoria Bergman zich destijds al goed kon verstoppen en ze pakt het eerste jaarboek weer en kijkt naar de openliggende bladzijde.

De foto is bijna vijfentwintig jaar geleden genomen en ze gaat ervan uit dat die voor een eventuele identificatie in het heden onbruikbaar is.

Of?

Ze herkent iets in de blik van het meisje. Een ontwijkende uitdrukking.

Jeanette Kihlberg is verdiept in de foto en veert op als de telefoon rinkelt.

Ze kijkt op haar horloge. Hurtig? Hij had hier allang moeten zijn. Zou er iets gebeurd zijn?

Tot haar teleurstelling is het officier van justitie Kenneth von Kwist. Met zijn meest vleierige stem noemt hij zijn naam en Jeanette is meteen geïrriteerd. 'O, ben jij het? Waar gaat het over?'

Hij schraapt zijn keel. 'Doe niet zo bars. Ik heb iets voor je. Je zult er blij mee zijn. Zorg ervoor dat je over tien minuten alleen in je kamer bent en houd de fax goed in de gaten.'

'De fax?' Ze snapt niet waar hij op uit is en wordt meteen wantrouwend.

'Inderdaad. Ik heb een muisje horen piepen dat Victoria Bergman wordt gezocht.'

Zijn antwoord verwart haar en haar blik wordt onmiddellijk naar de foto op haar bureau getrokken.

'Zo meteen krijg je gegevens die alleen voor jouw ogen bestemd zijn,' gaat hij verder. 'De fax die je over tien minuten krijgt, is een document van de rechtbank in Nacka, gedateerd 1988, en jij bent de eerste, behalve ikzelf, die het sindsdien te lezen krijgt. Ik neem aan dat je snapt wat dat betekent.'

Jeanette weet niet wat ze moet zeggen. 'Ik begrijp het,' weet ze ten slotte uit te brengen. 'Je kunt van me op aan.'

'Mooi. Graag gedaan, en succes. Ik vertrouw je en ga ervan uit dat dit onder ons blijft.'

Wacht even, denkt ze. Dit is een val.

'Hang nog niet op. Waarom doe je dit eigenlijk?'

'Laten we zeggen...' Hij denkt even na en schraapt dan zijn keel weer. 'Dit is mijn manier om sorry te zeggen omdat ik in het verleden spaken in je wiel heb moeten steken. Ik wil het goedmaken en zoals je ongetwijfeld weet, heb ik zo mijn contacten.'

Jeanette weet nog altijd niet wat ze ervan moet denken. Wat hij zegt, klinkt verontschuldigend, maar zijn toon is net zo zelfgenoegzaam als anders.

Hier zit een luchtje aan, denkt ze. Maar wat riskeer ik, behalve een reprimande van Billing?

'Je verontschuldiging is geaccepteerd.'

Als ze hebben opgehangen, leunt ze achterover en pakt het jaarboek weer. Victoria Bergman ziet er nog net zo ontwijkend uit als eerst en het is Jeanette nog steeds niet duidelijk of ze het slachtoffer is van een stiekeme grap of dat dit een deus ex machina is.

Er wordt op de deur geklopt en Hurtig stapt naar binnen. Zijn haar is nat en zijn jack is doorweekt.

'Sorry dat ik laat ben. Wat een rotweer.'

Het lijkt wel alsof de fax maar papieren blijft uitbraken en Jeanette is druk bezig ze van de vloer naar haar bureau te verplaatsen. Als het apparaat eindelijk stil is, verzamelt ze alle pagina's en legt ze op een stapel voor zich neer.

Het eerste document beslaat bijna zestig pagina's. De titel luidt *Toetsing inzake beschermde persoonsgegevens.*

Daarna volgt de beslissing van de rechtbank over de desbetreffende toetsing en die beslaat nog eens zo'n veertig pagina's.

Het zal haar wel een uur kosten alles door te lezen en Jeanette vraagt Hurtig om koffie voor hen te halen.

De toetsing betreft Victoria Bergman, geboren 7 juni 1970, zo leest Jeanette. Drie instanties hebben een verklaring afgegeven: de Rijksdienst voor Gerechtelijke Geneeskunde, de Politie Stockholm en de afdeling Psychiatrie van het ziekenhuis in Nacka. De gerechtelijke beslissing is uitgesproken door de rechtbank in Nacka en helemaal aan het eind van het document volgt een samenvatting van de zaak.

In september 1988 had de Rijksdienst voor Gerechtelijke Geneeskunde in zijn rapport geconcludeerd dat Victoria Bergman voorafgaand aan een volledige lichaamsontwikkeling had blootgestaan aan ernstig seksueel misbruik en de rechtbank van Nacka had haar vervolgens bescherming van haar persoonsgegevens toegekend.

Jeanette walgt van het kille taalgebruik. Volledige lichaamsontwikkeling, wat betekent dat?

Ze leest door en vindt de verklaring verderop. Het meisje, Victoria Bergman, had volgens de Rijksdienst voor Gerechtelijke Geneeskunde op de leeftijd van nul tot veertien jaar blootgestaan aan uitgebreid seksueel geweld. Een gynaecoloog en een forensisch arts hadden het lichaam van Victoria Bergman grondig onderzocht en waren tot de conclusie gekomen dat het meisje zwaar gehavend was.

Dat stond er. Dat ze zwaar gehavend was.

Als laatste leest Jeanette dat niet kon worden bewezen wie het meisje had misbruikt.

Jeanette is verbijsterd. Het kleine, magere, blonde en ernstige meisje met de ontwijkende blik had er dus voor gekozen geen aangifte tegen haar vader te doen.

Ze denkt aan de aangiften tegen Bengt Bergman die ze eerder heeft gezien. De twee vluchtelingenkinderen uit Eritrea die zweepslagen te verduren hadden gekregen en seksueel waren misbruikt, en de prostituee die zwaar was mishandeld, met een riem was geslagen en anaal was verkracht met een voorwerp. Jeanette meent zich te herinneren dat het een fles was.

In het tweede rapport, van de Politie Stockholm, werd vastgesteld dat uit verhoren was gebleken dat de aanvraagster, Victoria Bergman, zeker sinds haar vijfde of zesde seksueel was misbruikt.

Voor die tijd kun je het je toch ook niet herinneren, denkt Jeanette.

Hoe dan ook is de geloofwaardigheid van een dergelijke getuigenverklaring moeilijk te bepalen. Maar als het misbruik is begonnen toen ze heel klein was, mag je ervan uitgaan dat er toen al sprake was van seksueel geweld.

Ze moet deze documenten aan Sofia Zetterlund laten zien, wat ze Von Kwist ook maar heeft beloofd. Sofia zal haar kunnen uitleggen hoe een klein meisje dat zoveel ellende heeft meegemaakt daar psychisch door is beïnvloed.

Als laatste valt er te lezen dat de politieagent die verantwoordelijk was voor het onderzoek van mening was dat de dreiging tegen de aanvraagster voldoende ernstig was om haar een beschermde identiteit toe te kennen.

Ook hier hadden ze niet kunnen bewijzen wie verantwoordelijk was geweest voor het misbruik.

Jeanette begrijpt dat ze zo snel mogelijk contact moet opnemen met de mensen die verantwoordelijk waren voor de onderzoeken. Die hebben weliswaar twintig jaar geleden plaatsgevonden, maar met een beetje geluk zijn de betrokkenen nog in dienst.

Jeanette loopt naar het kleine ventilatieraam, dat op een kier staat. Ze schudt een sigaret uit het pakje, steekt hem aan en neemt een flinke trek.

Als iemand komt zeuren dat het naar rook stinkt, zal ze de persoon in kwestie dwingen de stukken te lezen waar ze zich zelf zojuist doorheen heeft geworsteld. Daarna zal ze hem of haar het pakje sigaretten aangeven en naar het open raam verwijzen.

Weer terug achter haar bureau begint ze de verklaring van de afdeling Psychiatrie van het ziekenhuis in Nacka te lezen. Daarin staat grotendeels hetzelfde als in de andere documenten. Op basis van wat naar voren is gekomen tijdens een vijftigtal therapiegesprekken, die enerzijds seksueel misbruik op de leeftijd vijf tot en met veertien jaar betroffen en anderzijds seksueel misbruik vanaf de leeftijd van vijftien jaar, dient de aanvraagster bescherming van de persoonsgegevens toegewezen te krijgen.

Vuile klootzak, denkt Jeanette. Jammer dat je dood bent.

Hurtig komt met de koffie en ze schenken ieder een kopje in. Jeanette vraagt hem om de beslissing van de rechtbank helemaal door te nemen. Zelf begint ze het document over de toetsing te lezen.

Ze pakt de lijvige stapel papieren en werpt een blik op de laatste pagina omdat ze nieuwsgierig is welke politieagent de zaak heeft onderzocht.

Als ze ziet wie de toetsing hebben ondertekend en hebben aanbevolen Victoria Bergman beschermde persoonsgegevens toe te kennen, verslikt ze zich bijna in haar koffie.

Helemaal onder aan het papier staan drie handtekeningen:

Hans Sjöquist, gediplomeerd forensisch arts
Lars Mikkelsen, politiemedewerker
Sofia Zetterlund, gediplomeerd psycholoog

Vita bergen

Het had anders kunnen zijn.

Het linoleum is koud en plakt tegen Sofia Zetterlunds naakte schouder. Buiten is het donker.

Op het plafond de lichtkegels van auto's die op straat voorbijkomen onder begeleiding van het nerveuze geritsel van de droge herfstbladeren van de bomen in het park schuin ernaast.

Ze ligt op de keukenvloer, naast een paar afvalzakken met opgegeten en weer uitgekotst eten en staart naar de koelkast. Aan het plafond een klein spinnenweb. Het ventilatieraampje staat open en in de woonkamer staat het raam op een kier, waardoor de briefjes op de koelkastdeur in de tocht heen en weer wapperen. Als ze haar ogen samenknijpt, lijken het net vliegenvleugels, opgewonden fladderend tegen muggengaas.

Van onderaf lijken het er honderden.

Naast haar een tafel gedekt voor een feest, nu met kleverige borden en vuil bestek.

Nature morte.

Ooit kaarslicht, nu restanten van stearine.

Sofia weet op het moment zelf dat ze zich er morgen niets van zal herinneren.

Zoals die keer toen ze de open plek bij het meer had gevonden, in Dala Floda, waar de tijd stilstond. Wekenlang had ze geprobeerd dat loo terug te vinden. Ze heeft al van kinds af aan gaten in haar geheugen.

Ze denkt aan Gröna Lund en wat er is gebeurd op de avond dat Johan verdween. Beelden proberen houvast in haar te krijgen.

Iets wil geuit worden.

Sofia sluit haar ogen en keert haar blik naar binnen.

Probeert een uitzichtpunt te creëren vanwaar ze met de noodzakelijke afstand terug kan kijken.

Johan had naast haar gezeten in de gondel van de Vrije Val en Jeanette had buiten het hek naar hen staan kijken. Langzaam waren ze naar boven gegaan, meter voor meter.

Halverwege was ze bang geworden en toen ze de vijftig meter waren gepasseerd was ze door duizeligheid overspoeld. Het irrationele was uit het niets op komen zetten.

Een onbeheersbare angst. Het gevoel de situatie niet in de hand te hebben.

Ze had niet durven bewegen. Nauwelijks adem durven halen. Maar Johan had gelachen en met zijn benen gewiebeld. Ze had hem gevraagd daarmee op te houden, maar hij was grijzend doorgegaan.

Sofia herinnert zich dat ze zich had voorgesteld dat de bouten die de gondel op zijn plek hielden aan een onnatuurlijke belasting werden blootgesteld en uiteindelijk losschoten. Ze zouden naar beneden storten.

De gondel had gewiebeld en ze had Johan gesmeekt om op te houden met lachen, maar hij had niet naar haar geluisterd. Arrogant en superieur was hij in reactie op haar smeekbeden nog harder gaan schommelen.

En toen was Victoria er opeens geweest.

De angst was verdwenen, haar gedachten waren helder geworden en ze was gekalmeerd.

Daarna is het opnieuw zwart.

In haar hoofd suist het en ze vindt het moeilijk om zich te focussen, maar langzaam, heel langzaam verstilt het gedruis en stukje bij beetje keert de herinnering terug.

Ze had op haar zij gelegen. Het grind op het asfalt had tegen haar heup geschuurd, was door haar jas en trui heen gedrongen. Had zich naar binnen gevreten.

Als vanuit de verte vreemde stemmen.

Een geur die ze had herkend. Een koele hand tegen haar hete voorhoofd.

Ze had haar ogen samengeknepen en achter de muur van benen en schoenen een bankje gezien. Naast dat bankje had ze zichzelf van achteren kunnen bekijken.

Ja, zo was het. Ze had Victoria Bergman gezien.

Had ze gehallucineerd?

Sofia wrijft met haar hand over haar ogen, over haar mond. Voelt dat er speeksel uit haar mondhoek sijpelt. Voelt de kapotte tand.

Maar ze had niet geijld. Ze had zichzelf gezien. Haar blonde haar, haar jas en haar tas.

Zij was het. Victoria.

Ze had op de grond gelegen en had zichzelf twintig meter verderop gezien.

Victoria was naar Johan toe gelopen en had hem bij zijn arm gepakt.

Ze had geprobeerd Johan te waarschuwen, maar toen ze haar mond open had gedaan, was er geen geluid gekomen.

Ze heeft een strak gevoel over haar borst en vreest dat ze zal stikken. Paniekangst, denkt ze en ze probeert langzamer te ademen.

Sofia Zetterlund herinnert zich dat ze zichzelf een roze masker over Johans hoofd heeft zien trekken.

Op straat claxonneert een auto en ze opent haar ogen. Ze steunt op haar ellebogen en komt langzaam omhoog.

Sofia Zetterlund ligt op de keukenvloer aan de Borgmästargatan en weet dat ze er over twaalf uur geen flauw idee van zal hebben dat ze op de keukenvloer aan de Borgmästargatan heeft gelegen met het besef dat ze over twaalf uur wakker zal worden en naar haar werk zal gaan.

Maar op dit moment weet Sofia Zetterlund dat ze een dochter in Denemarken heeft.

Een dochter die Madeleine heet.

En op dit moment herinnert ze zich dat ze Madeleine een keer heeft bezocht.

Maar op dit moment is Sofia Zetterlund er niet zeker van dat ze dat morgen ook nog weet.

Verleden

Het had goed kunnen zijn.
Aangenaam kunnen zijn geweest.

Victoria is er niet zeker van of ze bij het juiste adres is. Ze voelt zich verward en besluit een blokje om te lopen om haar gedachten op een rijtje te zetten.

Ze had een achternaam gehad en weet nu dat het gezin in Hellerup woont, een van de chiquere voorsteden van Kopenhagen. De man is directeur van een speelgoedfabriek en hij woont met zijn vrouw aan de Duntzfelts allé.

Victoria pakt haar walkman en drukt op een knopje om het bandje aan te zetten. Een nieuw verzamelalbum van Joy Division. Terwijl ze door de lanen loopt, luistert ze naar 'Incubation'. De muziek dreunt monotoon in haar koptelefoon.

Incubatie. Broeden, uitbroeden. Jonge vogels, die worden geroofd.

Ze is een legbatterij geweest.

Het enige wat ze weet is dat ze haar dochter wil zien. Maar daarna?

Het maakt ook geen reet uit als de boel in het honderd loopt, denkt ze terwijl ze links afslaat naar een parallelstraat, opnieuw een laan omzoomd door bomen.

Ze gaat op een elektriciteitskastje bij een afvalbak zitten, steekt een sigaret op en besluit hier te blijven tot het bandje afgelopen is.

'She's Lost Control', 'Dead Souls', 'Love Will Tear Us Apart'. De walkman gaat automatisch door met de andere kant, de appendix: 'No Love Lost', 'Failures'...

Er komen mensen voorbij en ze vraagt zich af waar ze naar staren.

Er stopt een grote zwarte auto en een man in pak met een klein baardje draait zijn raam omlaag en vraagt of hij haar ergens naartoe kan brengen.

'De Duntzfelts allé,' zegt ze, zonder haar koptelefoon af te nemen.

'Dat is hier.' Hij lacht zelfverzekerd. 'Waar luister je naar?'

'Kjell Lönnå.'

'Koormuziek?' Hij lacht.

Ze kijkt weg terwijl ze met haar stevige schoenen tegen het elektriciteitskastje schopt. 'Rot op, klootzak.'

Ze geeft hem de vinger en hij rijdt langzaam door. Als ze ziet dat hij een meter of tien verderop weer stopt, springt ze van het kastje af en loopt in tegengestelde richting weg. Ze kijkt over haar schouder en als hij het portier opent en uitstapt, begint ze te hollen.

Ze draait zich pas om als ze weer bij de straat is waar ze vandaan is gekomen en ziet dat de man is weggereden.

Als ze opnieuw voor de villa van de familie staat, valt haar oog op een koperen bordje op de stenen muur naast het hek en dan weet ze dat ze op het juiste adres is.

Meneer en mevrouw Silfverberg met dochter Madeleine.

Heet ze zo?

Ze glimlacht. Belachelijk. Victoria en Madeleine, net als de Zweedse prinsessen.

Het is een enorm groot huis en de tuin ziet er onberispelijk uit met zijn weelderige gazon dat net een golfbaan lijkt.

Achter de stenen muur staan hoge seringen en drie krachtige eiken.

Het hek is voorzien van een elektronisch slot en bij een hoek van de stenen muur staat een lage maar stevige boom.

Ze kijkt om zich heen en vergewist zich ervan dat niemand haar ziet. Dan klimt ze de muur op en springt er aan de andere kant weer af. Op de begane grond van het huis brandt licht, maar op de twee bovenverdiepingen is het donker. Het valt haar op dat de balkondeur op de eerste etage openstaat.

Een regenpijp fungeert als ladder en algauw duwt ze de deur iets verder open.

Een werkkamer vol boekenplanken en op de vloer ligt een groot kleed.

Ze trekt haar schoenen uit en sluipt voorzichtig naar een grote hal. Rechts zijn twee deuren en links drie, waarvan er een openstaat. Aan de andere kant van de hal bevindt zich een trap, die de verdiepingen met elkaar verbindt. Van beneden hoort ze het geluid van een tv waarop een voetbalwedstrijd aan de gang is.

Ze kijkt door de open deur naar binnen. Weer een werkkamer met een bureau en twee grote schappen vol speelgoed. Poppen van hout en porselein, natuurgetrouwe modellen van auto's en vliegtuigen, en op de vloer drie kinderwagens. Ze laat de overige kamers voor wat ze zijn, omdat ze ervan uitgaat dat niemand een baby achter een gesloten deur achterlaat.

Ze sluipt stilletjes naar beneden. De trap wentelt als een U en ze blijft halverwege op het bordes staan, vanwaar ze een grote kamer met plavuizen kan zien en helemaal achterin een deur, die waarschijnlijk naar buiten voert.

Aan het plafond hangt een enorme kristallen kroonluchter en aan de muur aan haar linkerkant staat een kinderwagen waarvan de kap is uitgeklapt.

Ze handelt instinctief. Er zijn geen gevolgen, er is niets anders dan het hier en nu.

Victoria loopt verder naar beneden en zet haar schoenen op de onderste tree. Ze doet niet langer moeite om stilletjes te sluipen. De tv staat zo hard dat ze kan horen wat de verslaggevers zeggen.

Halve finale, Italië-Sovjet-Unie, nul-nul, het Neckarstadion, Stuttgart.

De dubbele deuren met ramen naast de kinderwagen staan open. Daarachter zitten meneer en mevrouw Silfverberg tv te kijken en in de wagen ligt haar kind.

Incubatie. Legbatterij.

Zij is niet de roofvogel. Ze neemt slechts terug wat van haar is.

Victoria loopt naar de wagen en buigt zich over het kind heen. Het gezichtje is rustig, maar ze herkent het niet. In het ziekenhuis in Ålborg had het meisje er anders uitgezien. Haar haar was donkerder geweest, haar gezicht magerder, haar lippen dunner. Nu lijkt ze net een cherubijn.

Het kind slaapt en in het Neckarstadion in Stuttgart is het nog altijd nul-nul.

Victoria trekt de dunne deken omlaag. Haar kind draagt een blauwe pyjama, haar armen zijn gebogen en haar handen rusten gebald op haar schouders.

Victoria pakt haar op. Het geluid van de tv wordt harder, waardoor ze zich veiliger voelt. Het meisje slaapt nog steeds en is warm op haar schouder.

Protasov, Aleinikov en Litovchenko. En weer Litovchenko.

Het geluid wordt nog harder en ze hoort een vloek vanuit de kamer.

Een-nul voor de Sovjet-Unie in het Neckarstadion in Stuttgart.

Ze houdt het kind voor zich omhoog. Het meisje is ook gladder en bleker geworden. Haar hoofd lijkt wel een ei.

Plotseling staat Per-Ola Silfverberg voor haar neus en ze kijkt hem enkele stille seconden aan.

Het is niet waar, denkt ze.

De Zweed.

Een bril en kortgeknipt blond haar. Een yuppenoverhemd zoals bankiers vaak dragen. Ze heeft hem alleen in vuile werkkleding gezien en nooit met een bril.

Ze kan er haar eigen spiegelbeeld in zien. Haar kind rust tegen haar schouder in de glazen van de bril van de Zweed.

Hij ziet eruit als een idioot; zijn gezicht is doodsbleek, slap en uitdrukkingsloos.

'Hup, Sovjet!' zegt ze, terwijl ze haar kind in haar armen wiegt.

Dan krijgt zijn gezicht weer kleur. 'Verdomme! Wat doe jij hier?'

Ze deinst terug als hij een stap in haar richting zet en zijn armen uitsteekt naar het kind.

Incubatie. De tijd tussen het moment van besmetting en het uitbreken van de ziekte. Maar ook de broedtijd. Wachten tot het ei is uitgebroed. Hoe kan een en hetzelfde woord zowel het wachten op de geboorte van een kind beschrijven als het wachten op het uitbreken van een ziekte? Is dat hetzelfde?

Als de Zweed naar haar uithaalt, laat ze het kind vallen.

Het hoofd is zwaarder dan de rest van het lichaam en ze ziet hoe het meisje tijdens haar val naar de plavuizen een halve slag draait.

Het hoofd is een ei dat wordt uitgebroed.

Het yuppenoverhemd schiet heen en weer. Het krijgt gezelschap van een zwarte jurk en een draadloze telefoon. Zijn vrouw is in paniek en Victoria kan alleen maar lachen, omdat niemand zich nog langer druk maakt om haar.

Litovchenko een-nul, zegt de tv nogmaals.

Herhaling na herhaling.

'Hup, Sovjet,' zegt ze nog een keer, terwijl ze langs de muur naar beneden zakt.

Het kind is een vreemde en ze besluit zich er niet druk om te maken.

Van nu af aan is het slechts een ei in een blauwe pyjama.

Kronoberg

Verdomme, denkt Jeanette Kihlberg, en er verspreidt zich een onaange-naam gevoel door haar lichaam.

Is ze het slachtoffer van een grap? Een samenzwering? Er schieten al-lerlei gedachten door haar hoofd en ze heeft het gevoel dat ze in een draai-molen zit.

Dat Lars Mikkelsen ooit heeft meegewerkt aan het onderzoek naar Victoria Bergman is eigenlijk niet vreemd, maar dat hij tot de conclusie is gekomen dat ze een beschermde identiteit nodig had is opvallend, omdat er geen rechterlijk vonnis was.

Het vreemdste is echter dat een psycholoog die Sofia Zetterlund heet de psychologische analyse heeft gedaan. Het kan haar Sofia niet zijn, omdat die op het moment van het onderzoek nog geen twintig was.

Het is een wonderlijke speling van het lot.

Hurtig kijkt geamuseerd. 'Wat een stom toeval. Bel haar meteen op.'

Bijna te vreemd, denkt Jeanette. 'Ik bel Sofia en jij belt Mikkelsen. Vraag hem om langs te komen, het liefst vandaag nog.'

Als Hurtig de kamer heeft verlaten, toetst ze Sofia's nummer in. Op haar privénummer wordt niet opgenomen en als Jeanette de praktijk belt, zegt de secretaresse dat Sofia ziek is.

Sofia Zetterlund, denkt ze. Hoe groot is de kans dat Victoria Bergmans psycholoog in de jaren tachtig dezelfde naam heeft als de Sofia die ze zelf kent en die ook psycholoog is?

Na enig zoeken op haar computer weet ze dat er vijftien mensen in heel Zweden zijn die Sofia Zetterlund heten. Twee van hen zijn psycholoog en ze wonen alle twee in Stockholm; haar Sofia is de ene en de andere is al jaren met pensioen en woont in een woonzorgcentrum in Midsommar-kransen.

Dat moet haar zijn, denkt Jeanette.

Het lijkt allemaal bijna berekenend. Alsof iemand haar pest en het hele verloop construeert. Jeanette gelooft niet in toeval; ze gelooft in logica en de logica zegt haar dat er een verband is. Ze kan het alleen nog niet zien.

Opnieuw holisme, denkt ze. De details lijken onwaarschijnlijk, onbegrijpelijk. Maar er is altijd een natuurlijke verklaring. Een logische context.

Hurtig verschijnt in de deuropening. 'Ik heb antwoord van de politie in Skåne. Het enige spoor van degene die Henrietta Dürer heeft aangereden zijn wat schilfers rode lak. De zaak is inmiddels geseponeerd.'

Jeanette slikt. 'Oké, dank je wel. Daar was ik al bang voor.'

'Mikkelsen is hier. Hij wacht op je bij de koffieautomaat. En wat doen we met Hannah Östlund en Jessica Friberg? Åhlund heeft gemeld dat beide vrouwen ongehuwd zijn en in dezelfde villawijk van Stockholm in het bevolkingsregister staan ingeschreven. Ze werken alle twee in het noordwesten van de stad als jurist bij de gemeente.'

'Twee vrouwen die kennelijk hun hele leven bevriend zijn gebleven,' zegt Jeanette. 'Zoek verder. Ga na of het rondbellen iets heeft opgeleverd en laat Schwarz registers en plaatselijke kranten napluizen. We wachten nog even voordat we bij ze langsgaan. Ik wil niet dat we ons belachelijk maken, we hebben aanzienlijk meer nodig. Op dit moment is Victoria Bergman interessanter.'

'En Madeleine Silfverberg?'

'De Franse autoriteiten kunnen ons niet veel vertellen en kennelijk is het een bureaucratie van jewelste. Het enige wat we hebben gekregen is een adres in de Provence en we hebben niet bepaald de middelen om daar op dit moment naartoe te gaan, al zal dat uiteraard wel moeten als we verder overal vastlopen.'

Hurtig is het met haar eens; ze verlaten de kamer en Jeanette gaat naar Lars Mikkelsen, die bij de koffieautomaat staat. Hij heeft twee bekertjes in zijn handen en glimlacht naar haar.

'Jij drinkt je koffie toch zonder suiker en melk?' Hij geeft haar een bekertje aan. 'Zelf wil ik zoveel suiker dat het lepeltje rechtovereind blijft staan.' Hij grijnst. 'Mijn vrouw zegt altijd dat ik suiker met koffie drink.'

Jeanette pakt het bekertje aan. 'Fijn dat je kon komen. Zullen we op mijn kamer gaan zitten?'

Lars Mikkelsen blijft bijna een uur en vertelt dat hij het onderzoek naar

Victoria Bergman toegewezen had gekregen toen hij nog vrij onervaren was.

Natuurlijk was het heel zwaar geweest om zich in Victoria's lot te verdiepen, maar het had hem er ook van overtuigd dat hij de juiste beroepskeuze had gemaakt.

Hij wilde meisjes zoals zij helpen, jongens trouwens ook, al waren die in de statistieken altijd ondervertegenwoordigd.

'We krijgen elk jaar zo'n negenhonderd aangiften van seksueel misbruik binnen.' Mikkelsen zucht en verfrommelt het lege koffiebekertje. 'In ruim tachtig procent van de gevallen gaat het om mannelijke daders en vaak is het iemand die het kind kent.'

'Maar hoe gewoon is het eigenlijk?'

'In de jaren negentig is er een groot onderzoek onder zeventienjarigen gehouden, waaruit bleek dat één op de acht meisjes wel een keer seksueel was misbruikt.'

Jeanette maakt snel een sommetje in haar hoofd. 'Het is dus aannemelijk dat er in een normale schoolklas in elk geval één meisje is dat een duister geheim met zich meedraagt. Misschien zelfs twee.' Ze denkt aan de meisjes in Johans klas. Waarschijnlijk kent hij iemand die seksueel wordt misbruikt.

'Ja, inderdaad. Onder jongens is het cijfer naar schatting één op de vijfentwintig.'

Ze zwijgen even en denken na over de sombere statistiek.

Jeanette is de eerste die weer iets zegt. 'Dus jij kreeg Victoria toegewezen?'

'Ja, ik werd gebeld door een psycholoog van het ziekenhuis in Nacka, die zich zorgen maakte om een patiënt. Maar ik herinner me niet hoe ze heette.'

'Sofia Zetterlund,' zegt Jeanette gauw.

'Ja, dat klinkt bekend. Ik geloof inderdaad dat ze zo heette.'

'Zegt die naam je verder niets?'

Lars Mikkelsen kijkt verwonderd. 'Nee, zou dat moeten?'

'De psycholoog met wie je contact had in de zaak-Karl Lundström heet ook zo.'

'Verhip. Ja, nu je het zegt...' Mikkelsen wrijft over zijn kin. 'Grappig.

Maar ik heb haar slechts een paar keer aan de telefoon gehad en ik ben niet goed in het onthouden van namen.'

'Het is gewoon een van de vele toevalligheden in deze zaak.' Jeanette wijst met haar hand naar alle mappen en stapels op haar bureau. 'Je moest eens weten hoe ingewikkeld het begint te worden. Toch ben ik ervan overtuigd dat er op de een of andere manier een verband is. En de naam van Victoria Bergman duikt overal op. Wat is er toen eigenlijk gebeurd?'

Hij denkt na. 'Sofia Zetterlund nam contact met me op omdat ze veel gesprekken met dat meisje had gehad en tot de slotsom was gekomen dat haar situatie radicaal moest veranderen. Dat het nodig was om buitengewone maatregelen te treffen.'

'Zoals een beschermde identiteit? Maar tegen wie moest ze worden beschermd?'

'Haar vader.' Mikkelsen haalt diep adem en gaat verder. 'Je moet niet vergeten dat het misbruik al was begonnen toen het meisje nog klein was, in het midden van de jaren zeventig, en destijds was de wetgeving heel anders. In die tijd heette het seksuele ontucht met een nakomeling, en de wet werd pas in 1984 veranderd.'

'In mijn papieren staat niets over een rechterlijk vonnis. Waarom deed ze geen aangifte tegen haar vader?'

'Dat weigerde ze vierkant. Ik heb daar uitgebreid over gesproken met de psycholoog, maar dat mocht niet baten. Victoria zei dat ze alles zou ontkennen als wij aangifte deden. Het enige wat we hadden was de documentatie van haar letsel. Voor de rest waren het alleen maar aanwijzingen en in die tijd was dat onvoldoende als bewijs.'

'Als Bengt Bergman nu zou zijn veroordeeld, wat had hij dan voor straf gekregen?'

'Tussen de vier en vijf jaar. Bovendien zou hij een schadevergoeding van misschien wel een half miljoen kronen moeten hebben betaald.'

'De tijden veranderen,' zegt Jeanette korzelig.

'Ja, en ondertussen weten we welke invloed dit soort misbruik op het slachtoffer heeft. Zelfdestructie en zelfmoordpogingen zijn niet ongebruikelijk. Als volwassene krijgen ze zonder uitzondering te kampen met angsten en slaapproblemen. Dan is er nog de psychische druk, die een normale liefdesrelatie bemoeilijkt, en je begrijpt waarom er tegenwoordig relatief hoge schadevergoedingen worden toegekend. De daad van de volwassen man heeft simpelweg invloed op het hele verdere leven van het kind.'

'Ze moeten er gewoon flink voor dokken.' Dat klinkt misschien ironisch, maar Jeanette kan het niet opbrengen uit te leggen wat ze bedoelt. Ze neemt aan dat Mikkelsen haar wel begrijpt. 'Wat hebben jullie gedaan?'

'De psycholoog Sofia Zetterberg...'

'Zetterlund,' corrigeert Jeanette hem, en ze begrijpt dat Mikkelsen niet heeft overdreven over zijn slechte geheugen voor namen.

'O, ja. Zij vond het buitengewoon belangrijk dat Victoria van haar vader werd gescheiden en de mogelijkheid kreeg om ergens anders opnieuw te beginnen, onder een nieuwe naam.'

'Dus toen hebben jullie dat geregeld?'

'Ja. We hadden ook hulp van forensisch arts Hasse Sjöquist.'

'Dat heb ik in mijn papieren gezien. Hoe was het om met Victoria te praten?'

'We kregen een goede verstandhouding en na verloop van tijd ontstond er een soort band. Misschien anders dan met de psycholoog, maar er was een vorm van vertrouwen.'

Jeanette kijkt Mikkelsen aan en beseft waarom Victoria zich veilig bij hem heeft gevoeld. Hij boezemt vertrouwen in en volgens haar kan hij goed met kinderen overweg. Als een grote broer, die voor je opkomt als de andere kinderen gemeen zijn. Mikkelsens ogen stralen ernst uit, maar hij heeft ook een luchtige nieuwsgierigheid, die aanstekelijk werkt. Ze begrijpt dat zijn werk zijn passie is.

Soms voelt ze het zelf ook zo. De wil om het leven een beetje beter te maken, al is het alleen maar in haar eigen hoekje van de wereld.

'Jullie hebben dus een nieuwe identiteit voor Victoria Bergman geregeld?'

'Ja, de rechtbank in Nacka stelde zich ook op ons standpunt en besloot alles geheim te verklaren. Zo werkt dat, en ik heb dus geen flauw idee hoe ze tegenwoordig heet of waar ze woont, maar ik hoop dat het goed met haar gaat. Al moet ik zeggen dat ik dat betwijfel.' Mikkelsen kijkt ernstig.

'Ik zit nu met een groot probleem, omdat ik bang ben dat Victoria Bergman degene is die ik zoek.'

Mikkelsen kijkt Jeanette niet-begrijpend aan.

In het kort vertelt ze wat Hurtig en zij hebben ontdekt en ze benadrukt hoe dringend het is dat ze Victoria vinden. Al is het maar om haar uit het onderzoek te kunnen schrappen.

Mikkelsen belooft contact op te nemen als hij zich meer herinnert en ze nemen afscheid.

Jeanette ziet dat het bijna vijf uur is en besluit dat Sofia Zetterlund de oudere tot morgen moet wachten, eerst wil ze met haar eigen Sofia praten.

Ze stopt haar spullen in haar tas en loopt naar de auto om naar huis te gaan. Ze toetst het nummer in, klemt de telefoon tussen haar schouder en rijdt achteruit de parkeerplek af.

De telefoon gaat over, maar niemand neemt op.

Victoria Bergman, Vita bergen

Het had anders kunnen zijn. Het had goed kunnen zijn.
Aangenaam kunnen zijn geweest.
Als hij maar anders was geweest. Als hij maar goed was geweest.

Sofia zit op de keukenvloer.

Ze mompelt voor zich uit, wiegt heen en weer.

'Ik ben de weg en de waarheid en het leven; niemand komt tot vader dan door mij.'

Als ze opkijkt naar de koelkastdeur en de grote hoeveelheid aantekeningen, papiertjes en uitgescheurde krantenartikelen ziet, proest ze het uit van het lachen. Het speeksel vliegt uit haar mond.

Ze kent het psychologische fenomeen *L'homme du petit papier*. De man met de briefjes.

Het dwangmatige gedrag om altijd en overal op te schrijven wat je waarneemt.

Je zakken te vullen met kleine, beduimelde notitiebriefjes en interessante krantenartikelen.

Altijd pen en papier binnen handbereik.

Asociale kameraad.
Unsocial mate.
Solace Aim Nut.

In Sierra Leone kreeg ze een nieuw maatje. Een asociale kameraad, die ze de naam Solace Aim Nut gaf.

Een anagram van *unsocial mate.*

Het was een woordspelletje geweest, maar wel een spelletje in alle ernst.

Een van haar overlevingsstrategieën was om fantasiepersonen te creëren die het konden overnemen als de eisen die haar vader aan Victoria stelde te moeilijk werden.

Ze heeft haar schuld in haar persoonlijkheden vereffend.

Elke blik, elk gefluit, elk veelbetekenend gebaar heeft ze uitgelegd als een beschuldiging ten aanzien van haar onwaardigheid.

Ze is altijd al vuil geweest.

'Indien wij onze zonden belijden, Hij is getrouw en rechtvaardig, om ons te zuiveren van alle ongerechtigheid.'

Verdwaald in haar innerlijk labyrint morst ze wat wijn op de tafel.

'Want Ik verkwik de vermoeide ziel, elke versmachtende ziel verzadig Ik.'

Ze schenkt een tweede glas wijn in en drinkt het leeg voordat ze naar de badkamer gaat.

'Gij die voor Gad een tafel aanricht en voor Meni mengdrank schenkt: Ik zal u voor het zwaard bestemmen en gij zult allen moeten neerknielen om geslacht te worden.'

Hongervuur, denkt ze.

Als het hongervuur dooft, sterf je.

Ze luistert naar het innerlijke geruis en het bloed dat in haar aderen brandt. Uiteindelijk zal het vuur langzaam doven en dan verkoolt het hart en wordt een grote, zwarte vlek.

Ze schenkt wijn bij, spoelt haar gezicht af, slikt en snikt, maar zet zich ertoe het glas leeg te drinken, gaat op de toiletpot zitten, droogt haar gezicht af met een badstof handdoek, gaat staan en maakt zich op.

Als ze klaar is, bekijkt ze zichzelf.

Ze ziet er goed uit.

Goed genoeg voor het doel.

Ze weet dat ze nooit lang hoeft te wachten wanneer ze met een verveeld gezicht aan de bar gaat staan.

Ze heeft het al zo vaak gedaan.

Bijna elke avond.

Jarenlang.

De schuldgevoelens hebben als troost gefungeerd omdat ze zich in de schuld zeker voelt. Ze heeft zich verdoofd en naar bevestiging gezocht bij mannen die alleen zichzelf zien en daarom geen bevestiging kunnen geven. De schaamte wordt een bevrijding.

Maar ze wil niet dat ze iets anders zien dan de buitenkant. Nooit mogen ze bij haar naar binnen kijken.

Daarom zijn haar kleren soms vies en kapot. Vol grasvlekken als ze op haar rug in een park heeft gelegen.

Als ze klaar is, gaat ze terug naar de keuken, pakt de wijnfles en loopt naar de slaapkamer. Ze drinkt rechtstreeks uit de fles terwijl ze een zwarte jurk uit haar kledingkast pakt. Ze wurmt zich erin, struikelt, giechelt en kijkt ten slotte in de spiegel. Ze weet dat dit een moment is dat morgen een gat in haar geheugen zal zijn. Hoe graag ze zich ook wil herinneren wat ze op dit ogenblik denkt, het zijn gedachten die nooit zullen terugkeren.

Als vliegen op een suikerklontje.

Ze zullen erom strijden wie haar het duurste drankje kan aanbieden. De winnaar krijgt een lichte streling over zijn handpalm en na het derde drankje haar dij in zijn kruis. Ze is echt en haar glimlach is altijd oprecht.

Ze weet wat ze wil dat ze met haar doen en ze is daar altijd duidelijk over.

Maar om te kunnen glimlachen heeft ze meer wijn nodig, denkt ze en ze neemt een slok uit de fles.

Ze merkt dat ze huilt, maar dat is slechts vocht op haar wangen en ze veegt het voorzichtig met de onderkant van haar duim weg. De buitenkant mag niet beschadigd raken.

Plotseling gaat de telefoon die in haar jaszak zit en ze waggelt naar de hal.

Het geluid is intens, als een spijker dwars door je trommelvlies, en als ze de telefoon eindelijk vindt, is die al tien keer gegaan.

Ze ziet dat het Jeanette is, drukt op WEIGEREN en zet de mobiel daarna uit. Ze loopt naar de woonkamer en gaat met een plof op de bank zitten. Ze begint in een tijdschrift te bladeren dat op tafel ligt en komt bij de middelste pagina's.

Zoveel tijd verstreken en toch hetzelfde leven, dezelfde noodzakelijkheid.

Een vrolijke foto van een achthoekige toren.

Ze knijpt haar ogen door haar roes heen samen, focust haar blik en ziet dat het een pagode naast een boeddhistische tempel is. Het artikel gaat over een themareis naar Wuhan, de hoofdstad van de provincie Hubei, op de oostelijke oever van de Blauwe Rivier.

Wuhan.

Er staat een reportage naast over Gao Xingjian, winnaar van de Nobelprijs voor de literatuur, met een grote foto van zijn roman *One Man's Bible.*

Gao.

Ze legt het blad neer en loopt naar de boekenkast, zoekt naar iets, kan de kleine letters slechts met moeite onderscheiden, haalt diep adem om haar lichaam te laten ophouden met wiebelen, zoekt steun bij een plank en vindt uiteindelijk wat ze zoekt.

Voorzichtig trekt ze een boek met een versleten leren kaft naar voren.

Het is een verzameling van acht essays over de kunst van het leven van Gao Lian uit 1591.

Ze ziet de vergrendeling die de boekenkast op zijn plek houdt.

Gao Lian.

Gao Lian uit Wuhan.

In eerste instantie aarzelt ze, dan tilt ze de haak op en met een zacht, nauwelijks hoorbaar gepiep glijdt de deur open.

Het Klara sjö

Het kantoor van Kenneth von Kwist is een kieskeurig ingerichte en zeer mannelijke werkkamer met zwarte leren stoelen, een groot bureau en veel naturalistische kunstwerken.

Aan de muur achter het bureau hangt een groot schilderij van een hoge berg.

Sneeuw en storm.

Hij heeft een branderig gevoel in zijn buik, maar schenkt toch een flink glas whisky in en geeft de fles dan aan Viggo Dürer, die zijn hoofd schudt.

Von Kwist heft het glas, nipt voorzichtig en geniet van het sterke, rokerige aroma.

De ontmoeting met Viggo heeft tot nu toe niets veranderd, ten goede noch ten kwade. De advocaat heeft wel bekend dat hij de familie Lundström meer dan alleen oppervlakkig kent.

Zijn inmiddels overleden echtgenote Henrietta en Annette Lundström hebben bij elkaar op school gezeten en na hun eindexamen contact met elkaar gehouden. Door de jaren heen zijn de beide gezinnen regelmatig bij elkaar op visite geweest, al was dat hoogstens een paar keer per jaar en is het laatste bezoek alweer een tijd geleden.

Tien jaar geleden zijn Viggo en Henrietta met de auto naar Kristianstad gegaan en hebben een weekend bij de familie Lundström gelogeerd, maar het enige wat Viggo over dat verblijf heeft verteld is dat de dochter, Linnea, lastig en zeurderig was geweest.

Verder hadden ze een gezellige tijd gehad.

De mannen hadden overdag gegolft en de vrouwen hadden het eten op tafel staan als ze thuiskwamen.

'De laatste keer dat we elkaar hebben gezien, was bij de begrafenis van Henrietta.' Viggo Dürer maakt een smakkend geluid. 'Daarna heb ik geen enkel contact meer met ze gehad. En nu is Karl ook dood...'

'Viggo...' onderbreekt officier van justitie Kenneth von Kwist hem met een diepe uitademing. 'We kennen elkaar al lang en ik ben er altijd voor je geweest, net zoals jij altijd voor mij klaar hebt gestaan als ik je hulp nodig had.'

Viggo Dürer knikt. 'Inderdaad.'

'Maar ik weet niet of ik je nu kan helpen. Feit is dat ik niet eens weet of ik dat wel wil.'

'Wat zeg je me nou?' Viggo Dürer kijkt hem niet-begrijpend aan.

'Ik heb onlangs contact gehad met een psycholoog, omdat naar voren is gekomen dat Karl zware medicijnen slikte toen hij het misbruik van Linnea bekende.'

'Ja, dat was een nare geschiedenis.' Viggo Dürer huivert en trekt een niet al te geloofwaardig walgend gezicht. 'Maar wat heeft dat met mij te maken?'

'Sofia Zetterlund, de psycholoog die met Karl heeft gesproken, was ervan overtuigd dat de medicatie geen invloed had gehad op zijn beoordelingsvermogen, en bovendien kan zijn dochter zijn verhalen bevestigen. Zij is trouwens ook in therapie bij Sofia Zetterlund.'

'Hè? Is het meisje in therapie?' Viggo Dürer kijkt verbaasd. 'Ik dacht dat Annette...' Hij houdt zijn mond en Kenneth von Kwist reageert op zijn plotselinge zwijgen.

'Wat is er met Annette?'

Dürer kijkt weg. 'Nee, niets. Ik dacht alleen dat het beter met ze ging nu alles achter de rug was. De zaak tegen Karl zal toch wel geseponeerd zijn nu hij dood is?'

Iets in Viggo Dürers manier van doen bevestigt Von Kwists vermoeden dat Sofia Zetterlund waarschijnlijk toch gelijk heeft.

'Uiteraard is die zaak geseponeerd, maar nu beweert Linnea dat jij ook betrokken was bij... tja, hoe moet ik het noemen... de activiteiten van Karl.'

'Verdomme.' Viggo Dürer is lijkbleek en grijpt naar zijn borst.

'Gaat het wel goed met je?'

De advocaat kreunt en ademt een paar keer diep in en uit voordat hij zijn hand in een afwerend gebaar opsteekt. 'Niets aan de hand,' zegt hij dan. 'Maar wat je zegt is buitengewoon zorgwekkend.'

'Dat weet ik. Daarom moet je pragmatisch zijn. Als je begrijpt wat ik bedoel.'

Viggo Dürer knikt. Hij lijkt zijn kracht te hebben hervonden.

'Ik regel het.'

Bene vita, Victoria Bergman, Vita bergen

Bene vita. Goed leven.
Het had anders kunnen zijn. Het had goed kunnen zijn.
Aangenaam kunnen zijn geweest.
Als hij maar anders was geweest. Als hij maar goed was geweest.
Maar aangenaam was geweest.

Overal tekeningen. Honderden, misschien wel duizenden kinderlijke, naïeve tekeningen verspreid over de vloer of opgehangen op de muur.

Allemaal heel gedetailleerd, maar gemaakt door een kind.

Ze ziet het huis in Grisslinge, voor en na de brand, en daar heb je het zomerhuisje in Dala Floda.

Een vogel met jongen in een nest, voor- en nadat Victoria er met de stok in heeft gestoken.

Een klein meisje bij een vuurtoren. Madeleine, haar kleine meid, die ze haar hebben afgepakt.

Ze herinnert zich de middag dat ze Bengt vertelde dat ze zwanger was.

Bengt was uit zijn stoel opgevlogen en had er geschrokken uitgezien. Hij was op haar afgestormd en had geroepen: 'Staan, jij!'

Daarna had hij haar bij haar armen gegrepen en haar van de bank gesleurd.

'Springen, verdomme!'

Ze hadden tegenover elkaar gestaan en hij had in haar gezicht gehijgd. Naar knoflook geroken.

'Springen!' had hij herhaald. Ze herinnert zich dat ze haar hoofd had geschud. Nooit, had ze gedacht. Zover krijg je me niet.

Toen had hij haar onder haar armen vastgepakt en haar opgetild. Ze had zich verzet, maar hij was te sterk geweest. Hij had haar naar de keldertrap gedragen.

Ze had gehuild.

Ze had wild om zich heen geschopt, doodsbenauwd dat hij haar van de trap zou gooien.

Maar voordat ze bij de bovenste tree waren, had hij haar losgelaten en ze was snel naar de muur gekropen en gaan zitten. 'Raak me niet aan!'

Ze herinnert zich dat hij ook had gehuild toen hij weer op de fauteuil was gaan zitten en haar de rug had toegekeerd.

Ze kijkt om zich heen in de kamer die ze als toevluchtsoord heeft gebruikt. Tussen alle tekeningen en briefjes op de muren ziet ze een krantenartikel over Chinese vluchtelingkinderen die met een vals paspoort, een mobieltje en vijftig Amerikaanse dollars naar het vliegveld Arlanda komen. En dan verdwijnen. Honderden per jaar.

Een kader met gegevens over het hukousysteem.

In de hoek de hometrainer die ze zelf heeft gebruikt. Uren heeft ze gefietst, waarna ze zich heeft ingesmeerd met lekker geurende oliën.

Ze herinnert zich hoe Bengt haar hand had gegrepen en die stevig had vastgeklemd. 'Op tafel jij,' had hij gesnikt, zonder haar aan te kijken. 'Op tafel, verdomme!'

Het was alsof ze zich in een ander lichaam had bevonden toen ze uiteindelijk op de tafel was geklommen en zich naar hem had omgedraaid.

'Springen...'

Ze was gesprongen. Op tafel geklommen en weer gesprongen. En nog een keer. En nog een keer.

Na een paar minuten was hij weggegaan, maar zij was als in trance blijven springen, tot het Afrikaanse meisje van de trap af was gekomen. Ze had haar masker op gehad. Haar gezicht was koud en uitdrukkingsloos geweest. Zwarte, lege oogkassen waar niets achter zat.

Het ging niet dood, denkt Sofia.

Ze leeft.

Solrosen

De volgende ochtend gaat Jeanette rechtstreeks naar Midsommarkransen om Sofia Zetterlund de oudere te spreken. Na lang zoeken vindt ze een parkeerplaats in de buurt van het metrostation en ze zet de motor van de oude Audi uit.

Ondanks alle reparaties het afgelopen jaar vertoont de auto steeds weer gebreken. Het is alsof de monteurs telkens als ze een oud mankement repareren een nieuw aanbrengen. Als er niet iets mis is met het koelaggregaat, de cilinderkop of de ventilatorriem, dan zijn de banden niet goed afgesteld, zit er een gat in de uitlaat of is er gedoe met de versnellingsbak. Als ze de motor uitzet, klinkt het alsof die ademnood heeft, een nat gerochel, gevolgd door een zucht. Ze vermoedt dat de analoge mechanica te lijden heeft onder het vochtige weer van de afgelopen tijd.

Het woonzorgcentrum waar Sofia Zetterlund ingeschreven staat, ligt in een van de gele functionalistische gebouwen in de buurt van het Svandammspark.

Jeanette heeft de stadsdelen Aspudden en Midsommarkransen altijd al mooi gevonden; ze zijn in de jaren dertig gebouwd en het zijn net kleine steden in de stad. Vast en zeker een goede plek om je laatste jaren door te brengen, denkt ze.

Maar ze weet ook dat de idylle barsten vertoont. Tot maar een jaar geleden was de motorclub Bandidos een paar straten verderop gehuisvest.

Jeanette passeert de bioscoop Tellus, loopt nog een paar straten door en gaat rechts een kleine weg in. Bij de eerste portiek aan de linkerkant hangt een bordje dat haar welkom heet bij Woonzorgcentrum Solrosen.

Ze rookt een sigaret voor ze naar binnen gaat en denkt aan Sofia Zetterlund de jongere.

Komt het door haar dat ze zoveel is gaan roken? Ze zit nu op ruim een pakje per dag en heeft zichzelf er al een paar keer op betrapt dat ze het voor Johan probeert te verbergen, als een stiekem rokende tiener.

Maar door de nicotine denkt ze beter. Vrijer en sneller. En nu denkt ze aan Sofia Zetterlund, de Sofia Zetterlund op wie ze verliefd is.

Verliefd? Wat is dat?

Ze had het er een keer met Sofia over gehad, die haar met een volledig nieuwe kijk op het begrip had geconfronteerd. Voor Sofia heeft verliefdheid niets te maken met kriebels in je lichaam en is het niet iets raadselachtigs en prettigs. Zoals Jeanette het zelf ervaart.

Sofia had gezegd dat verliefdheid, verliefd zijn, hetzelfde is als psychotisch zijn.

Het onderwerp van de liefde is slechts een ideaalbeeld dat niet overeenkomt met de werkelijkheid en degene die verliefd is, is dat alleen maar op het gevoel van verliefdheid. Sofia had het vergeleken met een kind dat een huisdier eigenschappen toeschrijft die het niet heeft, en Jeanette had begrepen wat ze bedoelde, maar zich toch gekwetst gevoeld omdat ze even tevoren tegenover Sofia had bekend verliefd op haar te zijn.

Sofia Zetterlund, denkt ze. Hoe kan het verdomme zo bizar zijn dat ik hier sta te wachten op een gesprek met nóg een Sofia Zetterlund?

Ze heeft Sofia de jongere zelf om hulp gevraagd in de zaak van Victoria Bergmans vader. En zo meteen zal ze Sofia de oudere ontmoeten, die ook psycholoog is en haar misschien informatie kan geven over de hoofdverdachte in haar lopende onderzoek, Victoria Bergman zelf.

Ze dooft haar sigaret en belt aan bij Woonzorgcentrum Solrosen.

Nu gaat het om Sofia de oudere.

Na een kort gesprek met de directrice wordt ze naar de gemeenschappelijke huiskamer gebracht.

De tv staat hard en laat een herhaling van een Amerikaanse comedy uit de jaren tachtig zien. Er zitten twee mannen en drie vrouwen op het bankstel, maar niemand lijkt echt geïnteresseerd in het programma.

Aan de andere kant van de kamer, bij de balkondeur, zit een vrouw in een rolstoel door het raam naar buiten te staren.

Ze is heel mager en draagt een lange blauwe jurk, die haar benen tot aan haar tenen bedekt. Haar haar is helemaal wit en valt tot op haar middel. Ze is fel opgemaakt met blauwe oogschaduw en knalrode lippenstift.

'Sofia?' De directrice loopt naar de vrouw in de rolstoel en legt een hand op haar schouder. 'Je hebt visite. Jeanette Kihlberg van de politie in

Stockholm wil met je praten over een van je vroegere patiënten.'

'Het heet "cliënten".' Het antwoord van de oude vrouw komt snel en haar toon is niet helemaal zonder verachting.

Jeanette trekt een spijlenstoel bij en vertelt waar ze voor komt, maar de oude vrouw keurt haar geen blik waardig.

'Ik ben hier zoals gezegd om u wat vragen te stellen over een van uw oude cliënten,' zegt Jeanette. 'Een jonge vrouw die u twintig jaar geleden heeft ontmoet.'

Geen reactie.

De oude vrouw houdt haar blik strak op iets buiten gericht. Haar ogen zien er wazig uit.

Waarschijnlijk heeft ze grauwe staar, denkt Jeanette. Misschien is ze ook wel blind.

'Het meisje was zeventien toen u haar behandelde,' probeert ze. 'Ze heette Victoria Bergman. Zegt die naam u iets?'

Eindelijk draait de vrouw haar hoofd om en Jeanette meent een glimlach op het oude gezicht te zien. Het lijkt iets zachter te worden.

'Victoria,' zegt Sofia de oudere. 'Natuurlijk herinner ik me haar.'

Jeanette ademt uit. Ze besluit meteen ter zake te komen en schuift haar stoel dichterbij. 'Ik heb een foto van Victoria bij me. Ik weet niet hoe goed u kunt zien, maar zou u haar kunnen identificeren?'

Sofia glimlacht breed. 'Nee, dat gaat niet. Ik ben al twee jaar blind. Maar ik kan beschrijven hoe ze er destijds uitzag. Blond haar, blauwe ogen, iets gemêleerd. Een mooi gezicht, een rechte, smalle neus en volle lippen. Het was een bijzonder gezicht. Ze had een scheef glimlachje en haar blik was intens, aanwezig.'

Jeanette knikt naar de foto van het ernstige meisje in het jaarboek. Het uiterlijk komt overeen met de beschrijving van de oude vrouw. 'Wat is er na uw behandeling met haar gebeurd?'

Sofia lacht weer. 'Met wie?' antwoordt ze.

Jeanette wordt wantrouwend. 'Met Victoria Bergman.'

De afwezige uitdrukking op Sofia's gezicht keert terug en na een korte stilte herhaalt Jeanette haar vraag.

'Weet u wat er na uw therapie met Victoria Bergman is gebeurd?'

Opnieuw verschijnt er een glimlach op Sofia's gezicht. 'Victoria? Ja, haar herinner ik me nog wel.' Dan vervaagt de glimlach en de vrouw wrijft met haar hand over haar wang. 'Zit mijn lippenstift goed? Is die niet uitgelopen?'

'Nee, u ziet er keurig uit,' antwoordt Jeanette. Maar ze vreest dat Sofia Zetterlund problemen heeft met haar kortetermijngeheugen. Vermoedelijk alzheimer.

'Victoria Bergman heeft een beschermde identiteit gekregen. Heeft u haar daarna nog ontmoet?'

Sofia kijkt weifelend. 'Victoria Bergman,' zegt ze luid.

Een van de oude mannen die op de bank tv zitten te kijken, draait zich naar hen om. 'Victoria Bergman is een jazzzangeres,' knarst hij. 'Ze was gisteren nog op de buis.'

Jeanette glimlacht naar de man, die tevreden knikt.

'Victoria Bergman,' herhaalt Sofia. 'Een merkwaardige geschiedenis. Maar ze was geen jazzzangeres en ik heb haar nog nooit op tv gezien. U ruikt trouwens naar rook... Heeft u een sigaret voor mij?'

De wendingen in hun conversatie verwarren Jeanette. Het is duidelijk dat het Sofia Zetterlund moeite kost om de draad van het gesprek vast te houden, maar dat betekent natuurlijk niet dat haar langetermijngeheugen buitenspel is geplaatst.

'Binnen mag helaas niet worden gerookt,' zegt Jeanette.

Sofia's antwoord is waarschijnlijk niet helemaal waarheidsgetrouw. 'Jawel hoor, op mijn kamer mag dat wel. Rijd me daar maar heen, dan roken we even een sigaretje.'

Jeanette schuift de spijlenstoel terug, staat op en draait voorzichtig Sofia's rolstoel om. 'Oké, dan gaan we op uw kamer zitten. Waar is die?'

'De laatste deur van de gang rechts.'

Sofia lijkt helderder. Misschien dat het komt doordat ze zo direct een sigaret krijgt, of doordat ze iemand heeft om mee te praten.

Jeanette gebaart naar de directrice dat ze zich even willen terugtrekken.

Eenmaal in de kamer staat Sofia erop in de fauteuil te zitten en Jeanette helpt de oude vrouw uit de rolstoel. Zelf gaat ze aan de kleine tafel bij het raam zitten.

'Nu steken we er een op,' zegt Sofia.

Jeanette geeft haar de aansteker en het pakje sigaretten aan, waarop Sofia er geroutineerd een aansteekt. 'In de wandkast staat een asbak, naast Freud.'

Freud? Jeanette draait zich om.

In de kast achter zich vindt ze inderdaad een asbak, een groot kristallen geval, naast een glazen sneeuwbol, een met water gevulde sierbol waarin het sneeuwt als je hem heen en weer schudt.

Meestal stelt de achtergrond in zo'n bol spelende kinderen, een sneeuwpop of een ander wintertafereel voor. Maar in die van Sofia is een afbeelding van een zeer ernstig kijkende Sigmund Freud te zien.

Jeanette staat op om de asbak te pakken. Als ze bij de plank staat, kan ze het niet nalaten de sneeuwbol even heen en weer te schudden.

Freud is ingesneeuwd, denkt ze. Sofia Zetterlund heeft in elk geval humor.

'Dank u,' zegt de vrouw als Jeanette haar de asbak aangeeft.

Daarna herhaalt Jeanette haar vraag. 'Heeft u Victoria Bergman ooit weer ontmoet nadat ze een beschermde identiteit had gekregen?'

De oude vrouw lijkt alerter met een sigaret in haar hand. 'Nee, nooit. Er was een nieuwe wet ten aanzien van beschermde persoonsgegevens van kracht geworden, dus niemand weet hoe ze tegenwoordig heet.'

Tot zover niets nieuws, behalve dat Jeanette bevestigd heeft gekregen dat er niets mankeert aan het langetermijngeheugen van de oude vrouw.

'Had ze speciale kenmerken? Ik heb de indruk dat u zich haar uiterlijk heel goed herinnert.'

'O, ja,' zegt Sofia. 'Ze was heel mooi.'

Jeanette wacht op een vervolg, maar als dat niet komt stelt ze dezelfde vraag nog een keer en pas dan geeft Sofia antwoord.

'Het was een heel intelligent meisje. Eigenlijk intelligenter dan goed voor haar was, als u begrijpt wat ik bedoel.'

'Nee. Wat bedoelt u?'

Sofia's antwoord heeft niet veel met Jeanettes vraag te maken. 'Ik heb haar sinds de herfst van 1988 niet meer persoonlijk ontmoet. Maar tien jaar later heb ik een brief van haar gekregen.'

Geduld, denkt Jeanette.

'Weet u nog wat er in die brief stond?'

Sofia hoest en tast naar de asbak. Jeanette schuift hem naar haar toe. Dan is de afwezige uitdrukking op het gezicht van de vrouw weer terug. 'Wat maken die twee een ruzie,' zegt ze, terwijl ze langs Jeanette heen kijkt. Zij draait zich in een reflex om, maar begrijpt meteen dat de vrouw over iets ondoorgrondelijks uit haar fantasie of het verleden praat.

'Herinnert u zich de brief die u van Victoria Bergman heeft gekregen?' probeert Jeanette nog een keer. 'Die ze u heeft geschreven nadat ze een nieuwe identiteit had gekregen.'

'De brief van Victoria. Ja, die herinner ik me nog goed.' Sofia's glimlach is terug.

'Weet u nog wat ze schreef?'

'Dat weet ik niet meer. Maar dat kan ik opzoeken...'

Nee maar, denkt Jeanette. Zou ze de brief hier hebben?

Sofia maakt aanstalten om te gaan staan, maar vertrekt haar gezicht van de pijn.

'Wacht even, dan ondersteun ik u.' Jeanette helpt de vrouw weer in de rolstoel en vraagt waar ze heen wil.

'De brief ligt in mijn werkkamer, de deur rechts als we in de keuken zijn. U mag me naar de dossierkast rijden, maar als ik hem openmaak moet ik u verzoeken de kamer te verlaten. Er zit een codeslot op de kast en de inhoud is vertrouwelijk.'

In de kamer waar ze zijn, bevinden zich weliswaar kasten en planken, maar dat is alles. Eén kamer en een badkamer.

Jeanette begrijpt dat Sofia in gedachten terug in de tijd is gegaan, naar een huis van vroeger.

'U hoeft me de brief niet te laten zien,' zegt Jeanette. 'Herinnert u zich wat ze schreef?'

'Niet woordelijk natuurlijk. Maar hij ging grotendeels over haar dochter.'

'Haar dochter?' Jeanette wordt nieuwsgierig.

'Ja. Ze had een kind gekregen, dat ze ter adoptie had afgestaan. Ze was er nogal zwijgzaam over, maar ik weet dat ze in het begin van de zomer van 1988 op reis is gegaan om het kind te zoeken. Ze woonde destijds bij mij. Bijna twee maanden.'

'Ze woonde bij u?'

De oude vrouw kijkt opeens erg ernstig. Het is alsof haar huid zich spant en de ontelbare rimpels glad worden getrokken. 'Ja. Ze had zelf-moordneigingen en ik zag het als mijn plicht om voor haar te zorgen. Ik had Victoria nooit laten gaan als ik er niet van overtuigd was geweest dat het absoluut noodzakelijk voor haar was het kind terug te zien.'

'Waar ging ze naartoe?'

Sofia Zetterlund schudt haar hoofd. 'Dat weigerde ze te vertellen. Maar toen ze terugkwam, was ze sterker.'

'Sterker?'

'Ja. Alsof ze iets zwaars achter zich had gelaten. Maar wat ze in Kopen-hagen met haar hebben gedaan was verkeerd. Zo mag je niemand behan-delen.'

Verleden

Maar aangenaam was geweest.

'Voor mij zijn jullie dood!' schrijft Victoria onderaan op de ansichtkaart die ze op het centraal station in Stockholm op de bus doet. De voorkant toont het koninklijk paar; koning Carl xiv Gustaf zit op een vergulde stoel en de koningin staat glimlachend naast hem en laat blijken dat ze trots is op haar man, dat ze de onderdanige is die haar levensgezel trouw gehoorzaamt.

Net mama, denkt ze en ze gaat het metrostation in.

Victoria vindt dat de glimlach van koningin Silvia doet denken aan die van de Joker, de lippen in een rode snee van oor tot oor geopend. Ze herinnert zich dat iemand heeft verteld dat de koning privé een klootzak is, dat hij wanneer hij de inwoners van Arboga niet uitmaakt voor inwoners van Örebro, lucifers op de koningin afschiet, puur en alleen om haar te vernederen.

Het is midzomeravond en dus vrijdag. Victoria vraagt zich af hoe het kan dat een traditie die aanvankelijk met de zomerzonnewende te maken had, tegenwoordig altijd op de derde vrijdag van juni valt, ongeacht de stand van de zon.

Jullie zijn slaven, denkt ze en ze kijkt vol verachting naar de aangeschoten mensen die met zware plastic tassen de koele metro in stappen. Gehoorzame lakeien. Slaapwandelaars. Zelf heeft ze niets te vieren, vindt ze; ze gaat gewoon terug naar Sofia's huis aan de Solbergavägen in Tyresö.

Het is goed dat ze naar Kopenhagen is teruggekeerd, want nu weet ze dat het haar koud laat.

Het kind had net zo goed kunnen sterven; het zou niets hebben uitgemaakt.

Maar het stierf niet toen ze het op de vloer liet vallen.

Ze herinnert zich niet veel van wat er na de komst van de ambulance is gebeurd, maar het kind was niet gestorven, dat weet ze wel.

Het ei was gebarsten, maar niet verloren gegaan, en er werd geen aangifte gedaan bij de politie.

Ze hadden haar laten gaan.

En ze weet waarom.

Als ze na Gamla Stan over de brug over de Riddarfjärden loopt, kijkt ze naar de boten die naar Djurgården varen. Verderop ziet ze de achtbaan van Gröna Lund en ze bedenkt dat ze al drie jaar niet in een pretpark is geweest. Niet sinds de dag dat Martin verdween. Ze weet niet wat er eigenlijk met hem is gebeurd, maar ze denkt dat hij in het water is gevallen.

Als ze door het hek loopt, ziet ze Sofia in een ligstoel voor het kleine rode huis met witte hoeken zitten. Die staat in de schaduw van een kersenboom en wanneer Victoria dichterbij komt, ziet ze dat de oude vrouw slaapt. Haar blonde, bijna witte haar valt als een sjaal over haar schouders en ze heeft zich opgemaakt. Haar lippen zijn rood en ze heeft blauwe oogschaduw op gedaan.

Het is kil en Victoria pakt de plaid die over Sofia's voeten ligt en drapeert die over haar heen.

Ze loopt naar binnen en na enig zoeken vindt ze Sofia's tas. In het buitenvakje zit een bruine portemonnee van versleten leer. Ze ziet dat er drie briefjes van honderd in het vakje voor bankbiljetten zitten en besluit er een in te laten. De andere twee vouwt ze dubbel en stopt ze in de achterzak van haar spijkerbroek.

Ze legt de portemonnee terug en gaat naar Sofia's werkkamer. Het notitieboek met de aantekeningen vindt ze in een van de bureauladen.

Victoria gaat aan het bureau zitten, opent het boek en begint te lezen.

Ze ziet dat Sofia alles heeft genoteerd wat Victoria heeft gezegd, soms zelfs woordelijk, en het verbaast haar dat Sofia ook heeft kunnen opschrijven hoe Victoria bewoog of op welke toon ze sprak.

Victoria gaat ervan uit dat Sofia steno kan en de gesprekken later uitschrijft. Ze leest langzaam en denkt na over alles wat er is gezegd.

Ze hebben elkaar tenslotte ruim vijftig keer ontmoet.

Ze pakt een pen en verandert de namen, zodat die kloppen. Als er staat dat Victoria iets heeft gedaan wanneer Solace eigenlijk de schuldige was, corrigeert ze dat. Alles moet correct zijn en ze wil niet de schuld krijgen van iets wat Solace heeft aangericht.

Victoria werkt naarstig door en vergeet de tijd. Tijdens het lezen doet ze alsof ze Sofia is. Fronst haar voorhoofd en probeert een diagnose van de cliënt te stellen.

In de kantlijn schrijft ze haar eigen waarnemingen en analyses.

Verder geeft ze in het kort aan wat Sofia volgens haar moet doen of welke lijnen follow-up vereisen.

Wanneer Sofia niet heeft begrepen wat Solace heeft gezegd, legt Victoria het met kleine, duidelijke letters in de marge uit.

Eigenlijk snapt ze niet dat Sofia zoveel verkeerd kan hebben begrepen.

De cliënt had niet helderder kunnen zijn.

Victoria gaat helemaal op in haar werk en legt het notitieboek pas weg als ze Sofia in de keuken hoort rommelen.

Ze kijkt naar buiten. Aan de overkant, bij het meer, zit een groepje mensen te eten. Ze vieren midzomer op de steiger.

Vanuit de keuken komt de geur van dille.

'Welkom terug, Victoria!' Sofia roept vanuit de keuken naar haar. 'Hoe was je reis?'

Ze antwoordt kort dat alles goed is gegaan.

Het kind is slechts een ei in een blauwe pyjama. Meer niet. Dat heeft ze achter zich gelaten.

De lichte avond gaat over in een bijna even lichte nacht en wanneer Sofia zegt dat ze naar bed gaat, blijft Victoria op het stenen trapje naar de vogels zitten luisteren. Vanuit een boom in de tuin van de buren klaagt een nachtegaal en ze hoort het geluid van de feestvierders op de steiger. Het doet haar denken aan de keren dat ze midzomer vierden in Dalarna.

Eerst gingen ze naar de Dalälven en keken naar de kerkboten op de rivier; daarna kapten ze in het bos allemaal berkentakken, die naast de voordeur moesten worden opgehangen voordat ze om de meiboom gingen dansen, die de mannen met veel pret overeind zetten. De vrouwen met de bloemenkransen op hun hoofd lachten meer dan ze in tijden hadden gedaan, maar niet voor lang, want zodra de drank vat begon te krijgen en andermans vrouwen zoveel mooier waren dan je eigen wijf, kon je wang flink branden wanneer zijn vuist vertelde hoe verdomde dik je was. En wat hadden de anderen het goed; allemaal hadden ze een vrouw die geil, blij en dankbaar was en er niet mokkerig en grijs uitzag. Dan maar bij haar kruipen en friemelen en frummelen, hoewel je zei dat je buikpijn had en hij zei dat je te veel snoep had gegeten terwijl je amper geld voor een flesje prik had gehad en in plaats daarvan had rondgelopen en naar de andere kinderen had gekeken, die met suikerspin tot achter hun oren lootjes kochten...

Victoria kijkt om zich heen. Het is stil geworden bij het meer en de zon zakt achter de horizon. Hij zal maar een uurtje verdwenen zijn voordat hij weer opkomt.

Donker wordt het nooit.

Victoria staat op, een beetje stijf van het harde trapje.

Ze heeft het koud en overweegt om naar binnen te gaan, maar besluit een eindje te gaan wandelen om weer warm te worden.

Ze is niet moe, hoewel het nu bijna ochtend is.

Het scherpe grind doet zeer aan haar blote voeten en ze gaat op de rand van het grasveld lopen. Bij het hek staat een bijna uitgebloeide sering en hoewel de bloemen verlept lijken, geuren ze nog wel.

De weg is verlaten. In de verte is alleen het geluid van een boot te horen en ze loopt naar de steiger.

Een paar meeuwen genieten van de restanten van het feest die om de overvolle afvalbak liggen. Ze verlaten de plek met tegenzin en vliegen krijsend over het meer.

Ze loopt de steiger op en gaat op haar hurken zitten.

Het water is zwart en koud. Een paar vissen zijn wakker en houden de wacht, happen naar de insecten die vlak boven het wateroppervlak vliegen.

Ze gaat op haar buik liggen en staart de duisternis in.

Door de rimpelingen op het water wordt haar spiegelbeeld wazig, maar ze vindt het prettig zichzelf zo te zien.

Ze ziet er liever uit.

Likt je lippen en stopt zijn tong in je mond, die vermoedelijk naar kots smaakt omdat twee flessen kersenbrandewijn makkelijker omhoogkomen dan dat je ze achteroverslaat. Soms waren het wel vijftien jongens, die elkaar ophitsten, en de bouwkeet was niet zo groot, vooral niet als het aldoor regende en ze niet buiten konden zitten. Meestal speelden ze een kaartspelletje om te bepalen wie mee mocht naar de andere kamer. Als ze buiten waren, was dat misschien op de heuvel achter de school, waar je vanaf kon rollen en op slechts een meter van het pad een stapeltje werd en de blikken werden afgewend als je ze van onderaf zag en je riep gewoon tegen het jong dat hij toch had gezegd dat hij wilde zwemmen als ze uit het reuzenrad kwamen. En nu sta je hier te bibberen, dus gewoon springen en niet zeuren over het nieuwe kindermeisje dat zo aardig schijnt te zijn...

In het water ziet Victoria Martin langzaam naar beneden zakken en verdwijnen.

Op maandagochtend wordt ze door Sofia gewekt met de woorden dat het elf uur is en ze over niet al te lange tijd met de auto naar de stad gaan.

Als Victoria uit bed stapt, ziet ze dat haar voeten vuil zijn, dat ze schaafwonden op haar knieën heeft en dat haar haar nog nat is, maar ze herinnert zich niet wat ze 's nachts heeft gedaan.

Sofia heeft in de tuin gedekt voor het ontbijt en tijdens het eten vertelt ze dat Victoria een afspraak heeft met een arts die Hans heet. Hij zal haar onderzoeken en documenteren wat hij ziet. Als ze daarna nog tijd hebben, zullen ze naar een politieman gaan die Lars heet.

'Hasse en Lasse?' Victoria snuift. 'Ik haat smerissen,' snauwt ze en ze schuift haar kopje demonstratief weg. 'Ik heb niets gedaan.'

'Je hebt alleen wel tweehonderd kronen uit mijn portemonnee gepakt en daarom moet jij de benzine maar betalen als we gaan tanken.'

Victoria weet niet wat ze voelt, maar het is alsof ze medelijden met Sofia heeft.

Dat is een nieuwe ervaring.

Hasse is arts bij de Rijksdienst voor Gerechtelijke Geneeskunde in Solna en hij onderzoekt Victoria. Het is het tweede onderzoek, na dat in het ziekenhuis in Nacka een week geleden.

Wanneer hij haar aanraakt, haar benen spreidt en in haar kijkt, wenst ze dat ze in het ziekenhuis in Nacka was, waar de arts een vrouw was geweest.

Anita of Annika.

Ze weet het niet meer.

Hasse legt uit dat het onderzoek onprettig kan zijn, maar dat hij haar alleen maar wil helpen. Is dat niet precies wat ze altijd te horen heeft gekregen?

Dat het vreemd kan voelen, maar dat het voor haar eigen bestwil is?

Hasse ziet alles op haar lichaam en documenteert dat met behulp van een kleine recorder.

Hij schijnt met een zaklamp in haar mond en zijn stem is zakelijk en eentonig. 'Mond. Slijmvliesbeschadigingen,' zegt de stem.

En de rest van haar lichaam.

'Onderlichaam. Inwendige en uitwendige geslachtsorganen, littekenweefsel na geforceerd uitrekken vanaf premature leeftijd. Endeldarmopening, littekenweefsel, premature genezen scheurtjes, geforceerd uitrekken, vergroting van bloedvaten, fissuren in de sphincter ani, marisken... Littekens van scherpe voorwerpen op de romp, de buik, dijen en armen, circa een derde prematuur. Sporen van bloeduitstortingen...'

Ze sluit haar ogen en houdt in gedachten dat ze dit doet om opnieuw te kunnen beginnen, om iemand anders te worden en te vergeten.

Om vier uur diezelfde dag ontmoet ze Lars, de agent met wie ze moet praten.

Hij lijkt alert, hij heeft bijvoorbeeld begrepen dat ze hem geen hand wil geven als ze elkaar begroeten en hij raakt haar niet aan.

Het eerste gesprek met Lars Mikkelsen vindt plaats op zijn kantoor en ze vertelt hem dezelfde dingen die ze Sofia Zetterlund heeft verteld.

Hij kijkt verdrietig als ze zijn vragen beantwoordt, maar hij raakt niet van slag en Victoria voelt zich verbazingwekkend ontspannen. Na een tijdje wordt ze nieuwsgierig naar wie Lars Mikkelsen eigenlijk is en ze vraagt hem waarom hij dit werk doet.

Hij kijkt nadenkend en het duurt even voor hij antwoord geeft.

'In mijn ogen zijn dit de meest verschrikkelijke delicten. Veel te weinig slachtoffers krijgen eerherstel en veel te weinig daders worden gepakt,' zegt hij na een tijdje, en Victoria voelt zich aangesproken.

'U weet toch dat ik niet van plan ben iemand aan te wijzen als de dader?'

Hij kijkt haar ernstig aan. 'Ja, dat weet ik en dat is jammer, maar het is niet ongebruikelijk.'

'O, en waardoor komt dat dan?'

Hij glimlacht voorzichtig. Haar nonchalante toon lijkt hem niet te deren. 'Nu is het net alsof jij mij verhoort,' zegt hij. 'Maar ik zal je vraag beantwoorden. Volgens mij leven we nog steeds in de middeleeuwen.'

'In de middeleeuwen?'

'Inderdaad. Heb je wel eens gehoord van bruidroof?'

Victoria schudt haar hoofd.

'In de middeleeuwen kon een man een huwelijk forceren door een vrouw te roven en zich aan haar te vergrijpen. Doordat ze seksueel was misbruikt, moest ze met hem trouwen. Tegelijk werd de man eigenaar van haar bezit.'

'En wat dan nog?'

'Het gaat om bezit en afhankelijkheid,' zegt hij. 'Oorspronkelijk werd verkrachting niet als een persoonlijke schending van de vrouw in kwestie gezien, maar als een eigendomsdelict. De verkrachtingswetgeving is ontstaan om het recht van de man op waardevol seksueel bezit te beschermen, door de vrouw ofwel uit te huwelijken, ofwel voor eigen gebruik te houden. Omdat zo'n misdrijf het wettelijke recht van de man betrof, was de vrouw niet eens partij in de zaak. Ze was niet meer dan een bezit in een geschil tussen mannen. Over de verkrachting als daad bestaan nog steeds mythen die sporen dragen van de middeleeuwse kijk op vrouwen. Ze had nee kunnen zeggen, of ze zei nee, maar bedoelde ja. Ze was heel uitdagend gekleed. Ze wil alleen maar wraak nemen op de man.'

Victoria raakt geïnteresseerd.

'De middeleeuwse kijk op kinderen leeft gedeeltelijk ook nog voort,' gaat hij verder. 'Tot ver in de negentiende eeuw werden kinderen als kleine volwassenen met beperkte verstandelijke vermogens beschouwd. Kinderen werden gestraft, zelfs terechtgesteld, volgens vrijwel dezelfde voorwaarden als volwassenen. Een restant van die zienswijze is ook vandaag de dag nog terug te vinden. Zelfs in het Westen worden minderjarigen gevangengezet. Het kind wordt beschouwd als volwassene, maar heeft niet de rechten van de volwassene om over zichzelf te beslissen. Minderjarig, maar wel strafbaar. Het bezit van de volwassene.'

Zijn uitleg verbaast Victoria. Ze had nooit gedacht dat een man zo kon redeneren.

'Dat is het belangrijkste,' zegt Lars Mikkelsen afsluitend. 'Dat volwassenen kinderen nog steeds als hun bezit beschouwen. Ze straffen ze en voeden ze op volgens eigen wetten.'

Hij kijkt Victoria aan. 'Ben je tevreden over mijn antwoord?'

Hij maakt een oprechte indruk en lijkt een passie voor zijn werk te hebben. Eigenlijk haat ze smerissen, maar hij gedraagt zich niet als een smeris. 'Ja,' antwoordt ze.

'Zullen we het dan nu weer over jou hebben?'

'Oké.'

Een halfuur later is het eerste gesprek voorbij.

Het is nacht en Sofia slaapt. Victoria sluipt naar de werkkamer en doet voorzichtig de deur achter zich dicht. Sofia heeft er niets van gezegd dat Victoria in haar notitieboek heeft geschreven en waarschijnlijk heeft ze het niet ontdekt.

Victoria pakt het boek en gaat verder waar ze de vorige keer is opgehouden.

Ze vindt dat Sofia een mooi handschrift heeft.

Victoria vertoont de neiging te vergeten wat ze zelf tien minuten of een week eerder heeft gezegd. Zijn deze 'uitvallen' een kwestie van gewone gaten in haar geheugen of zijn het tekenen van DIS?'

Ik weet het nog niet zeker, maar de uitvallen en Victoria's overige symptomen passen goed in het ziektebeeld.

Het is me opgevallen dat wanneer deze uitvallen plaatsvinden er meestal onderwerpen aan de orde komen die ze normaliter niet kan bespreken. Haar kinderjaren, haar vroegste herinneringen.

Victoria's verhaal is associatief, de ene herinnering leidt tot de andere. Is het een deelpersoonlijkheid die vertelt, of doet Victoria zich kinderlijker voor omdat het makkelijker is om over de herinneringen te vertellen als ze zich gedrag aanmeet van toen ze een jaar of twaalf, dertien was? Zijn de herinneringen echt, of zijn ze vermengd met Victoria's huidige gedachten over de gebeurtenissen? Wie is het Kraaienmeisje, op wie ze zo vaak terugkomt?

Victoria zucht en begint te schrijven.

Het Kraaienmeisje is een mengeling van ons allemaal, behalve de Slaap-wandelaar, die niet heeft begrepen dat het Kraaienmeisje bestaat.

Victoria werkt de hele nacht door en als het zes uur in de ochtend is, vreest ze dat Sofia over niet al te lange tijd wakker wordt. Voordat ze het boek in de bureaula teruglegt, bladert ze het wat door, vooral omdat ze het moeilijk vindt het weer weg te leggen. Dan ziet ze dat Sofia haar commentaren wel degelijk heeft opgemerkt.

Victoria leest de oorspronkelijke tekst op de allereerste pagina van het boek.

Mijn eerste indruk van Victoria is dat ze heel intelligent is. Ze heeft een goede voorkennis van mijn vak en van wat therapiewerk inhoudt. Toen ik daar aan het eind van ons uur op wees, gebeurde er iets onverwachts, en ik zag dat ze naast haar intelligentie ook over een vurig temperament beschikt. Ze snauwde naar me. Zei dat ik 'er geen reet vanaf wist' en 'een nul was'. Het is lang geleden dat ik iemand zo boos heb gezien en de onverhulde woede in haar baart me zorgen.

Een paar dagen geleden had Victoria daar een commentaar bij geschreven.

Ik was helemaal niet boos op jou. Dat moet een misverstand zijn. Ik zei dat ik er geen reet vanaf wist. Dat ik een nul was. Ík, niet jij!

En nu heeft Sofia dus gelezen wat Victoria heeft geschreven en daarop gereageerd.

Victoria, sorry dat ik de situatie verkeerd heb begrepen. Maar je was zo boos dat ik je nauwelijks kon verstaan en je wekte de indruk boos te zijn op mij.

Jouw woede baarde me zorgen.

Verder heb ik alles wat je in het notitieboek hebt opgeschreven gelezen, en wat je te vertellen hebt, is heel interessant. Zonder enige overdrijving kan ik stellen dat je analyses in veel gevallen zo trefzeker zijn dat ze de mijne overtreffen.

Je hebt aanleg voor psychologie. Ga het studeren!

Daarna is er geen ruimte meer in de kantlijn en Sofia heeft een pijltje getekend om aan te geven dat Victoria de pagina moet omslaan. Op de volgende bladzijde heeft ze ook nog wat geschreven.

Ik zou het echter op prijs stellen als je om toestemming vraagt voordat je

mijn notitieboek leent. Misschien kunnen jij en ik, wanneer jij je daar klaar
voor voelt, een keer praten over wat je hebt opgeschreven?
   Liefs van Sofia.

Het Klara sjö

De leugen is wit als sneeuw en treft niemand die onschuldig is.

Officier van justitie Kenneth von Kwist is tevreden over wat hij heeft gedaan en beeldt zich in dat hij de ontstane problemen uitstekend heeft opgelost. Iedereen is tevreden en blij.

Na de tactische zet met de rechtbank in Nacka heeft Jeanette Kihlberg haar handen vol aan Victoria Bergman. Het gesprek met Viggo Dürer heeft geleid tot een nieuwe, officieuze schikking tussen de advocaat en Ulrika Wendin enerzijds en de familie Lundström anderzijds. Dat daar een prijskaartje aan heeft gehangen baart Von Kwist geen zorgen, want hij is niet degene die betaalt.

Dürer kan het zich bovendien veroorloven.

Zoals officier van justitie Kenneth von Kwist zichzelf probeert wijs te maken zijn alle problemen in elk geval tijdelijk de wereld uit. Hij vreest alleen dat zich een nieuwe complicatie heeft aangediend.

Het is geen reëel probleem. Feit is dat hij er als enige van op de hoogte is en zolang hij het voor het zeggen heeft, zal ook niemand anders het te weten komen.

Dus eigenlijk is er geen reden om zenuwachtig te zijn.

Toch is de officier er misselijk van en dat heeft hij niet meer meegemaakt sinds hij op zijn dertiende zijn beste vriend verraadde.

Ruim veertig jaar geleden stalen twee jongens namelijk een paar reserveonderdelen van een brommer uit een garage en toen ze werden gepakt, ontkende de ene jongen dat hij had meegegaan; hij gaf zijn vriend overal de schuld van en die kreeg zo'n pak slaag van de drie zonen van de garagehouder dat hij wekenlang het bed moest houden.

Kenneth von Kwist voelt zich nu net zoals toen.

Het nieuwe probleem is zijn geweten. Hij zit in zijn kantoor bij het Openbaar Ministerie en maakt zich zorgen over wat er met Ulrika Wendin kan zijn gebeurd.

Heeft Viggo haar inderdaad alleen maar meer geld geboden?

De eerste keer had dat niet geholpen, want de jonge vrouw had vlak daarna met zowel de politie als de psycholoog gepraat, dus waarom zou het nu wel werken?

Viggo Dürer had geheimzinnig gedaan over hoe hij Ulrika Wendin zou aanpakken en de officier vraagt zich af of de advocaat in staat is om het meisje te laten verdwijnen.

Von Kwist denkt aan de documenten die hij eerder in de papierversnipperaar in strookjes heeft veranderd. Akten waar Ulrika Wendin wat aan zou hebben gehad, maar die advocaat Viggo Dürer, oud-politiechef Gert Berglind en in het verlengde daarvan ook hemzelf hadden kunnen schaden.

Heb ik er juist aan gedaan, vraagt de officier zich af.

Kenneth von Kwist heeft daar geen antwoord op, en dat is de reden waarom zijn misselijkheid zich nu tot in zijn keelholte kenbaar maakt in de vorm van zure oprispingen.

De maagzweer van de officier van justitie heeft zijn geweten op smaak gebracht.

Solrosen

'Wat hebben ze in Kopenhagen met Victoria gedaan?' vraagt Jeanette.
'Weet u nog waar de brief over ging?'

'Geef me nog maar een sigaret, misschien komt het weer boven.'

Jeanette reikt Sofia Zetterlund het pakje aan.

'Waar hadden we het ook alweer over?' vraagt Sofia na een paar diepe trekken.

Jeanette begint ongeduldig te worden. 'Kopenhagen en de brief van Victoria die u tien jaar geleden heeft ontvangen. Weet u nog wat ze schreef?'

'Ik kan helaas niets over Kopenhagen vertellen en de brief herinner ik me niet in detail, maar ik weet nog dat het goed met haar ging. Ze had een man ontmoet, met wie ze het fijn had en ze had, precies zoals ze wilde, een opleiding gevolgd en werk gevonden. In het buitenland, geloof ik...' Sofia hoest. 'Sorry. Ik heb al een hele tijd niet meer gerookt.'

'Werkte ze in het buitenland?'

'Inderdaad. Maar dat was niet haar hoofdbezigheid, meen ik. Ze had ook een baan in Stockholm.'

'Schreef ze wat voor werk ze deed?'

Sofia zucht en kijkt wantrouwend. 'Wie bent u eigenlijk? U weet toch dat ik zwijgplicht heb?'

Jeanette is overrompeld, glimlacht herkennend en herinnert zich dat haar Sofia ook naar de zwijgplicht heeft verwezen. Ze herhaalt wie ze is en legt uit dat het uitermate belangrijk is, omdat het om verscheidene moorden gaat.

'Ik kan u verder niets vertellen,' zegt Sofia. 'Het meisje heeft een beschermde identiteit. Ik overtreed de wet.'

Jeanette reageert instinctief. 'De wet is veranderd,' liegt ze. 'Weet u dat niet? De nieuwe regering heeft de wet veranderd, er is een paragraaf aan toegevoegd, die erop neerkomt dat er uitzonderingsgevallen zijn. Moord is daar een van.'

'O...' Sofia kijkt weer afwezig. 'Wat bedoelt u?'

'Ik bedoel dat u juist in overtreding bent als u me niet helpt. Ik wil u niet onder druk zetten, maar ik zou dankbaar zijn als u me op z'n minst een hint kunt geven.'

'Wilt u een hint hebben? Wat is een hint?'

'Ik bedoel alleen dat als u weet wat voor werk Victoria Bergman deed, of iets anders waar het onderzoek bij gebaat kan zijn, ik dankbaar zou zijn als u me een aanwijzing kunt geven.'

Tot Jeanettes verbazing schatert Sofia het uit en vraagt om nog een sigaret. 'Dan maakt het kennelijk niet meer uit,' zegt ze. 'Kunt u mij Freud even aangeven?'

'Freud?'

'Ja, u heeft hem opgetild toen u de asbak pakte, dat heb ik gehoord. Ik ben dan wel blind, maar nog niet doof.'

Jeanette pakt de kleine glazen sneeuwbol met het portret van Freud uit de kast. Ondertussen steekt de oude vrouw nog een sigaret op.

'Victoria Bergman was heel bijzonder,' begint Sofia, terwijl ze de sneeuwbol langzaam in haar handen ronddraait. De rook van de sigaret kringelt om haar blauwe jurk en de sneeuw achter het glas dwarrelt. 'U heeft mijn verklaringen en de beslissing van de rechtbank over de bescherming van Victoria's identiteit gelezen en kent de reden. Victoria heeft van kindsbeen af tot op volwassen leeftijd blootgestaan aan zeer ernstig seksueel misbruik door haar vader en vermoedelijk ook door andere mannen.'

Sofia pauzeert en het verbaast Jeanette dat de oude vrouw zo heen en weer beweegt tussen intellectuele scherpte en een dementieachtige verwarring.

'Maar waarschijnlijk weet u niet dat Victoria ook leed aan een meervoudigepersoonlijkheidsstoornis, of een dissociatieve identiteitsstoornis, als u die begrippen kent?'

Nu wordt het gesprek gestuurd door Sofia Zetterlund.

Jeanette kent de begrippen vagelijk. Sofia de jongere heeft op een bepaald moment gezegd dat Samuel Bai zo'n stoornis had.

'Hoewel het buitengewoon ongebruikelijk is, is het eigenlijk niet heel ingewikkeld,' gaat Sofia de oudere verder. 'Om te kunnen overleven en in staat te zijn met de herinneringen aan haar ervaringen om te gaan, moest

Victoria gewoon verschillende versies van zichzelf uitvinden. Toen we haar een nieuwe identiteit gaven, werd op papier bevestigd dat een van haar deelpersoonlijkheden daadwerkelijk bestond. Dat was het plichts-getrouwe deel van haar, degene die in staat was een opleiding te volgen, te werken enzovoort – kortom, een normaal leven te leiden. In de brief stond dat ze in mijn voetsporen was getreden, maar dat ze geen freudiaan was...'

Sofia glimlacht weer, knipoogt met een staaroog naar Jeanette en schudt de sneeuwbol heen en weer. Jeanette voelt haar hart sneller klop-pen.

In Sofia's voetsporen, denkt ze.

'Freud schreef over moreel masochisme,' vervolgt Sofia. 'Het maso-chisme van een dissociatief persoon kan bestaan uit het herbeleven van zijn of haar misbruik door een alternatieve persoonlijkheid anderen te la-ten misbruiken. Ik vermoedde die trek in Victoria en als ze op volwassen leeftijd geen hulp heeft gekregen voor haar problemen, dan is het risico groot dat deze persoonlijkheid nog in haar aanwezig is. Die handelt als haar vader om zichzelf te kwellen, om zichzelf te straffen.'

Sofia drukt de sigaret in de bloempot op tafel uit en leunt vervolgens achterover in haar fauteuil. Jeanette ziet dat de afwezige uitdrukking in haar blik terugkeert.

Ze verlaat Solrosen tien minuten en een reprimande later. Sofia en zij hebben tijdens hun gesprek ieder vijf sigaretten gerookt en zijn betrapt door de directrice en een verpleegkundige die Sofia's medicijnen kwam brengen.

Jeanette had op haar kop gekregen en was verzocht te vertrekken. Ge-lukkig was ze inmiddels voldoende te weten gekomen om verder te kun-nen met de zaak.

Ze gaat achter het stuur zitten en draait de contactsleutel om. De motor rochelt, maar weigert te starten. 'Shit,' vloekt ze.

Na een stuk of tien pogingen geeft ze het op en besluit om in de buurt een kopje koffie te gaan drinken, Hurtig te bellen en hem te vragen of hij haar op kan halen. Dan kunnen ze tegelijk doornemen wat Sofia Zetter-lund heeft verteld.

Ze loopt naar het centrum van Midsommarkransen en gaat naar het restaurant Tre Vänner, dat tegenover de ingang van het metrostation ligt. Binnen is het halfvol en ze zoekt een lege plek uit bij het raam dat uitkijkt op het Midsommarpark, bestelt een koffie en een flesje mineraalwater en toetst Hurtigs nummer in.

'En, wat is er gebeurd?' Hij klinkt vol verwachting en Jeanette glimlacht bij zichzelf terwijl ze haar keel met een grote slok mineraalwater schoonspoelt.

'Sofia Zetterlund heeft me verteld dat Victoria Bergman als psycholoog werkt.'

Het Zeeppaleis

Wordt er niet gezegd dat overmatige verzadiging een van de sterkste symptomen is van misnoegen? Sofia Zetterlund wandelt in gedachten verzonken door de Hornsgatan. En is misnoegen niet de stormram van alle verandering?

Ze voelt zich opgejaagd, achternagezeten, niet door een fysieke persoon, maar door herinneringen. Het verleden dringt tussen alledaagse overpeinzingen over boodschappen en ander praktische bezigheden naar voren.

Van een bekende geur kan ze onverwacht misselijk worden en van een plotseling geluid kan haar maag zich samentrekken.

Ze weet dat ze Jeanette vroeg of laat moet vertellen wie ze eigenlijk is. Dat ze moet uitleggen dat ze ziek is geweest, maar dat ze nu gezond is. Is het zo simpel? Zal het genoeg zijn om het te vertellen? En hoe zal Jeanette reageren?

Toen ze Jeanette probeerde te helpen met het daderprofiel, vertelde ze eigenlijk alleen maar onsentimenteel en afstandelijk over zichzelf. Ze had het onderzoek van de plaats delict niet hoeven lezen omdat ze wist hoe die eruit had gezien. Hoe die eruit had moeten zien.

Alles was op zijn plek gevallen en ze had het begrepen.

Fredrika Grünewald en Per-Ola Silfverberg.

Wie verder nog? Regina Ceder natuurlijk.

En als laatste zijzelf. Zo moet het gaan.

Dat is wat er moet gebeuren.

Oorzaak en gevolg. Zij zal de kroon op het werk zijn. De onvermijdelijke finale.

Het is het simpelst om Jeanette alles te vertellen en een eind te maken aan alle waanzin, maar iets houdt haar tegen.

Misschien is het ook al te laat. De lawine is in beweging gebracht en geen kracht ter wereld kan die stoppen.

Ze steekt schuin het Mariatorget over en loopt in de richting van het Zeeppaleis, gaat door de portiek naar binnen en met de lift naar boven.

Als ze de receptie binnenstapt, roept Ann-Britt haar. Ze heeft iets belangrijks te zeggen.

Sofia Zetterlund is eerst verbaasd en dan boos als Ann-Britt vertelt dat ze eerder op de dag door zowel Ulrika Wendin als Annette Lundström is gebeld.

Alle geplande afspraken met Ulrika en Linnea zijn afgezegd.

'Alle? Zeiden ze ook waarom?' Sofia buigt zich over de receptie naar voren.

'Tja, Linnea's moeder zei dat het met haarzelf nu een stuk beter ging en dat Linnea weer thuis was.' Ann-Britt vouwt de krant voor zich dubbel voordat ze verdergaat. 'Kennelijk heeft ze weer het ouderlijk gezag over het meisje. De uithuisplaatsing was slechts tijdelijk en nu alles goed gaat, vindt ze het niet nodig dat Linnea nog langer naar je toe gaat.'

'Wat een dom mens!' Sofia kookt van woede. 'Dus nu denkt ze plotseling dat zij in staat is te bepalen aan welke behandeling het meisje behoefte heeft?'

Ann-Britt staat op en loopt naar de waterkoeler bij het keukentje. 'Zo zei ze het niet precies, maar daar kwam het wel op neer.'

'En wat had Ulrika voor reden?'

Ann-Britt tapt een glas water. 'Ze belde heel kort en zei alleen dat ze niet meer wilde komen.'

'Vreemd.' Sofia draait zich om en loopt in de richting van haar kamer. 'Dan ben ik vandaag dus vrij?'

Ann-Britt haalt het glas bij haar mond vandaan en glimlacht. 'Ja, en dat is misschien precies wat je nodig hebt.' Ze vult het glas nog een keer. 'Doe wat ik doe als ik me verveel en los een paar kruiswoordraadsels op.'

Sofia draait zich om en loopt weer naar de lift. Ze gaat naar beneden, stapt de straat op en wandelt in oostelijke richting de St.-Paulsgatan in.

Bij de Bellmansgatan gaat ze linksaf, langs het Maria Magdalenakerkhof.

Vijftig meter verderop ziet ze de rug van een vrouw. Haar brede, rollende heupen en de naar buiten gerichte voeten hebben iets bekends.

De vrouw loopt met gebogen hoofd, als het ware naar beneden gedrukt door een innerlijke zwaarte. Haar grijze haar is in een knotje gestoken.

Sofia voelt haar maag samentrekken, het koude zweet breekt haar uit en als ze blijft staan, ziet ze de vrouw bij de hoek de Hornsgatan in lopen.

Herinneringen, moeilijk te reconstrueren. Fragmentarisch.

Ruim dertig jaar hebben de herinneringen van haar andere ik diep in haar begraven gelegen als scherpe scherven – kapotgeslagen stukken van een andere tijd en een andere plaats.

Ze begint te lopen, versnelt haar pas en gaat op een holletje naar de kruising, maar de vrouw is verdwenen.

Svavelsö

Het vliegtuig uit Saint-Tropez landt op het geplande tijdstip en Regina Ceder stapt in veel te dunne keren uit. Zweden is koud. Aan de andere kant van het raam valt een deprimerende regen en even heeft ze spijt dat ze haar vakantie heeft afgebroken.

Maar toen haar moeder had gebeld met de mededeling dat de politie haar wilde spreken, had ze het beter gevonden om naar huis te gaan. Ze moet hoe dan ook haar leven weer oppakken en naar de baan in Brussel solliciteren.

Ze weet dat hard werken een goede manier is om met een crisis om te gaan, omdat ze dat eerder heeft gedaan. Misschien dat ze op andere mensen kil overkomt, maar zelf vindt ze zich rationeel. Alleen verliezers zwelgen in zelfmedelijden en een verliezer is wel het laatste wat ze wil zijn.

Ze passeert de aankomsthal, haalt haar bagage op en loopt naar de taxi's. Als ze het portier van een van de auto's opent, gaat haar mobieltje en voordat ze opneemt gooit ze snel haar koffer op de achterbank en springt de taxi in. 'Svavelsö, Åkersberga.'

Het nummer is afgeschermd en ze neemt aan dat het de agente is die een paar dagen geleden met Beatrice heeft gesproken. Het gesprek ging over Sigtuna en Regina's oude klasgenoten.

'Met Regina.'

Ze hoort gekraak en vervolgens het geluid van iemand die water gorgelt, wat meteen de herinnering aan Jonathan en het ongeluk in het zwembad oproept.

'Hallo!' probeert ze. 'Met wie spreek ik?'

Ze hoort eerst gelach, dan een klik en het gesprek wordt beëindigd. Iemand die een verkeerd nummer heeft ingetoetst, denkt ze en ze stopt de telefoon in haar handtas.

De taxi stopt voor de villa. Ze betaalt, pakt haar bagage en loopt via het grindpad naar de voordeur. Bij het trapje blijft ze staan en kijkt naar het huis.

Zoveel herinneringen. Herinneringen aan een leven dat er niet langer is. Zal ze de woning verkopen en voorgoed verhuizen?

Hier is eigenlijk niets meer wat haar bindt en bovendien is Zweden in financieel opzicht niet langer een goed land om in te wonen, ondanks de nieuwe regering. Als ze de baan in Brussel krijgt, kan ze een huis in Luxemburg kopen en daar haar geld op de bank zetten.

Ze pakt haar sleutels, doet de deur open en stapt naar binnen. Ze weet dat Beatrice vanavond bridget en dus pas later thuiskomt en daarom wordt ze ongerust als ze het licht in de hal aandoet.

De vloer is nat en modderig, alsof iemand zijn schoenen niet heeft uitgetrokken voordat hij naar binnen is gegaan.

Het ruikt ook sterk naar bleekwater.

Beatrice heeft Regina's post in een keurig stapeltje op de keukentafel gelegd en bovenop ligt een witte envelop. Die is niet gefrankeerd en iemand heeft er in bijna kinderlijke hanenpoten in blokletters op geschreven: AAN WIE DIT LEEST!

Ze opent de envelop en ziet dat er een foto in zit.

Het is een polaroid van een vrouw, van wie het lichaam tot aan haar borsten wordt getoond. Ze staat in een zwembad en het water reikt tot haar middel.

Regina bekijkt de foto nog eens goed en ziet iets onder water.

Schuin links van de vrouw is onder het oppervlak een vaag gezicht te zien, met lege, dode ogen. De mond is gevormd tot een schreeuw.

Op het moment dat ze haar verdronken zoon en de rechterhand van de vrouw ziet, begrijpt ze het.

Als ze iemand de keuken binnen hoort komen, laat ze de foto los en draait zich om. Dan voelt ze een plotselinge pijn in haar hals en valt om.

Kronoberg

Het is laat in de middag en Jeanette zit op haar werkkamer met een A3'tje voor zich: een schets met alle namen die tijdens het onderzoek naar boven zijn gekomen.

Dan gebeurt alles tegelijk.

Ze heeft de namen gegroepeerd en de onderlinge relaties aangegeven. Als ze haar pen weer pakt om een lijn tussen twee namen te trekken, komt Hurtig binnengestoven en op hetzelfde moment gaat de telefoon.

Jeanette ziet dat het Åke is en gebaart naar Hurtig dat hij even moet wachten terwijl ze opneemt.

'Je moet Johan komen halen.' Åke klinkt verontwaardigd. 'Dit werkt zo niet.'

Hurtig kijkt gefrustreerd. 'Je moet ophangen. We moeten weg.'

'Wat werkt niet?' Jeanette kijkt Hurtig strak aan en steekt twee vingers omhoog. 'Je kunt toch verdorie wel voor je eigen zoon zorgen? Bovendien ben ik aan het werk en heb ik nu geen tijd...'

'Dat maakt niet uit. We moeten praten over...'

'Niet nu!' onderbreekt ze hem. 'Ik moet weg en als Johan niet bij jou kan zijn, moet je hem maar naar huis brengen. Ik kom over een uurtje.'

Hurtig schudt zijn hoofd. 'Nee, nee, nee,' zegt hij zacht. 'Je bent niet voor middernacht thuis. Een nieuwe moord. Åkersberga.'

'Åke, wacht even.' Ze wendt zich tot Hurtig. 'Wat zeg je? Åkersberga?'

'Ja, Regina Ceder is vermoord. Doodgeschoten. We moeten...'

'Momentje.' Ze pakt de telefoon weer. 'Zoals gezegd: ik kan nu niet praten.'

'Het is ook altijd hetzelfde liedje.' Åke zucht. 'Snap je nu waarom ik niet kon leven met...'

'Hou je bek!' buldert ze. 'Het enige wat je hoeft te doen, is Johan naar huis brengen. Dat kun je toch zeker wel? We moeten later maar praten.'

Het wordt stil in de hoorn. Åke heeft al opgehangen en Jeanette voelt

375

dat haar wangen heet worden. De tranen dringen zich op.

Hurtig houdt haar jack omhoog. 'Sorry, het was niet mijn bedoeling om...'

'Het geeft niet.' Ze wurmt zich in haar jack en duwt Hurtig de gang op, doet het licht uit en sluit de deur. 'Het ene moment is alles rustig en dan komt alles opeens tegelijk.'

Terwijl ze snel met de trap naar de garage gaan, vertelt Hurtig Jeanette wat er is gebeurd.

Beatrice Ceder, de moeder van Regina, heeft haar dochter dood op de keukenvloer aangetroffen.

Hurtig neemt de laatste drie treden in één stap.

Jeanette is nog steeds verontwaardigd over het gesprek met Åke en het kost haar moeite zich te concentreren. Wat zou er met Johan zijn, denkt ze. Åke en Alexandra moeten hem nog geen uur geleden van school hebben opgehaald en nu is er al gedonder.

Hurtig rijdt snel. Eerst de Essingeleden, rechtsaf voor de Eugeniatunnel, daarna Norrtull en verder naar het Sveaplan. Hij zwenkt van baan naar baan en toetert geërgerd naar het verkeer dat ondanks hun sirene en zwaailicht de weg blokkeert.

'Zeg alsjeblieft dat Ivo Andrić komt.' Jeanette houdt zich stevig aan de portiergreep vast.

'Ik weet het niet. Misschien. Schwarz en Åhlund zullen in elk geval al wel ter plaatse zijn.' Hurtig remt krachtig voor een bus die bij een halte wil stoppen.

Na de rotonde bij Roslagstull neemt de drukte af en ze rijden de E18 op. 'Zit Åke je dwars?'

De linkerbaan is leeg en Hurtig verhoogt de snelheid. Jeanette ziet dat ze meer dan honderdvijftig kilometer per uur rijden.

'Nee, dat kan ik niet zeggen. Er was iets met Johan en...' Ze voelt de tranen opnieuw komen, alleen is het nu niet uit woede, maar omdat ze het verdrietige gevoel heeft ontoereikend te zijn.

'Het is een prima jongen. Johan dus.'

Jeanette merkt dat Hurtig haar met een schuin oog aankijkt en dat hij zijn best doet discreet te zijn. Jens Hurtig mag dan een man van weinig woorden zijn, maar Jeanette weet dat er een gevoelsmens onder de oppervlakte schuilgaat en ze begrijpt dat hij echt wil weten hoe het met haar gaat.

'Maar hij zit in een lastige periode,' gaat Hurtig verder. 'Hormonen en zo. En dan de scheiding nog...' Hij houdt abrupt zijn mond, alsof hij beseft dat het niet gepast is daarover te spreken. 'Het heeft in elk geval iets vreemds.'

'Wat heeft iets vreemds?'

'Die leeftijd. Ik moest denken aan wat er in Sigtuna is gebeurd. Hannah Östlund, Jessica Friberg en Victoria Bergman. Ik bedoel, op die leeftijd krijgt alles enorme proporties. Net als de eerste keer dat je verliefd bent.' Hurtig glimlacht, bijna beschaamd.

Wat Jeanette op dat moment ervaart, moet een van de grootste mysteries van het menselijke intellect zijn. De aanstekende vonk. De geniale inval.

Het tijdstip waarop alles zich ordent, onvermoede verbanden naar voren treden, tegenstellingen worden verenigd, dissonantie in harmonie verandert en nonsens een nieuwe gedaante van betekenis krijgt.

Svavelsö

Schotwonden, *vulnera sclopetaria*, betekenen moord, een ongeluk of zelf-moord. In vredestijd komt het laatstgenoemde het meest voor en het zijn met name mannen die zich van het leven beroven door zichzelf dood te schieten.

Dat Regina Ceder geen man is, noch door eigen hand is gestorven, staat voor Ivo Andrić als een paal boven water. De vrouw is zonder meer ver-moord.

Het lichaam ligt voorover op de keukenvloer, met het gezicht naar be-neden in een grote bloedplas. Ze is getroffen door drie schoten, één in haar hals en twee in haar rug. In welke volgorde de schoten zijn afgevuurd of welke dodelijk is geweest, is op dit moment nog niet vast te stellen, maar de afwezigheid van kruitsporen op het lichaam duidt erop dat ze vanaf meer dan een meter zijn gekomen. De inschotopeningen vertonen alleen kogelsporen en op de plekken waar de kogels het lichaam zijn bin-nengedrongen, is de huid krachtig naar binnen toe opgerekt.

Ivo Andrić weet uit ervaring dat de gaten binnen een paar uur leerach-tig en roodbruin zullen zijn.

Hij verlaat de keuken en loopt door de hal naar het grindveld voor het huis. Terwijl de technici vingerafdrukken veiligstellen en DNA verzame-len, kan hij niets doen zonder in de weg te lopen en dat wil hij niet.

Op dit moment zou hij het allerliefst thuis zijn.

Svavelsö

De laatste kilometers zwijgen ze.

Nu alles op zijn plek is gevallen, wil Jeanette zo snel mogelijk met Beatrice Ceder spreken om haar vermoedens bevestigd te krijgen.

De logica is als een klip in de zee waartegen alle golven van domheid machteloos zijn.

De feiten hebben de hele tijd voor haar neus gelegen, maar soms kun je door de bomen het bos niet zien. Geen ambtsovertreding, maar misschien wel slecht politiewerk, denkt ze.

Als ze de inrit op rijden, ziet Jeanette Ivo Andrić op het trapje voor de grote villa staan. Ze vindt dat hij er moe en ingezakt uitziet.

Door dit rotwerk wordt een mens vroegtijdig oud, denkt ze. Over nog maar een paar jaar zal ze er zelf zo uitzien.

Uitgeteerd en ontmoedigd, gebukt onder zorgen.

Misschien ziet ze er nu al wel zo uit.

Voor de garage staat een ambulance met open achterdeuren. Als ze erlangs lopen, verwacht Jeanette dat Beatrice Ceder erin zit, gehuld in dekens en in shock, onder het toeziend oog van ambulancebroeders. Maar de auto is leeg.

Ivo Andrić komt hun tegemoet.

'Hallo, Ivo. Alles onder controle?'

'Zeker weten. Ik moet alleen wachten tot ze binnen klaar zijn.' Hij glimlacht somber. 'Van redelijk dichtbij doodgeschoten met drie kogels. Maximaal drie. Op slag dood.'

'Janne!' Schwarz staat in de deuropening. 'Je kunt beter naar binnen komen om met de moeder te praten. Het lijkt alsof ze iets te vertellen heeft.'

'Ik kom eraan.' Ze draait zich om naar Hurtig en gaat verder: 'Jij praat met de technici en als die klaar zijn, hou je Ivo gezelschap. Oké?'

Hurtig knikt.

Er komen twee ambulancebroeders naar buiten en Jeanette spreekt hen aan. Ze wil weten hoe het met Beatrice Ceder gaat.

'Het ergste is voorbij. Geef maar een gil als je ons nodig hebt. Trauma is trauma.'

'Prima,' zegt Jeanette en ze gaat naar binnen.

Beatrice Ceder bevindt zich in de bibliotheek op de eerste verdieping. Ze zit ingezakt op een donkerrode leren bank en Jeanette kijkt om zich heen. De muren zijn bedekt met planken boordevol boeken, voornamelijk gebonden exemplaren met een leren band, maar ook een aantal gewone pockets.

Op de tafel staat een fles cognac naast een overvolle asbak. Beatrice Ceder trekt verwoed aan een sigaret en de lucht in de kamer is verstikkend.

'Het is allemaal mijn schuld. Ik had het eerder moeten zeggen.' De stem van de vrouw is monotoon en Jeanette vermoedt dat haar apathische gedrag niet alleen door de alcohol komt. Vermoedelijk heeft ze een kalmeringsmiddel gekregen.

Jeanette schuift een van de fauteuils dichter naar de tafel toe. 'Mag ik?' Ze wijst naar het pakje sigaretten.

De vrouw staart met een lege blik voor zich uit en knikt.

'Wat had u moeten zeggen?'

Jeanette steekt een sigaret aan en bij de eerste trek ontdekt ze dat het een menthol is.

'Dat ik haar al in het zwembad had gezien en dat ik dat eerder had moeten vertellen. Maar ik wist niet wie ze was. Het is zo lang geleden en...' De vrouw valt stil en Jeanette wacht op het vervolg.

'Het was geen ongeluk. Ze heeft hem vermoord.'

'Hem?' Jeanette kan het niet helemaal volgen.

'Ja, hem. Jonathan. Regina's zoon. Ik heb toch verteld dat hij is verdronken?'

Jeanette herinnert zich het telefoongesprek toen ze Regina had willen spreken. Beatrice had verteld dat Regina op reis was gegaan in een poging de dood van haar zoon te verwerken.

'U bedoelt dat Jonathan...'

'Jonathan is vermoord!' Beatrice Ceder barst in tranen uit. 'En nu heeft ze Regina ook omgebracht.'

'Over wie heeft u het?'

Ondanks de tragiek van de situatie, met een vermoorde vrouw op de begane grond en boven een andere vrouw die in korte tijd zowel haar kind als haar kleinkind heeft verloren, voelt Jeanette iets wat nog het meest op opluchting lijkt.

'De vrouw op de foto.'

De foto? Jonathan vermoord, denkt Jeanette. Het gaat allemaal te snel, al lijkt het in slow motion te gebeuren. 'Oké, en waar is die foto?'

'Die heeft die ene agent meegenomen.'

Jeanette begrijpt dat ze Schwarz of Åhlund bedoelt. Ze gaat staan, loopt naar de trap en roept naar beneden. 'Åhlund!'

Na een paar tellen kijkt de agent naar boven. 'Ja?'

'Schwarz of jij heeft kennelijk een foto in beslag genomen. Kun je die even naar boven brengen?'

'Momentje, ik moet...'

'Nu!'

Jeanette loopt terug naar Beatrice Ceder en gaat weer zitten.

'Waarom is Regina volgens u doodgeschoten?'

Jeanette kijkt naar de rood behuilde ogen van de vrouw. Haar blik is ergens anders en het duurt een hele tijd voor ze antwoord geeft.

'Ik heb geen idee, maar ik denk dat het met het verleden te maken heeft. Regina is een goed mens en ze heeft geen vijanden... Ze is... Ze was...' Beatrice Ceder zwijgt. Het lijkt alsof ze geen lucht krijgt en Jeanette hoopt dat ze niet gaat hyperventileren of hysterisch wordt.

Åhlund komt voorzichtig de kamer binnen. Hij heeft een plastic hoesje in zijn hand, dat hij aan Jeanette geeft. 'Je had hem natuurlijk meteen moeten krijgen, maar Schwarz...'

'Daar hebben we het later wel over.'

Jeanette bestudeert de foto en Beatrice Ceder buigt zich over de tafel naar voren. 'Dat is ze!'

De foto toont een vrouw die in een zwembad staat.

De foto is afgesneden ter hoogte van het zwarte bikinitopje. Het water reikt tot haar middel en onder het oppervlak is een klein gezicht met een wijd open mond en een lege blik te zien.

Willekeurig wie, denkt ze. Het kan willekeurig wie zijn. Maar dat maakt niet uit. Waar het om gaat is dat de vrouw haar rechterringvinger mist.

'Het is Hannah Östlund,' zegt Beatrice Ceder.

Kronoberg

Beatrice Ceder heeft Jeanettes vermoedens bevestigd. Alle losse eindjes worden aan elkaar geknoopt en vormen één geheel. Hoe solide dat geheel is, zal ze weldra ontdekken.

Haar intuïtie klopt, maar ze weet ook dat die verraderlijk kan zijn. Bij politiewerk is het juiste gevoel belangrijk, maar het mag niet de overhand krijgen en het zicht belemmeren. Uit angst om te worden gezien als iemand die door haar emoties wordt gestuurd heeft ze er de laatste tijd niet naar geluisterd en zich blindgestaard op feiten.

Jeanette denkt aan de avondcursus modeltekenen die ze heeft gevolgd in het eerste jaar dat ze met Åke samen was. De leraar had uitgelegd hoe de hersenen het oog steeds misleiden en hoe het oog op zijn beurt de hand met het stukje houtskool misleidt. Je ziet wat je vindt dat je moet zien, en kijkt niet naar hoe de werkelijkheid er echt uitziet.

Een beeld met twee motieven, afhankelijk van waar je je op focust.

Het vermogen van verschillende personen om driedimensionale beelden te zien.

Door Hurtigs ogenschijnlijk onschuldige formulering in de auto onderweg naar Åkersberga had ze eventjes pas op de plaats gemaakt, haar dekking laten zakken en alleen gezien wat er daadwerkelijk te zien was.

Begrepen wat er te begrijpen viel en lak gehad aan hoe het eigenlijk zou moeten zijn.

Als ze gelijk heeft, is ze een goede agent die haar werk heeft gedaan en daarom haar loon verdient. Meer niet.

Maar als ze het mis heeft, zal ze bekritiseerd worden en zullen er vraagtekens bij haar vaardigheden worden geplaatst. Dat haar vergissingen het gevolg zijn van het feit dat ze een vrouw is en per definitie niet geschikt is als onderzoeksleider zal nooit hardop worden gezegd, maar wel tussen de regels door te horen zijn.

Die ochtend sluit ze zich in haar kamer op, zegt tegen Hurtig dat ze niet gestoord wil worden en vraagt diverse vingerafdrukken en DNA op.

Ivo Andrić werkt aan zijn rapport over Regina Ceder en ze krijgt het zodra hij het af heeft.

Ze kan in de loop van de dag antwoorden verwachten.

Op dit moment is het belangrijk dat ze Victoria Bergman vindt, en terwijl ze op de reacties op haar verzoeken wacht, leest ze haar aantekeningen van het gesprek met de oude psycholoog door. Opnieuw verbaast ze zich over het lot van de jonge Victoria.

Haar hele jeugd verkracht en seksueel misbruikt door haar vader.

Door haar nieuwe, geheime identiteit heeft ze een nieuw leven kunnen beginnen, ergens anders, ver bij haar ouders vandaan.

Maar waar is ze naartoe gegaan? Wat is er van haar geworden? En wat bedoelde de oude psycholoog toen ze zei dat wat ze Victoria in Kopenhagen hadden aangedaan verkeerd was? Wat hadden ze gedaan?

Is ze betrokken bij de moorden op Silfverberg, Grünewald en Ceder?

Jeanette denkt van niet. Het enige wat ze tot dusver met zekerheid weet, is dat Hannah Östlund Jonathan Ceder heeft verdronken. Dat Jessica Friberg vermoedelijk het fototoestel heeft vastgehouden, is voorlopig niet meer dan een aanname, maar Jeanette is ervan overtuigd dat het zo is gegaan.

Sofia de oudere heeft gezegd dat Victoria psycholoog is geworden en dat klonk logisch. Zoals veel daders zelf slachtoffer zijn geweest, is het vast niet ondenkbaar dat een psycholoog een achtergrond van psychische problemen heeft. Als alles in een kalmer vaarwater is gekomen en de zaak is opgelost, wil Jeanette haar theorie aan haar eigen Sofia Zetterlund voorleggen. En ze kan nauwelijks wachten tot ze kan vertellen dat ze in haar vak een naamgenoot heeft.

Mijn Sofia, denkt ze, en haar hele lichaam wordt warm.

Wat had Sofia over de dader gezegd? Dat het om iemand ging met een gespleten zelfbeeld. Iemand met de diagnose borderline, die daarom een onduidelijke grens tussen zichzelf en anderen ervaart. Of dat klopt zullen toekomstige verhoren moeten uitwijzen; op dit moment is dat van ondergeschikt belang.

Verder had Sofia uitgelegd dat het destructieve gedrag vaak werd veroorzaakt door fysieke en psychische mishandeling in de jeugd.

Als Charlottes man Peo Silfverberg niet was vermoord, had Jeanette het allemaal veel eerder begrepen.

Eigenlijk had Charlotte moeten sterven. Zij had immers ook dreigbrieven ontvangen. Jeanette kan er alleen maar naar gissen waarom haar echtgenoot is vermoord, maar het is zonder meer een verschrikkelijke wraak geweest.

Het is allemaal heel vanzelfsprekend, denkt Jeanette. Het is de wet van de menselijke natuur dat alles wat in de verborgen hoeken van het zielenleven verstopt ligt, worstelt om aan de oppervlakte te komen.

Ze had zich moeten concentreren op Fredrika Grünewald en de klasgenoten in Sigtuna, op het incident waar iedereen het over had gehad.

Er wordt geklopt en Hurtig komt de kamer binnen.

'Hoe gaat het?' Hij leunt tegen de muur links van de deur, alsof hij niet lang blijft.

'Prima. Ik wacht op gegevens die in de loop van de dag zullen komen. Die elk moment kunnen komen, hoop ik. En als ik die heb, slaan we landelijk alarm.'

'Zijn zij het, denk je?' Hurtig loopt naar de bezoekersstoel en gaat zitten.

'Waarschijnlijk.' Jeanette kijkt op van haar notitieblok, schuift haar stoel naar achteren en legt haar handen in haar nek.

'Wat wilde Åke toen hij gisteren belde?' Hurtig kijkt bezorgd.

'Kennelijk vindt Johan het moeilijk om Alexandra te accepteren.'

Hurtig fronst zijn voorhoofd. 'Åkes nieuwe vrouw?'

'Inderdaad. Johan had haar voor hoer uitgemaakt en toen was de hel losgebarsten.'

Jens Hurtig lacht. 'Er zit pit in de jongen, zo te horen.'

De Swedenborgsgatan

Sofia Zetterlund maakt zich klaar om naar huis te gaan. Ze is volkomen uitgeput.

Buiten kleurt de zon van de oudewijvenzomer de straat oranje en de wind, die eerder de ramen heeft doen rammelen, is afgenomen.

Als Sofia de praktijk verlaat, voelt ze dat de winter in de lucht hangt.

Op het Mariatorget heeft zich een vlucht kauwen verzameld om hun trek naar het zuiden voor te bereiden.

Ze passeert de ingang van het metrostation op het plein, de Schotse pub ertegenover, en loopt verder door de straat, waar de zonnestralen in de etalages worden weerspiegeld.

Bij station Södra ziet ze de vrouw weer.

Ze herkent de manier van lopen, de brede, schommelende heupen, de naar buiten wijzende voeten, het gebogen hoofd en het strakke grijze knotje.

De vrouw verdwijnt in het station en Sofia haast zich achter haar aan. De twee zware draaideuren vertragen haar en als ze in de stationshal staat, is de vrouw wederom verdwenen.

De hal heeft de vorm van een straat, omlijst door straatlantaarns, en de ingang naar het station van de pendeltrein ligt aan de andere kant.

Links is een tabakswinkel en rechts het restaurant Lilla Wien.

Sofia loopt op een drafje naar het draaihek.

Daar is de vrouw niet, maar ze kan nooit zo snel naar binnen zijn gewandeld, door het poortje zijn gelopen en met de roltrap naar beneden zijn gegaan.

Sofia draait zich om en loopt terug. Kijkt in het restaurant en in de tabakswinkel.

De vrouw is nergens te bekennen.

De ondergaande zon werpt oranje reflecties op de ramen en de gevels buiten.

Vuur, denkt ze. Verkoolde resten van de levens, lichamen en gedachten van mensen.

Kronoberg

De zon dringt door het openbrekende wolkendek heen en hoofdinspecteur Jeanette Kihlberg staat op van haar bureau. Ze kijkt over de daken van de huizen op Kungsholmen. Ze rekt zich uit, strekt haar armen en haalt diep adem. Ze vult haar longen, houdt de lucht iets langer vast dan noodzakelijk en ademt vervolgens met een diepe, verlossende zucht uit.

Hannah Östlund en Jessica Friberg, denkt ze. Klasgenoten van Charlotte Silfverberg, Fredrika Grünewald, Regina Ceder, Henrietta Dürer, Annette Lundström en Victoria Bergman op het Sigtuna Lyceum.

Het verleden haalt je altijd in.

Wie kaatst, moet de bal verwachten.

Zoals verwacht zijn Hannah Östlund en Jessica Friberg spoorloos verdwenen en toen ze haar bewijzen aan officier van justitie Von Kwist had voorgelegd, had hij ermee ingestemd een opsporingsbericht naar hen te doen uitgaan. Wegens ernstige verdenking van zowel de moord op Fredrika Grünewald als die op Jonathan en Regina Ceder.

Jeanette en Von Kwist waren het erover eens geweest dat er aanleiding was voor een gerede verdenking tegen Hannah Östlund en Jessica Friberg in de zaak van de moord op Per-Ola Silfverberg en ze hadden besloten het opsporingsbericht daarmee uit te breiden, ook al was deze verdenking minder zwaar.

Officier van justitie Von Kwist had betwijfeld of er op dit moment al voldoende bewijs was om de vrouwen in staat van beschuldiging te stellen, maar Jeanette had voet bij stuk gehouden.

Er zouden weliswaar nog meer technische bewijzen nodig zijn, maar ze was ervan overtuigd dat dat in orde kwam zodra de beide vrouwen waren opgepakt.

De vingerafdrukken die op de plaats delict waren veiliggesteld, zouden worden vergeleken en de DNA-vondsten zouden worden gematcht.

Daarna zouden ze worden verhoord en het was niet geheel ondenkbaar dat ze dan zouden bekennen.

Nu kunnen ze alleen maar afwachten, kijken hoe de zaken zich zullen ontwikkelen en wat de tijd hun zal brengen.

De grote vraag is nog steeds het motief. Waarom? Is het zo simpel dat het allemaal wraak is geweest?

Jeanette heeft al een theorie over oorzaak en gevolg. Het probleem is alleen dat alles volkomen onwaarschijnlijk lijkt als ze die onder woorden probeert te brengen.

Ze wordt in haar gedachten onderbroken door haar interne telefoon en ze draait zich om, buigt zich over het bureau en drukt op de knop om te antwoorden.

'Ja?'

'Met mij,' zegt Jens Hurtig. 'Als je hier komt, zal ik je iets interessants laten zien.'

Jeanette laat de knop los en loopt naar de gang, in de richting van Hurtigs kamer.

Meer gekke dingen kan ik niet aan, denkt ze. Het moet nu genoeg zijn.

De deur van Hurtigs kamer staat wijd open en als ze binnenkomt ziet ze dat Åhlund en Schwarz er ook zijn. Ze kijken haar aan. Schwarz grijnst en schudt zijn hoofd.

'Moet je dit eens horen,' zegt Åhlund en hij wijst op Hurtig.

Jeanette dringt zich tussen hen door, trekt een stoel bij en gaat zitten. 'Ik luister.'

'Polcirkeln,' begint hij. 'Het kerkelijk bevolkingsregister van Nattavaara. Annette Lundström, geboren Lundström en Karl Lundström. Ze zijn neef en nicht.'

'Neef en nicht?' Jeanette begrijpt het niet helemaal.

'Ja, neef en nicht,' herhaalt hij. 'Driehonderd meter bij elkaar vandaan geboren. De vaders van Karl en Annette zijn broers. Twee huizen in een dorp in Lapland dat Polcirkeln heet. Spannend, hè?'

Jeanette weet niet of spannend het juiste woord is. 'Onverwacht misschien,' antwoordt ze.

'Het wordt nog beter.'

Jeanette heeft het idee dat Hurtig elk moment kan gaan lachen.

'Advocaat Viggo Dürer heeft in Vuollerim gewoond. Dat is maar zo'n dertig, veertig kilometer bij Polcirkeln vandaan. Een afstand van niks in die contreien. Bij dertig kilometer ben je in principe buren van elkaar. Ik heb ook nog iets anders over Polcirkeln te vertellen.'

'En nu wordt het echt leuk,' zegt Schwarz.

Hurtig gebaart dat hij zijn mond moet houden. 'In de jaren tachtig verscheen er een verhaal in de pers. Dat ging over een sekte die vertakkingen in het noorden van Lapland en Norrbotten had en waarvan de hoofdzetel in Polcirkeln was gevestigd. Geflipte Laestadianen. Misschien heb je wel eens van de Korpela-beweging gehoord?'

'Nee, dat zou ik niet durven zeggen, maar ik neem aan dat jij die kent.'

'Dat speelde in de jaren dertig,' zegt Hurtig dramatisch. 'Een sekte die geloofde dat de dag des oordeels nabij was. Ze zaten in het oosten van Norrbotten. Profetieën over de ondergang en een zilveren schip dat de gelovigen zou komen halen. Ze hielden orgiën, waarbij ze op grond van Bijbelcitaten het kind in zichzelf bekrachtigden, haasje-over op de weg deden, naakt rondliepen en ga zo maar door. De spelletjes werden de Psalmen des Lams genoemd. Er kwam ontucht met kinderen voor. Honderdachttien mensen werden verhoord en vijfenveertig kregen een boete, van wie sommigen voor seksuele activiteiten met minderjarigen.'

'En wat gebeurde er in Polcirkeln?'

'Iets soortgelijks. Het begon met een aangifte tegen een beweging die zich Psalmen des Lams noemde. De aangifte betrof seksueel misbruik van kinderen, maar het probleem was dat de aangever anoniem was en dat de beschuldiging niet een specifiek iemand betrof. De krantenartikelen die ik heb gelezen zijn speculatief, gebaseerd op geruchten, bijvoorbeeld dat tachtig procent van de bevolking in de dorpen rond Polcirkeln actief lid zou zijn. Annette en Karl Lundström werden genoemd, evenals hun ouders, maar er viel niets te bewijzen. Het politieonderzoek werd gestaakt.'

'Ik ben helemaal verbijsterd,' zegt Jeanette.

'Ik ook. Annette Lundström was nog maar dertien. Karl negentien. Hun ouders waren in de vijftig.'

'En toen?'

'Tja, niets. Het verhaal over de sekte bloedde dood. Karl en Annette verhuisden naar het zuiden en trouwden een paar jaar later. Karl nam het bouwbedrijf van zijn vader over, kocht zich in in een groot concern en werd vervolgens directeur van een bedrijf in Umeå. Daarna verhuisde het gezin van de ene plek naar de andere in Zweden, al naargelang Karl nieuwe opdrachten kreeg. Toen ze Linnea kregen, woonden ze in de provincie Skåne, in het zuiden, maar dat weet je al.'

'En Viggo Dürer?'

'Die komt ook in een van de artikelen uit die tijd voor. Hij werkte bij een zagerij en gaf een verklaring aan de krant. Ik citeer: "Het gezin Lundström is onschuldig. Psalmen des Lams heeft nooit bestaan, het is een verzinsel van journalisten."'

'En die aangifte?'

'Volgens Dürer zat daar een journalist achter.'

'Waarom werd hij geïnterviewd? Was hij ook genoemd als betrokkene?'

'Nee. Maar ik neem aan dat hij zo vaak mogelijk in de krant gezien wilde worden. Waarschijnlijk had hij toen al ambities.'

Jeanette denkt aan Annette Lundström.

Geboren in een geïsoleerd dorp in Norrland. Als kind mogelijk betrokken bij een sekte waar seksueel misbruik van kinderen voorkwam. Getrouwd met haar neef Karl. Het seksuele misbruik gaat door, verspreidt zich als een gif van generatie op generatie. De familie valt uiteen. Implodeert. Ze roeien zichzelf uit.

'Ben je klaar voor meer?'

'Zeker weten.'

'Ik heb het banksaldo van Annette Lundström opgevraagd en...'

'Je hebt wát gedaan?' onderbreekt Jeanette hem.

'Een inval.' Hurtig is even stil en denkt na voordat hij verdergaat. 'Jij zegt altijd dat je je intuïtie moet vertrouwen, dus dat heb ik gedaan en toen bleek dat iemand onlangs een half miljoen kronen op haar rekening heeft gestort.'

Verdomme, denkt Jeanette. Dürer wil verhullen wat Linnea heeft meegemaakt.

Judasgeld.

De Johan Printz väg

Ulrika Wendin zet haar mobieltje uit en gaat bij Skanstull de metro in. Ze is opgelucht dat de secretaresse opnam toen ze belde om te zeggen dat ze niet meer kwam, en niet Sofia Zetterlund zelf.

Ulrika Wendin schaamt zich omdat ze zich tot zwijgen heeft laten brengen.

Vijftigduizend kronen is niet veel geld, maar ze heeft de huur een halfjaar vooruit kunnen betalen en bovendien een nieuwe laptop kunnen kopen.

Bij het poortje van de metro steekt ze haar been zo ver onder de metalen stang door dat de sensoren worden geactiveerd en ze het draaihek net ver genoeg naar zich toe kan trekken om zich erdoorheen te kunnen wurmen.

Viggo Dürer was verontwaardigd geweest omdat ze Sofia had gesproken. Waarschijnlijk bang dat ze tijdens de gesprekstherapie zou onthullen wat Karl Lundström en hij haar hadden aangedaan.

Twee minuten wachten op de groene lijn naar Skarpnäck.

De metro is halfvol en ze vindt een lege plek.

Ulrika Wendin denkt aan Jeanette Kihlberg, die best geschikt lijkt, hoewel ze een smeris is.

Had ze alles moeten vertellen?

Maar nee. Ze brengt het niet op alles nog een keer boven te laten komen, en bovendien is het maar de vraag of iemand haar gelooft. Ze kan beter haar mond houden, want wie zijn nek uitsteekt, loopt het risico op zijn bek te krijgen.

Negen minuten later stapt ze het perron in Hammarbyhöjden op en loopt zonder problemen door het poortje.

Geen controleurs. Niet in de metro en niet bij de uitgang.

De Finn Malmgrens väg, langs de school en door het kleine bos tussen de flatgebouwen. De Johan Printz väg. De portiek in, de trappen op, de voordeur van het slot en naar binnen.

Een hele stapel post.

Reclame en huis-aan-huisbladen.

Ze sluit de deur, doet hem op slot, maakt de veiligheidsketting vast.

Als ze zich op de vloer van de hal laat zakken, komen de tranen. De stapel papier is zacht tegen haar rug en ze gaat op haar zij liggen.

In alle jaren dat ze heeft samengewoond met vriendjes die haar hebben geslagen, heeft ze nooit gehuild.

Toen ze als tiener een keer uit school kwam en haar moeder knock-out op de bank vond, had ze niet gehuild.

Haar oma had haar omschreven als een keurig opgevoed meisje. Een stil kind dat nooit huilde.

Maar nu doet ze dat wel, en op hetzelfde moment hoort ze iemand in de keuken.

Ulrika Wendin komt overeind en loopt naar de keukendeur.

Daar staat Viggo Dürer. Achter hem ziet ze nog een man.

Advocaat Viggo Dürer slaat haar precies op haar neusbeen en ze hoort het kraken.

Edsviken

Linnea Lundström spoelt de verkoolde restanten van haar vaders verbrande brief door de wc en gaat terug naar haar kamer. De kleren die ze niet langer nodig heeft, liggen keurig opgevouwen op het strak opgemaakte bed. Haar rode koffer staat ingepakt op de vloer.

Alles is klaar.

Ze denkt aan haar psycholoog, Sofia Zetterlund, die op een gegeven moment heeft verteld hoe Charles Darwin op het idee was gekomen voor zijn boek *Het ontstaan van soorten*. Hoe hij alles in een flits voor zich had gezien en de rest van zijn leven bezig was geweest bewijzen voor zijn stelling te verzamelen.

Sofia heeft ook verteld dat de relativiteitstheorie van Einstein sneller in zijn hersenen was geboren dan dat je je handen ineen kunt slaan.

Linnea Lundström weet hoe dat voelt, omdat ze nu met precies dezelfde helderheid naar het bestaan kijkt.

Het leven dat ooit een mysterie was, is tegenwoordig een materialistische werkelijkheid en zelf is ze niet meer dan een schil.

In tegenstelling tot Darwin hoeft ze niet op zoek te gaan naar bewijzen en in tegenstelling tot Einstein heeft ze geen theorie nodig. Een aantal bewijzen bevindt zich in haar, als roze littekens op haar ziel. Andere zijn zichtbaar op haar lichaam in de vorm van letsel op haar onderlijf, striemen.

Puur concreet is het bewijs er als ze 's ochtends wakker wordt en haar bed nat is van de urine, of wanneer ze zenuwachtig wordt en haar plas niet kan ophouden.

De stelling heeft haar vader al eeuwen geleden geformuleerd. In een tijd dat ze zelf nog maar een paar woorden kon zeggen. In een peuterbadje in een tuin in Kristianstad had hij zijn stelling in praktijk gebracht en daarna was de stelling een levenslange waarheid geworden.

Ze herinnert zich zijn sussende woorden op de rand van haar bed.

Zijn handen op haar lichaam.

Hun gemeenschappelijke avondgebed.

'Ik verlang ernaar je aan te raken en je lust te mogen bevredigen. Jou te zien genieten is mijn bevrediging.'

Linnea Lundström pakt de bureaustoel en zet die onder de haak aan het plafond. Ze kent de coupletten uit haar hoofd.

'Ik wil je beminnen en je alle liefde geven die je waard bent. Ik wil je teder strelen, van binnen naar buiten, zoals alleen ik dat kan.'

Ze maakt de riem van haar spijkerbroek los. Zwart leer. Klinknagels.

'Ik geniet wanneer ik naar je kijk, alles van jou schenkt mij lust en genot.'

Een lus. Een stap op de stoel en de gesp van de riem aan de haak in het plafond.

'Je zult een veel hoger niveau van bevrediging en genot ervaren.'

De riem om haar nek. Het geluid van de tv beneden in de woonkamer.

Annette met een doos chocolaatjes en een glas wijn.

De halve finale van *Idols*.

Morgen een wiskundeproefwerk. Ze heeft de hele week geleerd en weet dat ze het goed zou hebben gemaakt.

Een stap de lucht in. Het publiek applaudisseert gehoorzaam wanneer de gastvrouw in de studio een bord omhooghoudt.

Een kleine stap en de stoel valt naar rechts.

'Het is in waarheid een uitstorting van heerlijkheid.'

De Tantoberg

Ze ziet de auto komen en zoekt bescherming achter wat struiken.

In de diepte achter haar ligt het park Tantolunden en de zon, die net achter de horizon is verdwenen, is alleen nog maar als een lichte rand boven de daken van de huizen te zien. De smalle toren van de kerk van Essinge is een dunne streep bij de stadsdelen Smedslätten en Ålsten.

Op het grote grasveld van het park trotseren een paar mensen de kou en blijven met een glaasje wijn op hun plaids zitten. Sommigen gooien met een frisbee, hoewel het bijna donker is. Bij het strandje ziet ze iemand een avondduik nemen.

De auto stopt, de motor wordt uitgezet, de koplampen worden gedoofd en het wordt stil.

Tijdens de vele jaren in Deense instellingen heeft ze geprobeerd alles te vergeten, maar daar is ze niet in geslaagd. Nu moet ze voltooien wat ze ooit, eeuwen geleden, heeft besloten te doen.

Het onafwendbare beëindigen.

De vrouwen in de auto zullen het haar mogelijk maken terug te keren naar Frankrijk, naar haar kleine huisje in Blaron in de buurt van Saint Julien du Verdon.

Hannah Östlund en Jessica Friberg moeten worden opgeofferd. Samen met de andere namen in vergetelheid raken.

Afgezien van de jongen in Gröna Lund waren het allemaal zieke mensen geweest. De jongen was een vergissing geweest, en toen ze dat had beseft, had ze hem laten leven.

Toen ze hem de pure alcohol had ingespoten, was hij flauwgevallen en ze had hem het varkensmasker opgezet. Ze waren de hele nacht op Waldemarsudde gebleven en toen ze uiteindelijk had begrepen dat hij niet haar halfbroer was, had ze zich bedacht.

De jongen was onschuldig, maar de vrouwen die nu in de auto op haar zitten te wachten zijn dat niet.

Tot haar teleurstelling ervaart ze geen vreugde.

Geen euforisch gevoel van geluk – nee, zelfs geen opluchting. Het bezoek aan Värmdö was ook een teleurstelling geweest. Het huis van opa en oma was afgebrand en ze waren alle twee dood.

Ze had zich erop verheugd hun gezichten te zien als ze door de deur naar binnen stapte en hen confronteerde.

Zijn gelaatsuitdrukking als ze vertelde wie haar vader was.

Vader en opa, het zwijn Bengt Bergman.

Pleegvader Peo had het echter wel begrepen. Hij had zelfs om vergeving gevraagd en haar geld aangeboden. Alsof hij rijk genoeg was om zijn daden te kunnen compenseren.

Zoveel geld bestaat er niet, denkt ze.

De pathetische Fredrika Grünewald had haar eerst niet herkend. Op zich niet zo vreemd; het was tenslotte tien jaar geleden dat ze elkaar voor het laatst hadden gezien op de boerderij van Viggo Dürer in Struer.

De keer dat Fredrika over Sigtuna had verteld.

Regina Ceder was er ook bij geweest. Hoogzwanger en dik als een varken had ze, samen met Fredrika, staan genieten.

Ze herinnert zich hun glimmende ogen, het zweet en de collectieve opwinding.

Ze trekt haar kobaltblauwe jas dichter om haar lichaam en besluit naar de auto met de twee vrouwen te gaan over wie ze alles weet.

Wanneer ze haar handen in haar zakken steekt om te controleren of ze de polaroids niet is vergeten, schrijnt haar rechterhand.

Haar ringvinger eraf snijden is een kleine opoffering geweest.

Het verleden haalt je altijd in, denkt ze.

Dank aan:
Helemaal niemand.

Tot haar teleurstelling ervaart ze geen vreugde.

Geen euforisch gevoel van geluk – nee, zelfs geen opluchting. Het bezoek aan Värmdö was ook een teleurstelling geweest. Het huis van opa en oma was afgebrand en ze waren alle twee dood.

Ze had zich erop verheugd hun gezichten te zien als ze door de deur naar binnen stapte en hen confronteerde.

Zijn gelaatsuitdrukking als ze vertelde wie haar vader was.

Vader en opa, het zwijn Bengt Bergman.

Pleegvader Peo had het echter wel begrepen. Hij had zelfs om vergeving gevraagd en haar geld aangeboden. Alsof hij rijk genoeg was om zijn daden te kunnen compenseren.

Zoveel geld bestaat er niet, denkt ze.

De pathetische Fredrika Grünewald had haar eerst niet herkend. Op zich niet zo vreemd; het was tenslotte tien jaar geleden dat ze elkaar voor het laatst hadden gezien op de boerderij van Viggo Dürer in Struer.

De keer dat Fredrika over Sigtuna had verteld.

Regina Ceder was er ook bij geweest. Hoogzwanger en dik als een varken had ze, samen met Fredrika, staan genieten.

Ze herinnert zich hun glimmende ogen, het zweet en de collectieve opwinding.

Ze trekt haar kobaltblauwe jas dichter om haar lichaam en besluit naar de auto met de twee vrouwen te gaan over wie ze alles weet.

Wanneer ze haar handen in haar zakken steekt om te controleren of ze de polaroids niet is vergeten, schrijnt haar rechterhand.

Haar ringvinger eraf snijden is een kleine opoffering geweest.

Het verleden haalt je altijd in, denkt ze.